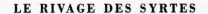

LE RIVAGE DES SYRTES

Chez le même éditeur :
GRACQ

ANDRÉ BRETON
quelques aspects de l'écrivain

AUTOUR DES SEPT COLLINES

UN BALCON EN FORÊT

UN BEAU TÉNÉBREUX

AU CHÂTEAU D'ARGOL

LES EAUX ÉTROITES

EN LISANT EN ÉCRIVANT

LA FORME D'UNE VILLE

LETTRINES

LETTRINES II

LIBERTÉ GRANDE

LA LITTÉRATURE A L'ESTOMAC

PENTHÉSILÉE, de Kleist, *(théâtre)*

PRÉFÉRENCES *(critique)*

LA PRESQU'ÎLE

LE RIVAGE DES SYRTES

LE ROI PÊCHEUR *(théâtre)*

JULIEN GRACQ

LE RIVAGE DES SYRTES

25e tirage
235e mille

LIBRAIRIE
JOSE CORTI
1991

CET OUVRAGE A ÉTÉ ACHEVÉ D'IMPRIMER EN
JUILLET MIL NEUF CENT QUATRE-VINGT-ONZE
SUR LES PRESSES DE L'IMPRIMERIE DE LA
MANUTENTION A MAYENNE
FRANCE

N° d'édition : 1145
ISBN 2-7143-0359-5

UNE PRISE DE COMMANDEMENT

J'APPARTIENS à l'une des plus vieilles familles d'Orsenna. Je garde de mon enfance le souvenir d'années tranquilles, de calme et de plénitude, entre le vieux palais de la rue San Domenico et la maison des champs au bord de la Zenta, où nous ramenait chaque été et où j'accompagnais déjà mon père, chevauchant à travers ses terres ou vérifiant les comptes de ses intendants. Mes études terminées dans l'ancienne et célèbre université de la ville, des dispositions assez naturellement rêveuses, et la fortune dont je fus mis en possession à la mort de ma mère, firent que je me trouvai peu pressé de choisir une carrière. La Seigneurie d'Orsenna vit comme à l'ombre d'une gloire que lui ont acquise aux siècles passés le succès de ses armes contre les Infidèles et les bénéfices fabuleux de son commerce avec l'Orient : elle est semblable à une personne très vieille et très noble qui s'est retirée du monde et que, malgré la perte de son crédit et la ruine de sa fortune, son prestige assure encore contre les affronts des créanciers ; son activité faible, mais paisible encore, et comme majestueuse, est celle d'un vieillard dont les apparences longtemps robustes laissent incrédule sur le progrès continu en lui de la mort. Les charges publiques et le service de l'Etat, pour lequel le zèle du patriciat antique d'Orsenna est resté légendaire, dans cet état d'infirmité conservent donc peu d'attraits pour ce qu'il y a de bouillonnant et d'illimité dans les impulsions de la jeunesse : le déclin de l'âge marque le moment où l'on accède aux charges de la Seigneurie avec le plus d'efficace. Quelque chose de romanesque et d'inemployé flottait donc sur la vie libre, et à beaucoup d'égards peu édifiante, que menaient dans la ville les jeunes gens nobles. Je me mêlai de bonne foi à leurs plaisirs fiévreux, à leurs enthousiasmes d'un jour, à leurs passions d'une semaine — le bâillement précoce est la rançon des classes trop anciennement assises sur le faîte, et j'accédai très vite aux délices, vantées dans la jeunesse dorée de la ville, de l'*ennui supérieur*. Mes journées se partageaient entre la lecture des poètes et les promenades solitaires dans la campagne ; par les soirées orageuses de l'été qui font peser sur Orsenna comme un manteau de plomb, j'aimais à m'enfoncer dans les forêts qui cernent la ville ; le plaisir de la chevauchée libre redoublait en moi avec les heures, comme redouble la vitesse d'une bête généreuse ; souvent je ne tournais bride qu'au crépuscule. J'aimais ces retours dans la pénombre montante : comme la cime de ses bannières s'ennoblit pour nous d'un reflet de plus grand prix, parce qu'il monte d'une brume de siècles, les dômes et les toits d'Orsenna jaillissaient plus limpides du brouillard ; les pas assagis de mon cheval vers la ville me paraissaient alourdis d'un secret. Mes occupations de la nuit étaient plus frivoles : je me mesurais aux jeunes gens de mon âge dans les joutes platoniques des Académies, qui fleurissent à Orsenna à mesure que le Sénat s'y vide ; j'accordais beaucoup à l'amour, et je m'y montrais aussi ardent et aussi libre qu'aucun autre. Il arriva que ma maîtresse me quitta : j'en eus d'abord seulement de l'humeur, et je ne m'alarmai vraiment qu'en mesurant soudain le peu d'inclination que je me sentais à en prendre une autre. Cet accroc médiocre à des occupations dont les mailles s'étaient, sans que je le susse, peu à peu démesurément distendues, fit soudain s'effiler en lambeaux sous mes yeux ce que je considérais

8

peu de jours encore auparavant comme une existence acceptable : ma vie m'apparut irréparablement creuse, le terrain même sur lequel j'avais si négligemment bâti s'effondrait sous mes pieds. J'eus soudain envie de voyager : je sollicitai de la Seigneurie un emploi dans une province éloignée.

Le gouvernement d'Orsenna, comme celui de tous les Etats mercantiles, s'est toujours distingué par une méfiance jalouse à l'égard des chefs, et même des officiers subalternes, de ses armées et de ses flottes. Contre les risques d'une intrigue ou d'un coup d'Etat militaire, longtemps redouté à l'époque où des guerres continuelles l'obligeaient à tenir en campagne des forces importantes, l'aristocratie d'Orsenna n'a pas cru se prémunir assez en imposant la plus étroite sujétion des cadres militaires au pouvoir civil : depuis des temps très reculés, les plus nobles familles ne pensent point déchoir en déléguant auprès d'eux leurs jeunes hommes dans des fonctions qui touchent de fort près aux pratiques de l'espionnage, et dont l'effet a été longtemps d'étouffer dans l'œuf toute tentative de conspiration armée. Ce sont là les « yeux » célèbres de la Seigneurie : leurs pouvoirs mal délimités, mais en réalité toujours officieusement étayés par le poids d'un grand nom et le crédit d'une ancienne famille, leur laissent en général l'initiative la plus étendue, même au cours d'une campagne ; l'unité de vue et l'énergie dans la conduite des guerres d'Orsenna ont parfois souffert de l'atmosphère de méfiance et de la timidité dans le commandement qu'engendrent de pareilles pratiques, mais on considère en revanche que la *situation fausse* qui leur est faite est propre à développer très tôt le doigté politique et le sens de la diplomatie chez ceux que la Seigneurie destine à ses plus grands emplois. Ces débuts douteux d'espion accrédité se trouvèrent être ainsi longtemps le chemin obligatoire des plus hautes distinctions. Dans l'état de décrépitude et d'énervement où sont tombées aujourd'hui ses forces, Orsenna eût pu sans grands risques se relâcher d'une vigilance si soupçonneuse ; mais la force des traditions, comme dans tous les empires croulants, croît chez elle à mesure que se dénude plus ouvertement, dans les rouages du gouvernement et de l'économie, l'action prépondérante de tous les principes d'inertie : on délègue les fils de famille aux « yeux » dans le même esprit anodin où ailleurs on les envoie voyager à l'étranger et prendre part aux grandes chasses, mais on les y délègue toujours ; un cérémonial devenu avec le temps à demi bouffon, mais soigneusement conservé, continue même à marquer cette espèce de prise de toge virile. Mon père, dans sa demi-retraite, s'était inquiété de ma vie de dissipation ; il apprit avec plaisir mes dispositions nouvelles, il appuya ma démarche auprès de la Seigneurie de tout son crédit qui restait grand. Peu de jours après qu'on l'eut informé d'une décision de principe favorable, un décret du Sénat me confirma dans les fonctions d'Observateur auprès des Forces Légères que la Seigneurie entretenait dans la mer des Syrtes.

Dans sa volonté arrêtée de m'éloigner de la capitale, et de me rompre aux fatigues d'une vie plus rude, mon père m'avait servi peut-être au delà de mes vagues désirs de changement. La province des Syrtes, perdue aux confins du Sud, est comme l'Ultima Thulé des territoires d'Orsenna. Des routes rares et mal entretenues la relient à la capitale au travers d'une région à demi désertique. La côte qui la borde, plate et festonnée de haut-fonds dangereux, n'a jamais permis l'établissement d'un port utilisable. La mer qui la longe est vide : des vestiges et des ruines antiques rendent plus sensible la désolation de ses abords. Ces sables stériles ont porté en effet une civilisation riche, au temps où les Arabes envahirent la région et la fertilisèrent par leur irrigation ingénieuse, mais la vie s'est retirée depuis de ces extrémités lointaines, comme si le sang trop avare d'un corps politique momifié n'arrivait plus jusqu'à elles ; on dit aussi que le climat progressivement s'y assèche, et que les rares taches de végétation d'année en année s'y amenuisent d'elles-mêmes, comme rongées par les vents qui viennent du désert. Les fonctionnaires de l'Etat considèrent ordinairement les Syrtes comme un purgatoire où l'on expie quelque faute de service dans des années d'ennui interminables ; à ceux qui s'y maintiennent par goût, on attribue à Orsenna des manières rustiques et à demi sauvages — le voyage « au fond des Syrtes », quand on est contraint de l'entreprendre, s'accompagne d'un cortège de plaisanteries infini. Elle ne manquèrent pas dans le banquet d'adieu que je donnai à mes compagnons de débauche la veille de mon départ ; et cependant, dans les intervalles des toasts et des rires, il régnait parfois autour de la table comme une imperceptible gêne, un silence difficile à combler, où passait une ombre de mélancolie : mon exil était plus sérieux et plus lointain qu'il n'avait d'abord paru ; chacun sentait que la vie pour moi s'apprêtait à vraiment changer : déjà le nom barbare des Syrtes m'exilait du joyeux cercle. Une brèche définitive, pour la première fois, allait s'ouvrir dans cette ronde d'amitiés fraîches, — elle était faite, — déjà je gênais en la maintenant trop visible : on souhaitait obscurément de me voir disparaître pour l'aveugler. Comme nous nous séparions sur le seuil de l'Académie, Orlando me serra soudain dans ses bras, d'un air tendu et absorbé qui contrastait avec les propos légers de la soirée, et me souhaita d'un ton sérieux « bonne chance sur le front des Syrtes ». Je quittai Orsenna le lendemain de bonne heure, dans la voiture rapide qui portait aux Syrtes le courrier officiel.

Il y a un grand charme à quitter au petit matin une ville familière pour une destination ignorée. Rien ne bougeait encore dans les rues engourdies d'Orsenna, les grands éventails des palmes s'épanouissaient plus larges au-dessus des murs aveugles ; l'heure sonnant à la cathédrale éveillait une vibration sourde et attentive dans les vieilles façades. Nous glissions au long de rues connues, et déjà étranges de tout ce que leur direction semblait choisir pour moi si fermement dans un lointain encore indéfini. Cet adieu m'était léger : j'étais tout à goûter l'air acide et le plaisir de deux yeux dispos, détachés déjà au milieu de toute cette somnolence confuse : nous partions à l'heure réglementaire. Les jardins des faubourgs défilèrent sans agrément ; un air glacial stagnait sur les campagnes humides, je me pelotonnai au fond de la voiture et me mis à inventorier avec curiosité un grand portefeuille de cuir que j'avais retiré la veille de la Chancellerie en prêtant serment. Je tenais là, dans mes mains, une marque concrète de ma nouvelle importance, j'étais trop jeune encore pour ne pas trouver à la soupeser un plaisir presque enfantin. Il contenait diverses pièces officielles relatives à ma nomination, — assez nombreuses, ce qui me rendit bonne humeur, — des instructions concernant les devoirs de ma charge et la conduite à suivre dans le poste que j'allais occuper ; je décidai de les lire à tête reposée. La dernière pièce était une forte enveloppe jaune scellée aux armes de la Seigneurie ; la suscription, manuscrite et soigneuse, arrêta soudain mon regard : « A ouvrir seulement après réception de l'Instruction spéciale d'Urgence. » C'était les ordres secrets ; je me redressai imperceptiblement et balayai l'horizon d'un regard déterminé. Un souvenir, teinté à la fois d'absurde et de mystère, remontait lentement jusqu'à moi, qui m'avait aiguillonné sourdement depuis qu'on me destinait à ce poste perdu des Syrtes : sur la frontière que j'allais rejoindre, Orsenna était en guerre. Ce qui ôtait de la gravité à la chose, c'est qu'elle était en guerre depuis trois cents ans.

On sait peu de chose dans la Seigneurie sur le Farghestan, qui fait face aux territoires d'Orsenna par delà la mer des Syrtes. Les invasions qui l'ont balayé de façon presque continue depuis les temps antiques — en dernier lieu l'invasion mongole — font de sa population un sable mouvant, où chaque vague à peine formée s'est vue recouverte et effacée par une autre, de sa civilisation une mosaïque barbare, où le raffinement extrême de l'Orient côtoie la sauvagerie des nomades. Sur cette base mal raffermie, la vie politique s'est développée à la

manière de pulsations aussi brutales que déconcertantes :
tantôt le pays, en proie aux dissensions, s'affaisse sur
lui-même et semble prêt à s'émietter en clans féodaux
opposés par des haines de race mortelles — tantôt une
vague mystique, née dans le creux de ses déserts, fond
ensemble toutes les passions pour faire un moment du
Farghestan une torche aux mains d'un conquérant ambi-
tieux. On ne sait guère plus, à Orsenna, du Farghestan
— et on ne souhaite guère en savoir davantage — sinon
que les deux pays — on l'apprend sur les bancs de l'école
— sont en état officiel d'hostilité. Il y a maintenant trois
siècles en effet, — à une époque où la navigation n'avait
pas encore déserté les Syrtes, — les pirateries continuelles des Farghiens au long de ses côtes, déclenchèrent
de la part d'Orsenna une expédition de représailles, qui
parut devant la côte ennemie et bombarda ses ports sans
ménagements. Plusieurs escarmouches s'ensuivirent, puis
les hostilités, qui n'engageaient de part et d'autre aucun
intérêt majeur, languirent et s'éteignirent d'elles-mêmes
tout à fait. Des guerres de clans paralysèrent pour de
longues années la navigation dans les ports farghiens ;
de son côté, celle d'Orsenna entrait lentement en léthargie : ses vaisseaux désertèrent un à un une mer secondaire
où le trafic tarissait insensiblement. La mer des Syrtes
devint ainsi, par degrés, une vraie mer morte que personne
ne songea plus à traverser : ses ports ensablés n'accueil-
lirent plus que des bâtiments côtiers du plus petit tonnage :
Orsenna, aujourd'hui, passait pour ne plus entretenir
dans une base ruinée que quelques avisos du caractère
le moins agressif, dont l'unique fonction est de faire à la
belle saison la police de la pêche sur les bancs d'éponges.
Mais, dans cet engourdissement général, l'envie de
terminer légalement le conflit manqua en même temps
que celle de le prolonger par les armes ; tout ruinés qu'ils
étaient et privés de leurs forces, Orsenna et le Farghestan
restaient deux pays fiers, jaloux d'un long passé de gloire,
et d'autant moins disposés l'un et l'autre à faire litière
de leur bon droit qu'il en coûtait peu désormais de le

soutenir. Aussi réticents l'un que l'autre à faire la première ouverture d'un règlement pacifique, ils se murèrent tous deux dans une bouderie pointilleuse et hautaine et s'appliquèrent désormais, d'un accord tacite, à écarter jalousement tout contact. Orsenna mit le ban sur la navigation en dehors des eaux côtières, et on a tout lieu de croire que des mesures analogues furent prises, vers la même époque, par le Farghestan. Les années s'accumulant d'une guerre aussi accommodante, on en vint peu à peu, à Orsenna, à considérer tacitement l'idée même d'une démarche diplomatique pacifique comme un mouvement immodéré, comportant quelque chose de trop tranché et de trop vif, qui risquait de retourner malencontreusement dans sa tombe le cadavre d'une guerre depuis longtemps morte de sa bonne mort. La liberté extrême que donnait cette issue indéterminée d'exalter sans démenti les grandes victoires et l'honneur intact d'Orsenna était d'ailleurs un garant de plus de la tranquillité générale ; les derniers soupirs guerriers trouvaient leur exutoire à l'aise dans les fêtes qui continuaient à célébrer l'anniversaire du bombardement ; et lorsque le Sénat, se ravisant, décida d'affecter les crédits, d'abord proposés pour une ambassade, à l'érection d'une statue de l'amiral qui avait commandé contre le Farghestan, chacun à Orsenna s'applaudit de cette décision essentiellement sage et sentit que, par ces lèvres de bronze, la guerre du Farghestan avait vraiment expiré son dernier souffle.

C'était là l'aspect, placide, et relevé même d'une pointe de bouffonnerie plaisante, sous lequel on considérait généralement à Orsenna l'affaire du Farghestan. Il y en avait un autre.

Lorsqu'on lisait les poètes d'Orsenna, on était frappé de voir combien cette guerre avortée, à tout prendre extrêmement banale, et où nul épisode pittoresque ne paraissait propre à mettre en branle l'imagination, tenait dans leurs écrits une place disproportionnée à celle qu'elle occupait dans les manuels d'histoire. Et, plus encore peut-être que l'obstination qu'ils apportaient à

14

la mettre en cause dans leurs envolées lyriques, était frappante la liberté excessive qu'ils prenaient ici d'ajouter sans mesure aux faits connus, d'entasser rallonge sur rallonge géante d'épisodes à cette guerre de troisième ordre, comme s'ils avaient trouvé là, pour leur génie, une source de rajeunissement inépuisable. A ces poètes savants on trouvait d'ailleurs un puissant écho dans les traditions populaires : les érudits avaient pu dresser un catalogue fort imposant des seuls récits du folklore relatifs au Farghestan. Ranimés ainsi subtilement dans les vers des poètes, il était significatif de remarquer que même la langue morte des actes officiels de tous les jours s'employait au mieux, de son côté, à conserver intactes les cendres de ce cadavre historique ; ainsi on n'avait jamais consenti à la Seigneurie, sous un spécieux prétexte de logique, à changer un mot au vocabulaire du véritable temps de guerre : la côte des Syrtes demeurait, pour les bureaux, « le front des Syrtes » — « flotte des Syrtes », les misérables carcasses que j'avais fonction de surveiller — « étapes des Syrtes », les bourgades qui jalonnaient de place en place la route du Sud. Pas un feuillet ne s'était envolé du dossier constitué il y a trois siècles à la Chancellerie ; j'avais pu le constater au cours du stage que l'Ecole de droit diplomatique impose dans les bureaux : les griefs articulés autrefois contre le Farghestan dormaient là, affilés comme au premier jour. « Il y en a soixante-douze », m'avait confirmé le chef du département du Sud, comme on dénombre les canons d'une flotte de haut bord, et j'avais compris que ces soixante-douze griefs, d'une inflexion de voix, il les fondait à jamais dans le patrimoine d'Orsenna, et que, ce dépôt précieux, il ne le rendrait qu'avec la vie. On pouvait considérer assez rêveusement, à la lueur de ces vagues indices, que l'inachèvement même de cette guerre, signe en réalité d'une chute de tension sans remède, était l'essentielle singularité qui nourrissait encore quelques imaginations baroques — comme si une conspiration latente se fût ébauchée çà et là de mains obstinées encore

15

à tenir absurdement entr'ouvertes les lèvres prêtes à se sceller d'elles-mêmes de l'événement — comme si l'on avait chéri là inexplicablement l'anomalie bizarre d'un événement historique mal venu, qui n'avait pas libéré toutes ses énergies, qui n'avait pas épuisé tout son suc.

Nous traversions maintenant le pays montueux et boisé qui ferme au sud les campagnes d'Orsenna. Le pavé romain pointait par places au travers de ces routes étroites, parfois recouvertes en voûte d'un berceau serré de verdure où la vigne s'enlaçait encore aux branches ; au bout de ces perspectives, braquées comme le canon d'une arme, s'ouvraient des lointains de vallées d'un bleu de matin. La splendeur mûre et l'opulence d'Orsenna montaient au cœur, de toutes ces campagnes gorgées de l'automne ; au-dessus de nous, la fraîcheur s'égouttait lentement des branches en se diluant comme une odeur dans l'air transparent, de grands treillis de soleil filtraient jusqu'à la route. Une plénitude calme, une bienvenue de jeunesse pure montaient de ce profond matin. Je buvais comme un vin léger cette fuite douce au travers des campagnes ouvertes, mais c'était moins l'avenir béant que la persistance autour de moi d'une présence assurée et familière, et pourtant déjà condamnée, qui m'emplissait le cœur : m'éloignant à toute vitesse de ma ville, je respirais Orsenna de tous mes poumons. Je songeais combien les fibres qui me retenaient à ce pays étaient profondes, comme à une femme dont la beauté trop mûre et trop tendre vous tient captif ; puis, de temps en temps, sur cet attendrissement mélancolique, comme un souffle vif et alarmant dans une nuit tiède, glissait ce mot troublant : « la guerre », et les couleurs si pures du paysage autour de moi viraient à une imperceptible teinte d'orage. Ces rêveries énervées et inconsistantes me lassèrent — nous atteignîmes Mercanza — et je commençai à attacher sur le paysage un œil plus intéressé.

Passés les remparts de la vieille forteresse normande, le souffle du sud devenait déjà sensible à l'amaigrissement progressif de la végétation. A la buée vaporeuse qui roulait sur les forêts humides d'Orsenna avait succédé une sécheresse lumineuse et dure, sur laquelle étincelaient crûment, dans la distance, les murs blancs et bas des fermes isolées. Le sol, en s'aplanissant brusquement, tendait à notre rencontre de grandes steppes nues, que la route écorchait à peine, sous le soleil, d'un sillon plus cuisant ; le vent de la libre vitesse claquait à nos oreilles en ondes plus larges sur ces plaines battantes. Ces horizons balayés, où s'ébattaient d'immenses troupeaux de nuages, étaient rendus plus semblables encore à ceux du large par l'apparition, de place en place, de hautes tours de guet normandes, semées irrégulièrement sur les steppes rases, et qui surveillaient la plaine nue comme des phares. Des troupeaux de buffles à peine domestiqués surgissaient des vasières et prenaient le trot, cornes hautes, toute la horde massive hérissée soudain par le vent. C'était un pays plus libre et plus sauvage, où la terre, laissant affleurer sa surface pure, semblait nous inviter, en exaspérant d'elle-même notre vitesse, à nous rendre sensible comme du doigt sa seule courbure austère, et, aspirant toujours plus loin notre machine lancée à fond de course, indéfiniment à faire basculer ses horizons. La nuit monta de l'est et s'éleva sur nous comme un mur d'orage ; la tête renversée dans les coussins, au cœur de l'obscurité, je me plongeai longuement aux constellations calmes, dans une exaltation silencieuse : ses dernières étoiles devaient briller pour nous sur les Syrtes.

Lorsque je revis en souvenir les premiers temps de mon séjour dans les Syrtes, c'est toujours avec une vivacité intense que revient à moi l'impression anormalement forte de dépaysement que je ressentis dès mon arrivée, et toujours à ce rapide voyage qu'elle s'attache pour moi avec le plus de prédilection. Nous glissions comme dans le fil d'un fleuve d'air froid que la route poussiéreuse jalonnait de vagues pâleurs ; de part et d'autre de la route, l'obscurité se refermait opaque ; au long de ces chemins écartés, où toute rencontre paraissait déjà si improbable, rien n'égalait le vague indécis des formes

17

qui s'ébauchaient de l'ombre pour y rentrer aussitôt. Dans l'absence de tout repère visible, je sentais monter en moi cette atonie légère et progressive du sens de l'orientation et de la distance qui nous immobilise avant tout indice, comme l'étourdissement commençant d'un malaise, au milieu d'une route où l'on s'est égaré. Sur cette terre engourdie dans un sommeil sans rêves, le brasillement énorme et stupéfiant des étoiles déferlait de partout en l'amenuisant comme une marée, exaspérant l'ouïe jusqu'à un affinement maladif de son crépitement d'étincelles bleues et sèches, comme on tend l'oreille malgré soi à la mer devinée dans l'extrême lointain. Emporté dans cette course exaltante au plus creux de l'ombre pure, je me baignais pour la première fois dans ces nuits du Sud inconnues d'Orsenna, comme dans une eau initiatique. Quelque chose m'était promis, quelque chose m'était dévoilé ; j'entrais sans éclaircissement aucun dans une intimité presque angoissante, j'attendais le matin, offert déjà de tous mes yeux aveugles, comme on s'avance les yeux bandés vers le lieu de la révélation.

Il se leva derrière la broussaille pluvieuse et les nuages bas d'une plaine déserte. De durs cahots secouèrent la voiture sur une piste écorchée et galeuse, rongée de larges plaques malsaines d'une herbe maigre. Cette piste ressemblait à une tranchée basse. De chaque côté, à hauteur d'homme, elle paraissait taillée à angles vifs dans une mer de joncs serrés et grisâtres, dont l'œil balayait la surface jusqu'à l'écœurement, et dont les détours continuels de la route paraissaient murer à chaque instant les issues. Aussi loin que l'œil portât, à travers la brume liquide, on n'apercevait ni un arbre ni une maison. L'aube spongieuse et molle était trouée par moments de louches passées de lumière, qui boitaient sur les nuages bas comme le pinceau tâtonnant d'un phare. L'intimité suspecte et pénétrante de la pluie, le *tête-à-tête* désorientant des premières gouttes hésitantes de l'averse calfeutraient ces solitudes vagues, exaspérant un parfum submergeant de feuilles mouillées et d'eau croupie ; sur le

18

feutrage mou du sable, chaque goutte s'imprimait avec une netteté délicate, comme on distingue de la pluie les grains plus vivants qui s'égouttent du feuillage. Sur la gauche, à peu de distance de la route, la mer de joncs venait border des vasières et des lagunes vides, fermées sur le large par des flèches de sable gris où des langues d'écume se glissaient vaguement sous la brume. Le silence suspect du paysage était rendu plus sensible par les arrêts brusques et les reprises hésitantes de la pluie, et l'impression de *suspens* insolite que communiquaient ses intervalles inégaux. Sous ce jour fuligineux, dans cette moiteur ensommeillée et cette pluie tiède, la voiture roulait plus précautionneusement, jetant sur ce douteux voyage comme une nuance fugitive d'intrusion. Ce feutrage languissant de fin de cauchemar reculait dans les âges, sous cette haleine chaude et mouillée retrouvait les lignes sommaires, le flou indéterminé et le secret d'une prairie des premiers âges, aux hautes herbes d'embuscade.

Nous roulâmes de longues heures à travers ces terres de sommeil. De temps en temps un oiseau gris jaillissait des joncs en flèche et se perdait très haut dans le ciel, tressaillant comme la balle sur le jet d'eau à la cime même de son cri monotone. Une corne de brume échouée sur un haut fond perçait le brouillard sur deux tons calmes, d'un gros soufflet assoupi. Un coup de vent parfois faisait sur les joncs son frôlement triste, un instant l'eau des lagunes évaporait sa buée sur une glace terne, une peau morte et privée de reflets. Quelque chose s'étouffait derrière ce brouillard de terrain vague, comme une bouche sous un oreiller. La piste soudain redevint route, une tour grise sortit du brouillard épaissi, les lagunes vinrent de toutes parts à notre rencontre et lissèrent les berges d'une chaussée à fleur d'eau, quelques fantômes de bâtiments prirent consistance : c'était le bout de notre voyage, nous arrivions à l'Amirauté. La route mouillée miroita faiblement ; aux côtés d'une silhouette qui balançait un fanal pour guider dans le mur de brouillard les évolutions de la voiture, se montrèrent un ciré de matelot, une vieille casquette d'uniforme, et une dure et courte moustache perlée de gouttes : le capitaine Marino, commandant la base des Syrtes.

On m'avait peu parlé de lui à Orsenna, sinon (la légèreté des bureaux secrets se montrait là sous son vrai jour) sur ce ton désagréablement superficiel et ce négligé désinvolte avec lequel on fixe la nuance de quelque vague relation mondaine — comme d'un homme simplement « ennuyeux ». Cette disqualification sommaire avait suffi à le repousser jusqu'ici dans un très vague arrière-plan. Il était là, maintenant : une silhouette massive sortie de la pluie, et maintenant bien réelle au bout de cette fantasmagorie de brume, — nous allions vivre ensemble, — j'eus soudain la vive conscience de serrer la main d'un inconnu. Cette main était forte, lente et bienveillante, — l'accueil courtois, — et quelque moquerie voilée de bonhomie qui transparaissait dans la voix était faite pour me mettre à l'aise, dès l'entrée, sur ce qu'il y avait d'un peu scabreux dans une pareille prise de contact. Je compris dès l'abord qu'il ne s'élèverait pas entre nous de *pique* au sujet de mes singulières fonctions, — c'était beaucoup, — mais il me parut en même temps qu'il serait assez long d'en savoir davantage. Il y avait dans ce regard rapide et aigu une pénétration embusquée qui contrastait avec la grosse voix forte et rassurante, dans le masque calme et la bouche mesurée une maîtrise visible et une réserve. Les yeux, assombris par la visière très basse, étaient d'un gris de mer froid ; à cette main tannée qui s'attardait de façon marquée à serrer la mienne, il manquait deux doigts. Le capitaine Marino sortait bel et bien de la brume, et quelque chose en moi murmurait qu'on ne l'y replongerait plus désormais si commodément.

Ainsi surgie des brumes fantomatiques de ce désert d'herbes, au bord d'une mer vide, c'était un lieu singulier que cette Amirauté. Devant nous, au delà d'un morceau de lande rongé de chardons et flanqué de quelques maisons longues et basses, le brouillard grandissait les contours d'une espèce de forteresse ruineuse. Derrière les fossés à demi comblés par le temps, elle apparaissait comme une puissante et lourde masse grise, aux murs lisses percés seulement de quelques archères, et des rares embrasures des canons. La pluie cuirassait ces dalles luisantes. Le silence était celui d'une épave abandonnée ; sur les chemins de ronde embourbés, on n'entendait pas même le pas d'une sentinelle ; des touffes d'herbe emperlées crevaient çà et là les parapets de lichen gris ; aux coulées de décombres qui glissaient aux fossés se mêlaient des ferrailles tordues et des débris de vaisselle. La poterne d'entrée révélait l'épaisseur formidable des murailles : les hautes époques d'Orsenna avaient laissé leur chiffre à ces voûtes basses et énormes, où circulait un souffle d'antique puissance et de moisissure. Par les embrasures ouvertes au ras du pavé, des canons aux armes des anciens podestats de la ville béaient sur un gouffre immobile de vapeurs blanches d'où montait le souffle glacial du brouillard. Une atmosphère de délaissement presque accablante se glissait dans ces couloirs vides où le salpêtre mettait de longues coulures. Nous demeurions silencieux, comme roulés dans le rêve de chagrin de ce colosse perclus, de cette ruine habitée, sur laquelle le nom, aujourd'hui dérisoire, d'Amirauté, mettait comme l'ironie d'un héritage de songe. Ce silence engourdissant finit par nous immobiliser en face d'une embrasure, et ici se place pour moi le souvenir d'une mimique qui devait me devenir à la longue intensément significative : nos yeux, fixés sur le large, se fuyaient plus commodément ; s'accotant familièrement, comme par moquerie, à l'affût d'un canon énorme, Marino tira de sa poche une pipe et la frappa longuement contre le bouton de la culasse. Un rayon jaune glissait jusqu'à nous à travers le brouillard, et, des cours intérieures, soudain le chant paisible d'un coq vint apprivoiser dérisoirement cette ruine de cyclope, et il me revient aussi étrangement à l'oreille le très bref et très sec « Voilà ! » avec lequel

Marino parut clore la visite et rompre l'envoûtement, en martelant plus fort le talon de sa botte.

Déjà le brouillard se diluait d'encre : la nuit tombait. Le capitaine Marino me présenta les trois officiers qui servaient sous ses ordres : c'étaient là tous les cadres de la flottille des Syrtes. Le dîner d'arrivée était servi, par exception, dans l'une des casemates de la forteresse ; la routine quotidienne s'en écartait d'instinct et n'osait plus en déranger les songes : on eût dit que ces bastions de légende effarouchaient la vie familière. Sous ces voûtes aux échos inquiétants, la conversation s'engageait mal ; on me pressait de questions sur Orsenna quittée la veille — Orsenna était bien loin ; je regardais la fumée des flambeaux d'apparat monter droite vers la pierre basse et nue, je respirais cette odeur froide de cave et de pavé moisi, j'écoutais les lourdes portes cloutées réveiller les échos des couloirs. Sous cet éclairage théâtral et faible, un halo de brume traînait encore pour moi autour des visages que je distinguais mal ; la contrainte hésitante et raidie d'une première rencontre ajoutait encore à la bizarre impression d'irréel qui m'envahissait ; aux instants de silence, que Marino ne cherchait guère à rompre, les visages des convives devenaient de pierre, retrouvaient un instant le profil dur et le masque austère des vieux portraits de l'âge héroïque pendus aux palais d'Orsenna. Le moment des toasts arriva : le plus jeune des officiers me souhaita la bienvenue « sur le front des Syrtes », et Marino leva sa coupe à la formule réglementaire jusqu'à la hauteur d'un sourire de visible ironie. Mon logement était préparé dans le pavillon du commandement : l'une des simples maisons basses ; la même odeur froide et moisie habitait ces longues pièces humides, grossièrement carrelées et presque vides. J'ouvris sur la nuit la fenêtre de ma chambre, — elle donnait sur la mer, — une palpitation faible venait des lagunes à travers le noir opaque. Les grandes ombres volant sur les murs au gré de la lumière vacillante m'intriguaient ; je la soufflai, me coulai dans des draps rêches et grenus, à la fade odeur moisie de suaire. Un bruit faible de vagues se glissa jusqu'à moi dans l'obscurité revenue : le léger étourdissement de la soirée persistait ; je me pinçai le bras : j'étais bien aux Syrtes. L'aboiement d'un chien, un remue-ménage et un piaillement de basse-cour m'arrivèrent distinctement à travers le silence. Presque aussitôt je m'endormis.

LA CHAMBRE DES CARTES

P LUS que partout ailleurs, il était aisé à l'Amirauté de se convaincre de tout ce que comportait de désuet la mesquine politique d'espionnage en faveur à la Seigneurie. L'image d'une irrémédiable décadence tenait dans le coup d'œil qui, du haut de la tour des signaux, plongeait sur la « base des Syrtes ». En face de la forteresse, une jetée croulante et envahie par l'herbe fermait un port médiocre, au fond duquel découvraient à marée basse de grandes vasières. A l'extrémité élargie du môle se dressait la pyramide d'un énorme tas de charbon ; on y puisait si rarement que des herbes folles, et même de petits arbrisseaux, avaient fini par le coloniser, l'apprivoiser au paysage comme les collines aux formes étranges des terrils de mine abandonnés. Deux avisos de petit tonnage et d'un aspect vétuste étaient ancrés le long de la jetée, trois ou quatre pinasses à moteur basculaient à marée basse sur les vasières. Au fond du petit port, un plan incliné, le long duquel on pouvait hisser les pinasses, conduisait à un hangar où l'on réparait les coques. Vers le large, un chenal bordé de vasières grises sinuait entre les étendues de joncs et accédait à la mer libre par un pertuis entretenu à travers la flèche des lagunes. L'aspect habituel du port était celui du profond sommeil ; au cœur de l'après-midi, dans ces journées encore chaudes qui précèdent l'hiver-

nage, une buée de chaleur faisait seule trembler les
gazons jaunes de la jetée déserte ; au long des quais on
n'entendait même pas un clapotis de vagues, et il était
fort rare qu'un filet de fumée, annonciateur de quelque
patrouille, se tordît à la cheminée du *Redoutable* ; les
mauvaises langues, à l'Amirauté, prétendaient qu'il
était signe de tempêtes — qui sont exceptionnelles sur les
Syrtes — et la philosophie pacifique du capitaine Marino
n'y entendait pas malice. Une petite partie des équipages
était logée à terre dans un des bâtiments qui flanquaient
la forteresse ; les besoins du service s'étant de plus en plus
réduits, en même temps que la main-d'œuvre sur ces
confins désertiques, le surplus se disséminait ordinairement dans les rares fermes fortifiées qui subsistent dans
l'arrière-pays des Syrtes et y élèvent de grands troupeaux
de moutons à demi-sauvages — les bureaux d'Orsenna,
séduits par l'économie substantielle qu'elles apportaient
dans la gestion de cette base dérisoire, fermaient les yeux
depuis longtemps sur ces pratiques peu guerrières. Ainsi
voyait-on désormais le capitaine Marino, plus souvent
que sur la passerelle du *Redoutable*, botté et éperonné
partir de bon matin pour de longues tournées à cheval
à travers les steppes, aux prises avec l'âpreté des fermiers
dans d'épineuses discussions de logement et de gages, où
le marin cédait de plus en plus la place au régisseur
d'une paisible entreprise de défrichement. Tout ce qui
touchait au budget et aux bureaux de comptes en était
venu ainsi à tenir, dans les préoccupations de tous à
l'Amirauté, une place essentielle : la base des Syrtes
était devenue une bizarre entreprise rentable, qui s'en-
orgueillissait devant les bureaux de la capitale de ses
bénéfices plus que de ses faits d'armes ; la tenue méti-
culeuse des comptes et la location judicieuse de la main-
d'œuvre étaient devenues peu à peu la pierre de touche
à laquelle la Seigneurie jugeait les capacités de ses officiers. Le génie mercantile d'Orsenna réussissait ainsi,
à la longue, à tourner à profit la discipline qui devait par
nature lui opposer les plus énergiques défenses ; en même

temps, jusque dans ce minuscule observatoire, on pouvait enregistrer le progrès de son engourdissement inquiétant, dans le reflux de la vie aventureuse et dans le sourd appel montant de la terre rassurante et limitée. Assis sur un des créneaux de la forteresse, par une de ces matinées sans rides qui font la beauté de l'automne des Syrtes, je pouvais observer d'un côté la mer vide et le port désert, comme rongé sous le soleil par la lèpre de ses vasières, et de l'autre Marino chevauchant dans la campagne à la tête de quelque détachement de bergers de louage ; je touchais de la main les lourdes pierres brûlantes qui avaient connu le souffle des boulets, et je sentais monter en moi une vague de mélancolie : il me semblait que le colosse aveugle souffrait par trahison une deuxième mort.

Mes fonctions d'observateur devaient, dans cet état de stagnation, me donner aussi peu de souci que possible. Il semblait très vite qu'il n'y eût rien à observer à l'Amirauté ; pour m'éviter le ridicule, et faire reculer un peu l'ennui de l'isolement, il ne me restait qu'à tenter d'apprivoiser des suspects aussi apparemment inoffensifs. Roberto, Fabrizio, et Giovanni, les trois lieutenants de Marino, étaient des jeunes gens de mon âge, bâillant leur exil et fort occupés à l'avance des congés où la voiture de l'Amirauté les emportait à Maremma, la bourgade la plus proche ; ces excursions mystérieuses étaient le sujet de discussions et de plaisanteries interminables lors des repas communs : on ne voyait pas de femmes à l'Amirauté. Je me liai vite avec tous les trois et je prenais un plaisir particulier à la compagnie de Fabrizio, tout récemment arrivé d'Orsenna et désorienté autant que moi par le laisser-aller somnolent de cette garnison pastorale. Roberto et Giovanni passaient le meilleur de leurs journées enfouis jusqu'au ventre dans les joncs, à tirer les oiseaux de passage qui pullulent sur ces étendues de marais ; assis au soleil avec Fabrizio sur quelque embrasure des remparts où nous transportions un livre, nous suivions de loin leur cheminement caché à un sillage de détonations paisibles ; la légère fumée bleue montait

toute droite au-dessus des joncs immobiles ; dans l'air
doré de cette fin d'automne, les cris rauques des oiseaux
de mer jaillis en gerbe à chaque coup de fusil mettaient
comme une fêlure sauvage. Le soir tombait ; le pas du
cheval de Marino sonnait sur la chaussée des lagunes,
retour de quelque ferme lointaine ; le léger brouhaha qui
secoue les casernes à l'heure du repas du soir mettait
dans l'Amirauté un dernier soupçon fugitif d'animation.
La nuit nous réunissait tous les cinq autour des amon-
cellements fastueux de gibier doré, nous aimions ces repas
du soir où régnait autour de la table une cordialité
bruyante ; des lieues et des lieues autour de nous de
ténèbres vides semblaient nous serrer plus étroitement
l'un contre l'autre au cœur de cette clairière d'intimité
tiède. La réserve et le silence un peu monacal de Marino
fondaient à ce bain de jeunesse vive ; il aimait notre
gaîté, et, les jours où le brouillard, cernant notre petit
havre, nous laissait désemparés et chagrins, était le
premier à réclamer une de ces cruches de vin des Syrtes,
à la saveur fauve, que l'on conserve encore à la manière
antique sous une couche d'huile. Le dîner s'achevait ;
Giovanni le chasseur toussait dans l'air épaissi par les
cigares, et proposait une promenade sur le môle. Une
fraîcheur salée pesait immobile sur les eaux mortes ; au
bout du môle, un fanal clignotait faiblement ; l'ombre
de la forteresse sur la lagune s'appesantissait derrière
nous, obsédante comme une présence. Nous nous asseyions,
jambes ballantes, au long du quai où la marée mettait à
peine sa pulsation légère ; Marino allumait sa pipe, fixait
les nuages d'un œil mi-clos, et d'un ton professionnel
annonçait le temps du lendemain. Un instant de silence
pénétré suivait cette prévision jamais démentie, comme
on se recueille une seconde à l'amenée du pavillon ;
c'était la fin du cérémonial du soir. Les voix devenaient
plus traînantes ; au long de la lande, notre maigre grappe
se défaisait grain à grain ; les portes claquaient l'une
après l'autre sur le silence de mur. J'ouvrais ma fenêtre à
la nuit salée : tout reposait sur cinquante lieues de rivage,

le fanal du môle sur l'eau dormante brûlait aussi inutile qu'une veilleuse oubliée au fond d'une crypte.

Je trouvais un charme à cette vie retranchée. Les rapports que j'envoyais de temps en temps à Orsenna étaient fort courts, mais les lettres que j'adressais des Syrtes à mes amis très longues. Il y avait des moments où, par une après-midi lumineuse et calme, il me semblait renfermer sans effort dans mon cœur même les pulsations faibles de cette petite cellule de vie assoupie, tremblante à l'extrême bord du désert. Accoudé à un coin des remparts de la forteresse où s'accrochait sur le vide quelque touffe de fleurs sèches, je cernais d'un seul coup d'œil son étendue menacée ; le cheminement de fourmi des rares allées et venues, le cliquetis d'un attelage, le bruit isolé dans le hangar d'un marteau clair, montaient distincts jusqu'à moi dans l'air aux vibrations de cloche — cette intimité familière et toute connue m'était douce, et cependant il montait de cette naïve activité villageoise une inquiétude et un appel. Un rêve semblait peser de toute sa masse sur la somnolence de ces allées et venues si humbles que j'observais de là-haut comme du cœur d'un nuage ; lorsque je m'attardais à les suivre plus longtemps, je sentais monter en moi cette fascination d'étrangeté qui nous tient suspendus à suivre le remue-ménage d'inconscience pure d'une fourmilière sous un talon levé. Ma pensée revenait souvent alors à Marino et à ma première visite à la forteresse ; je voyais repasser devant mes yeux le geste de conjuration rassurante de sa pipe heurtée à la culasse du canon, et j'avais soudain le sentiment intime de sa présence massive et protectrice au sein de sa minuscule colonie. Il était sa même pulsation calme, je voyais sa main gauche et franche écarter délicatement les ombres au-devant d'une vie toute naïve; je sentais combien j'étais différent de lui, et je sentais combien je l'aimais.

Je vivais sans règle. L'emploi du temps était pour tous, à l'Amirauté, sans monotonie ; au milieu de cette activité ralentie et très ambiguë, soumise aux hasards du temps

28

et aux caprices de la mer, il portait la marque d'une
variété et d'une discontinuité presque paysannes, et
j'échappais plus qu'aucun autre à ses exigences minimes.
J'avais souffert, les premiers jours, d'une espèce d'étourdissement de liberté et de vide, je m'étais jeté d'abord
avec fougue dans les exercices violents où se plaisaient
mes camarades, et qui écourtaient pour nous ces heures
accablantes de solitude ; nous pêchions au harpon les
gros poissons qui se hasardent dans les lagunes, nous
forcions un lièvre au galop de nos chevaux sur les espaces
dénudés de la steppe. Quelquefois nous étions conviés,
dans une ferme voisine, à une de ces battues où l'on pourchasse périodiquement les lapins qui dévastent les maigres
pâturages à moutons ; c'était là l'occasion de grandes
fêtes, où l'on se réunissait pour deviser et boire à la lueur
des torches jusque fort avant dans la nuit. Le butin de
la journée, amoncelé en grand tas sur l'aire, mettait
dans le soir une puissante odeur fauve ; nous revenions
à cheval, fatigués et somnolents ; tandis que le jour bas
se levait sur les steppes, une lueur d'incendie pâlissant à
l'horizon annonçait la fin d'une autre battue. J'étais peu
robuste, ces divertissements me laissaient le corps rompu
et le cœur vide ; je ne fuyais pas Orsenna autant que je
l'avais cru dans la santé de cette vie brutale. Peu à peu,
cependant, elle avait commencé à se colorer pour moi
d'un reflet singulier ; le désœuvrement des premiers jours
tendait à s'organiser malgré moi autour de ce que je ne
pouvais hésiter plus longtemps à reconnaître comme un
mystérieux centre de gravité. Un secret m'attachait à la
forteresse, comme un enfant à quelque cachette découverte dans des ruines. Au début de l'après-midi, sous le
soleil cuisant, le vide se faisait dans l'Amirauté avec
l'heure de la sieste ; à travers les chardons, je longeais
le fossé sans être vu jusqu'à la poterne. Un long couloir
voûté, des escaliers disjoints et humides, me conduisaient
au réduit intérieur de la forteresse, — la fraîcheur de
sépulcre tombait en nappe sur mes épaules, — j'entrais
dans la chambre des cartes.

Dès que j'en avais pour la première fois, au cours de
mes explorations dans ce dédale de cours et de casemates,
poussé par simple curiosité la porte, je m'étais senti progressivement envahir par un sentiment que je ne saurais
guère définir qu'en disant qu'il était de ceux qui déso-
rientent (comme on dit que dévie l'aiguille de la boussole
au passage de certaines steppes désespérément banales du
centre de la Russie) cette aiguille d'aimant invisible qui
nous garde de dévier du fil confortable de la vie, — qui
nous désignent, en dehors de toute espèce de justification,
un lieu *attirant*, un lieu où il convient sans plus de discussion de se tenir. Ce qui frappait d'abord dans cette
longue salle basse et voûtée, au milieu du délabrement
poussiéreux de la forteresse démantelée, était un singulier
aspect de propreté et d'ordre, — un ordre méticuleux et
même maniaque, — un refus hautain de l'enlisement et de
la déchéance, une apparence à la fois fastueuse et ruineuse
de rester toute seule au port d'armes, un air surprenant
qu'elle gardait sous le premier coup d'œil, au milieu de
ce décembre, de demeurer obstinément *prête à servir*.
En faisant grincer les gonds sur cette solitude surveillée,
comme sur l'arroi théâtral et intimidant d'un banquet de
gala avant l'entrée des convives, je ne pouvais m'empêcher de ressentir chaque fois le léger choc qu'on éprouve
à pousser à l'improviste la porte d'une pièce apparemment vide sur un visage soudain plus sinistre que celui
d'un aveugle, absent, dissous, pétrifié dans la tension
absorbante du guet.

La pièce ne paraissait pas exactement sombre, mais
le jour, tombant des vitraux presque dépolis par les
bouillons nombreux qui bossuaient leurs verres, y conservait une qualité incertaine et comme perpétuellement
déclinante ; sa pénombre, à toute heure du jour, semblait
dissoudre une tristesse stagnante de crépuscule. Elle
était sommairement meublée de tables de travail en chêne
poli ; contre les murs nus, des placards de bois sombre
contenaient des livres — presque tous de lourds in-folios
aux reliures ternies — et des instruments de navigation

d'un modèle ancien. Sur le mur du fond de la salle, à mi-hauteur de la voûte, s'appliquait une galerie étroite et légèrement construite qui courait le long d'une autre rangée de placards grillagés. Les murs nus, les mappemondes, l'odeur de poussière, l'aspect de polissure et de long frottement des tables usées inégalement comme une paume, faisaient songer à une salle de classe, mais que l'épaisseur des murailles, le silence de cloître, et le jour douteux, eussent confinée dans l'étude de quelque discipline singulière et oubliée. Cette impression encore matérielle se contaminait presque aussitôt d'une autre plus déroutante : on eût dit que traînait dans la pièce quelque chose de cette atmosphère lourde, de pensée fanée et croupie, qui s'attarde aux lieux où l'on cloue des ex-voto. Et — comme guidé par le fil de cette analogie vague — si l'on faisait quelques pas vers le milieu de la pièce, l'œil était soudain fasciné, au milieu de ces couleurs ternes d'encre et de poussière, par une large tache de sang frais éclaboussant le mur de droite : c'était un grand drapeau de soie rouge, tombant à plis rigides de toute sa longueur contre le mur : la bannière de Saint-Jude — l'emblème d'Orsenna — qui avait flotté à la poupe de la galère amirale lors des combats du Farghestan. Au devant, s'allongeait une estrade basse, garnie d'une table et d'une seule chaise, que le trophée semblait désigner comme le point de mire, le centre irradiant de cette chambre tendue comme un piège. Le même recours magique qui nous porte, avant toute réflexion, à *essayer* un trône dans un palais désaffecté qu'on visite, ou le fauteuil d'un juge dans une salle de tribunal vide, m'avait amené jusqu'à la chaise ; sur la table s'étalaient les cartes de la mer des Syrtes.

Je m'asseyais, toujours un peu troublé par cette estrade qui semblait appeler un auditoire, mais bientôt enchaîné là comme par un charme. Devant moi s'étendaient en nappe blanche les terres stériles des Syrtes, piquées des mouchetures de leurs rares fermes isolées, bordées de la délicate guipure des flèches des lagunes. Parallèlement à

31

la côte courait à quelque distance, sur la mer, une ligne pointillée noire : la limite de la zone des patrouilles. Plus loin encore, une ligne continue d'un rouge vif : c'était celle qu'on avait depuis longtemps acceptée d'un accord tacite pour ligne frontière, et que les instructions nautiques interdisaient de franchir en quelque cas que ce fût. Orsenna et le monde habitable finissaient à cette frontière d'alarme, plus aiguillonnante encore pour mon imagination de tout ce que son tracé comportait de curieusement abstrait ; à laisser glisser tant de fois mes yeux dans une espèce de *conviction* totale au long de ce fil rouge, comme un oiseau que stupéfie une ligne tracée devant lui sur le sol, il avait fini par s'imprégner pour moi d'un caractère de réalité bizarre : sans que je voulusse me l'avouer, j'étais prêt à douer de prodiges concrets ce passage périlleux, à m'imaginer une crevasse dans la mer, un signe avertisseur, un passage de la *mer Rouge*. Très au delà, prodigieux d'éloignement derrière cet interdit magique, s'étendaient les espaces inconnus du Farghestan, serrés comme une terre sainte à l'ombre du volcan Tängri, ses ports de Rhages et de Trangées, et sa ceinture de villes dont les syllabes obsédantes nouaient en guirlandes leurs anneaux à travers ma mémoire : Gerrha, Myrphée, Thargala, Urgasonte, Amicto, Salmanoé, Dyrceta.

Debout, penché sur la table, les deux mains appuyées à plat sur la carte, je demeurais là parfois des heures, englué dans une immobilité hypnotique d'où ne me tirait pas même le fourmillement de mes paumes. Un bruissement léger semblait s'élever de cette carte, peupler la chambre close et son silence d'embuscade. Un craquement de la boiserie parfois me faisait lever les yeux, mal à l'aise, fouillant l'ombre comme un avare qui visite de nuit son trésor et sent sous sa main le grouillement et l'éclat faible des gemmes dans l'obscurité, comme si j'avais guetté malgré moi, dans le silence de cloître, quelque chose de mystérieusement éveillé. La tête vide, je sentais l'obscurité autour de moi filtrer dans la pièce, la plomber de cette pesanteur consentante d'une tête qui chavire dans le sommeil et d'un navire qui s'enfonce ; je sombrais avec elle, debout, comme une épave gorgée du silence des eaux profondes.

Un soir, comme j'allais quitter la pièce après une visite plus longue qu'à l'accoutumée, un pas lourd sur les dalles me réveilla en sursaut et me jeta, avant toute réflexion, dans une attitude de curiosité étudiée dont la hâte ne pouvait plus me donner le change sur le *flagrant délit* que je sentais peser sur ma présence dans la chambre. Le capitaine Marino entra sans me voir, son dos large complaisamment tourné vers moi pendant qu'il s'attardait à refermer la porte, avec ce sans-gêne né d'une longue intimité avec le vide qu'on voit aux veilleurs de nuit. Et j'eus en effet, l'espace d'un éclair, devant l'intime violence avec laquelle tout dans cette pièce l'expulsait, le même sentiment d'étrangeté absorbante qu'on ressent devant un veilleur de nuit boitant son chemin à travers un musée. Il fit quelques pas encore, de sa démarche lente et gauche de marin, leva sa lanterne, et m'aperçut. Nous nous regardâmes une seconde sans rien dire. Ce que je voyais naître sur ce visage lourd et fermé, plutôt que de la surprise, c'était une soudaine expression de tristesse qui l'éteignait tout entier, une singulière expression de tristesse avertie et sagace, comme on en voit aux vieillards à l'approche de leur dernière maladie, comme éclairée d'un rayon de mystérieuse connaissance. Il posa sa lanterne sur une table en détournant les yeux, et me dit d'une voix plus étouffée encore que ne le voulait la pénombre de la pièce :

— Tu travailles trop, Aldo. Viens donc dîner.

Et, balancés entre les grandes ombres que sa lanterne plaquait sur les voûtes, nous regagnâmes la poterne avec malaise.

Cet incident minime devait me revenir à l'esprit avec une insistance telle qu'elle finit par me frapper. Allongé dans mon lit au cœur du silence de tombe, ce que je m'efforçais de rappeler à moi, c'était surtout cette expression de tristesse brusque fermant soudain le visage comme un volet, c'était aussi l'intonation singulièrement *significative* de cette voix qui me faisait encore dresser l'oreille, comme à une phrase lourde de sous-entendus. Pendant de longues heures, je devais faire glisser de nouveau sur ma mémoire son murmure sans écho avant de me trouver un matin, avec la brusquerie de l'éblouissement, face à face avec sa signification trop évidente : Marino connaissait mes fréquentes visites à la chambre des cartes, et il les désapprouvait secrètement.

Cette minime affaire finit par m'occuper plus que de raison et par créer, au moins dans mon imagination, entre Marino et moi comme une ébauche de complicité dont je me mettais à épier malgré moi les moindres signes. Je pus bientôt me convaincre — bien qu'entre nous il ne fût jamais plus question de cette rencontre nocturne — que Marino n'avait pas oublié. A la fin du dîner, au milieu de ces rires qu'il aimait à déchaîner et à entretenir, et où son visage tanné s'empourprait légèrement, je voyais dans son œil, lorsqu'il glissait sur moi, se fixer brusquement comme une légère encoche, passer une ombre de gêne qui m'oblitérait, me *sautait*, m'exceptait de l'unisson de la joyeuse troupe, comme si nous n'avions affaire désormais que sur un plan où il fût plus malaisé de se mouvoir et de se tenir.

Ma vie changeait insensiblement. J'avais appelé cet exil dans un besoin soudain de dépouillement : il m'apportait un équilibre. Les plaisirs perdus d'Orsenna me laissaient sans regrets. Je ne quittais guère l'Amirauté ; j'étonnais Fabrizio en refusant jusqu'aux plaisirs faciles et aux amours d'une heure qu'il allait chercher presque chaque semaine à Maremma. Je n'en avais plus besoin. Le dénuement mal justifié qui s'attachait à cette vie perdue des Syrtes, le sacrifice consenti en pure perte qu'elle impliquait portait en lui, pour moi, le gage d'une obscure compensation. Dans sa vacuité même, son dépouillement et sa règle sévère, elle semblait appeler et mériter la récompense d'un émoi plus important que tout ce que la vie de fêtes d'Orsenna m'avait offert de médiocre et de raffiné. Cette vie dénudée s'offrait clairement, dans l'évidence de son inutilité même, à quelque chose qui fût enfin digne de la prendre ; dédaigneuse des soutiens vulgaires, et comme aventurée en porte à faux sur un gouffre béant, elle appelait un étai à la mesure de son élan vers le vide. Son charme désolé était celui qui trompe l'attente d'un guetteur ; ses antennes tendues, insensibles aux effluves reposants de la terre, étaient l'imploration d'un souffle du large ; son cri de veilleur, appel d'un écho déjà en puissance dans le suspens extrême de l'ouïe qu'il provoquait. Ce navire endormi que Marino s'employait si bien à ancrer à la terre appareillait, sous mon regard neuf, comme de lui-même vers les horizons, — sa navigation immobile me paraissait obscurément *promise*, — je le sentais tressaillir sous moi comme le pont d'un bon navire reconnaît soudain le pas d'un capitaine aventureux. Tout dormait à l'Amirauté, mais de ce sommeil atterré et mal rassurant d'une nuit grosse de divination et de prodiges ; j'exaltais cette vie retombée de ma patience ; je me sentais de la race de ces veilleurs chez qui l'attente interminablement déçue alimente à ses sources puissantes la certitude de l'événement.

J'attendais venir avec impatience ces jours de congé où la voiture, roulant vers Maremma, vidait l'Amirauté pour quelques heures, me laissant unique maître d'une terre secrète qui semblait pour moi seul laisser transparaître le reflet faible d'un trésor enseveli. Dans le silence de ses casemates vides, de ses couloirs ensevelis comme des galeries de mine dans l'épaisseur formidable de la pierre, la forteresse lavée des regards indifférents reprenait les dimensions du songe. Mes pieds légers et assourdis erraient dans les couloirs à la manière des fantômes dont le pas, à la fois hésitant et guidé, réapprend un chemin ; je bougeais en elle comme une faible vie, et pourtant rayonnante soudain comme ces lumières prises dans un jeu de glaces dont le pouvoir coïncide tout à coup avec un mystérieux *foyer*. Mes pas me portaient vers l'embrasure où je m'étais attardé avec Marino lors de ma première visite. Les brumes mornes qui la fermaient alors faisaient souvent place à une grande tombée de soleil qui découpait au ras du sol, comme la bouche d'un four, un carré flamboyant de lumière dure. Du fond de la pénombre de ce réduit suspendu en plein ciel, dans cet encadrement nu de pierres cyclopéennes, je voyais osciller jusqu'à l'écœurement une seule nappe sombre et éblouissante d'un bleu diamanté, qui nouait et dénouait comme dans une grotte marine des maillons de soleil au long des pierres grises. Je m'asseyais sur la culasse du canon. Mon regard, glissant au long de l'énorme fût de bronze, épousait son jaillissement et sa nudité, prolongeait l'élan figé du métal, se braquait avec lui dans une fixité dure sur l'horizon de mer. Je rivais mes yeux à cette mer vide, où chaque vague, en glissant sans bruit comme une langue, semblait s'obstiner à creuser encore l'absence de toute trace, dans le geste toujours inachevé de l'effacement pur. J'attendais, sans me le dire, un signal qui puiserait dans cette attente démesurée la confirmation d'un prodige. Je rêvais d'une voile naissant du vide de la mer. Je cherchais un nom à cette voile désirée. Peut-être l'avais-je déjà trouvé.

Ces heures de silencieuse contemplation s'écoulaient comme des minutes. La mer s'assombrissait, l'horizon se fermait d'une légère brume. Je revenais au long du chemin de ronde comme d'un secret rendez-vous. Derrière la forteresse, les campagnes brûlées des Syrtes s'étendaient déjà toutes grises. Je guettais, du haut des courtines, le filet de poussière que soulevait de loin, au long de la piste, la voiture qui revenait de Maremma. Elle zigzaguait longtemps entre les buissons maigres, minuscule et familière, et tout apprivoisée, et je sentais que Marino n'aimait pas le geste d'accueil que, du mur de la forteresse, comme un veilleur sur sa tour, je laissais tomber de trop haut sur ce paisible retour de voyage.

Quand je reviens par la pensée à ces journées si apparemment vides, c'est en vain que je cherche une trace, une piqûre visible de cet aiguillon qui me maintenait si singulièrement alerté. Il ne se passait rien. C'était une tension légère et fiévreuse, l'injonction d'une insensible et pourtant perpétuelle *mise en garde*, comme lorsqu'on se sent pris dans le champ d'une lunette d'approche — l'imperceptible démangeaison entre les épaules qu'on ressent parfois à travailler, assis à sa table, le dos à une porte ouverte sur les couloirs d'une maison vide. J'appelais ces dimanches vacants comme une dimension et une profondeur supplémentaire de l'ouïe, comme on cherche à lire l'avenir dans les boules du cristal le plus transparent. Ils me démasquaient un silence de veille d'armes et de poste d'écoute, une dure oreille de pierre tout entière collée comme une ventouse à la rumeur incertaine et décevante de la mer.

Ces tête-à-tête clandestins m'éloignaient insensiblement de mes compagnons. Des conversations en aparté autour de la table du soir, des allusions voilées de rires étouffés et de mystère accompagnaient les retours de Maremma ; quelques-unes des familles d'Orsenna, par un caprice qui trahissait l'humeur un peu folle de sa noblesse, venaient s'établir pour la fin de l'été dans ce bourg perdu ; Fabrizio et Giovanni les fréquentaient assidûment. Des noms qui m'étaient familiers venaient ainsi se glisser dans la conversation ; sur eux, pour Fabrizio qui les prononçait avec une nuance de déférence ironique, je sentais à mesure que venait se poser, comme sur un joyau consacré qu'on fait glisser un instant sur sa paume, un lustre romantique d'ancienne noblesse et de vie plus exaltée ; les yeux mêmes de Marino se faisaient une seconde plus attentifs — leurs syllabes usées rendaient maintenant à mes oreilles le son même de l'ennui et d'un singulier désenchantement ; je ressentais, à les entendre glisser dans la conversation, quelque chose de l'agacement et de la gêne d'un explorateur qui se découvrirait tout à coup des voisins de campagne. Il m'arrivait d'interrompre sèchement Fabrizio dans le récit d'un piquenique ou d'une promenade sur les lagunes, et de faire trébucher de son piédestal, d'un trait méchant, quelqu'une de ses idoles aristocratiques. J'écrasais Orsenna de mon mépris ; je planais au-dessus à cent lieues ; j'en voulais à Fabrizio, à Marino, qui partageaient les apparences de ma vie secrète, de me rabaisser avec eux devant ces caricatures dérisoires d'une existence plus haute. Un soir, à la description révérencieuse de la maison de campagne des Aldobrandi, je m'emportai plus que de coutume et quittai brusquement la salle, presque les larmes aux yeux. Fabrizio courut après moi sur la lande et me rattrapa.

— Qu'as-tu, Aldo ? Tu es fâché ?

— Laisse-moi. Tu ne peux pas comprendre.

— Je te comprends mieux que tu ne penses.

— Vraiment ?

Je me retournai tout d'une pièce. La lune mouillée de vapeurs brouillait son visage, mais les yeux, dans l'ombre, étaient singulièrement ouverts, la voix incisive et posée.

— Tu as beaucoup d'orgueil, Aldo. Tu n'étais pas le même quand tu es arrivé ici. Quelque chose t'a changé.

— Rien, Fabrizio, je t'assure. Il n'y a rien entre nous. C'est cette solitude qui me rend nerveux.

— Mais tu t'y plais, tu la cherches. Tu cherches quelque chose que tu ne veux pas partager avec nous. Tu es là, sans cesse grimpé sur la forteresse. On dirait que tu as trouvé un trésor dans ces vieilles pierres.

Je partis d'un rire un peu trop détaché.

— Tu ne me croirais pas si avare ?

— Tu as changé, je t'assure. Tu es mon ami, oui. Mais tu me méprises un peu aussi. Tu nous prends en pitié de mener cette vie, le nez à terre. Même Marino...

— Je n'ai rien contre Marino, je t'en donne ma parole. Il n'y a personne ici que j'aime et que j'estime plus que lui.

— Tu t'éloignes de nous, Aldo, je le sens bien. J'en ai de la peine. Tu te détaches tellement de tout...

Je haussai les sourcils, tout décontenancé. Mais la phrase suivante me dispensa même de la parade.

— Est-ce que tu attends un changement ?

J'éclatai de rire, un rire un peu offensant.

— Un grand avancement, Fabrizio. Les salons de la capitale me réclament. On veut faire de moi un aide de camp au capitaine général de la flotte. Service réglementaire à tous les bals, et préposé à la réputation galante des forces armées. Que dirais-tu de cela, Fabrizio ? Un pas de géant dans la carrière.

— Je dirais que tu as de la chance. Ne ris pas. N'importe quoi vaut mieux que ce trou perdu.

— Eh bien ! je refuse, Fabrizio, figure-toi. Je re-fuse.

Il fit un haussement d'épaules découragé et un sourire triste.

— Tu es drôle, Aldo. Dans un an, tu réfléchiras.

— C'est tout réfléchi.

Je haussai à mon tour les épaules. La voix de Fabrizio se fit soudain tendue — une voix qui me saisissait aux épaules dans l'obscurité.

— Que cherches-tu ici ? C'est bien étrange que tu y sois venu. Personne ici n'ignore qui tu es, et tu pouvais choisir.

— C'est un interrogatoire ?...

Ma fureur me reprenait. Piqué au vif par cette voix trop jeune, et pourtant si gênante, d'inquisiteur, je cherchais le trait le plus blessant. Je n'avais pas — décidément — la conscience tranquille.

— Est-ce Marino qui t'a soufflé la question ?

— Marino ne questionne jamais. Mais Marino n'aime pas les poètes, du moins pas à l'Amirauté. Je le lui ai entendu dire. Et tu es un poète, Aldo.

La voix se posait sur le nom de Marino avec cette nuance de respect caressant rituelle à l'Amirauté, et qui ce soir m'était insupportable.

— Et de la pire espèce encore, n'est-ce pas ? C'est ce qu'il t'a dit.

— Non, Aldo. Marino t'aime bien. Mais il a peur de toi.

Je sortis de mes gonds d'un coup.

— Je le dénonce, n'est-ce pas ? Je l'espionne ! C'est

donc cela que je suis pour vous tous ! C'est cela les promenades dans la forteresse. Comme s'est simple ! Tout s'éclaire. C'est ça les dimanches passés à fureter dans les couloirs. Et on me facilite les choses. Trop polis ! Fouillez donc, cher ami, on vous quitte la place. Je suis l'ennemi ! Je suis le mouchard qu'on met en quarantaine.

Le visage de Fabrizio m'arrêta, amical et triste.

— Tu es fou, Aldo, je pense. Regarde-moi ! Marino t'aime plus que nous tous. Mais il a peur de toi, et il sait pourquoi, et moi je ne le sais pas...

Fabrizio fronça les sourcils, dans cet effort naïf et théâtral de la réflexion très juvénile qui me déridait et qui le rendait encore d'un seul coup à l'enfance.

— ... et quelquefois je pense qu'il a raison.

Je le frappai sur l'épaule, souriant déjà à demi.

— C'est bon, Fabrizio. Ne me garde pas rancune. Et qu'une peur si intéressante ne t'empêche pas de dormir. D'ailleurs, j'entends venir le marchand de sable. Il est bien tard déjà pour les petits enfants.

La plaisanterie entre nous était devenue classique. Fabrizio fit mine de me poursuivre sur la lande : il y eut quelques jeux de mains. Nous étions tout près de l'enfance encore, moi tout juste son aîné de deux ans. La réconciliation nous chauffait le cœur d'une bonne chaleur. Mais Marino... c'était autre chose, Fabrizio ne savait pas mentir, et Marino ne parlait jamais légèrement.

La soirée était calme, et, comme une bête touchée qui plonge dans le fourré, je m'enfonçai dans cette obscurité tiède. Mes pas me conduisaient du côté de la mer. Je fuyais l'Amirauté comme un animal qu'on vient de chasser du clan et qui fonce dans la nuit, fou de solitude. On m'avait sondé, cœur et reins, et reconnu d'une espèce différente, à jamais séparé. J'essayais de m'imaginer Marino, la pipe à la bouche, laissant errer dans le vague son œil gris et préoccupé, et prononçant le verdict qui me retranchait. En cet instant, je me prenais en horreur, contracté dans tous mes membres par une rigueur douloureuse. J'avais cru mener à l'Amirauté la vie la plus innocente, et tout avait parlé contre moi. Le regard gris et inattentif de Marino, ce regard dont l'intensité lourde semblait se centrer non sur le visage, mais imperceptiblement au delà, repassait devant mes yeux à cette minute comme un repère inflexible auquel je ne pouvais pas ne pas reporter ce que ma conduite, dès notre première rencontre, avait comporté de spontanément louvoyant. Il n'était pas un mot, pas un geste de cette vie sans mystère, que je n'eusse tenté malgré moi de lui dissimuler, pas un instant où je ne me fusse senti devant lui *en faute*.

Sans même que j'eusse pris conscience du chemin parcouru, j'étais parvenu sur la mince langue de sable qui barrait la lagune et longeait le front de mer. Au milieu de ces eaux toutes vernissées de lune, et hérissée de ses joncs, elle s'allongeait devant moi comme un long liséré de fourrure sombre, et courait se perdre dans un horizon rapproché par la nuit. Derrière moi, l'Amirauté surgissait toute blanche du brouillard au-dessus de la lagune. Je m'étendis face au large dans un creux du sable, et, fatigué de mes réflexions, l'esprit vide, je suivis longtemps d'un œil désœuvré les jeux de lumière de la lune sur la mer, dans le silence qui semblait de minute en minute s'approfondir. Je dus rester longtemps engourdi dans cette contemplation, car le froid du cœur de la nuit tomba et je me redressai un instant pour rajuster mon manteau sur mes épaules. C'est alors que je vis glisser devant moi, à peu de distance sur la mer, au travers des flaques de lune, l'ombre à peine distincte d'un petit bâtiment. Il longea un moment la côte, puis, virant au droit de la passe du port et franchissant la limite des patrouilles, piqua vers le large et se perdit bientôt à l'horizon.

UNE CONVERSATION

JE me fis annoncer chez Marino le lendemain de bonne heure. Je n'avais guère
dormi, et, quand j'essayais de mettre un
peu d'ordre dans mes idées pour me pré-
parer à une entrevue délicate, je trouvais anormale
l'excitation où ma découverte de la veille m'avait tenu
plongé. J'avais hâte d'éprouver sur Marino la *réalité*
même, pourtant indubitable, de cette apparition suspecte. J'accordais sans me l'avouer à sa dissolvante
réserve de calme le pouvoir singulier de l'annihiler
encore, de la faire rentrer dans l'ordre menacé. En même
temps, je devinais que cette découverte ne pouvait lui
être agréable, et j'avais le sentiment de le braver, de
braver en lui une interdiction secrète, de le forcer à
ouvrir son jeu. De seulement la faire auprès de lui chargeait déjà une démarche si simple d'un poids et d'une
ambiguïté. Pendant que je longeais les couloirs blafards
de ce petit matin glacé, il m'apparaissait soudain redoutable, puissant sur ma pensée et sur mes actions, non en ce
qu'il les influençait, mais en ce qu'il était capable, en
dépit de moi, de les charger de je ne sais quel poids
d'irrévocable sous lequel je me sentais vaciller.

Je le trouvai dans son bureau du sous-sol de la forteresse, où il expédiait le matin les rapports pour Orsenna.
Quelque chose de préservé et de monacal flottait dans
cette pièce, qui semblait s'être à la longue gauchie autour

de lui comme la coquille autour du coquillage, et où sa lourde silhouette assise ajoutait seule une touche dernière de plénitude, parfaisait un chef-d'œuvre saisissant de mise en place. Au fond de la perspective du couloir étroit qui lui faisait comme un cadre, comme dans ces toiles où la magie semble surgir d'un comble improbable d'équilibre, on s'attendait presque à le voir miraculeusement *bouger*. C'était bien le vrai Marino que j'avais devant moi et que j'allais combattre : de connivence avec les choses familières, appuyé sur elles et les étayant de sa masse protectrice — un barrage d'obstination douce et tenace à l'inattendu, au soudain, à l'ailleurs. La pipe, posée sur une pile de dossiers, était un défi au tonneau de poudre. La main lente et appliquée de laboureur festonnait d'une grosse encre, au travers des pages, le sillon quotidien. Une longue suite de journées égales, de journées sans date et sans secret, avait forgé cette armure inaltérable dont le toucher dissipait les fantômes, calfaté cette cloche à plongeur où — à jamais comme si de rien n'était — se consommait un prenant mystère d'habitude.

Alerté par le bruit de mes pas sur les dalles, le regard de Marino m'avait décelé de loin, d'un clin d'œil rapide, pour s'éteindre aussitôt comme une lampe qu'on met en veilleuse, et se replonger dans les dossiers. Il me *voyait venir*. Cela aussi faisait partie de ses défenses. Il n'aimait pas être surpris. Il attendit que je fusse tout près ; avant même que ne se fussent relevés les yeux gris, la main presque inconsciemment posa la plume, me signifiant comme malgré elle que c'en était fini du travail pour le matin. Il m'avait attendu. Cette divination singulière me décontenançait.

— Je te trouve bien matinal, Aldo. Mauvaise brume ce matin, n'est-ce pas ? Ici, cela réveille toujours de bonne heure ; la gorge pique. Je le répète toujours à Roberto : brouillard du matin, c'est le premier jour d'hiver à l'Amirauté.

Il jeta un long coup d'œil complaisant par la vitre

embuée. Je sentais qu'il aimait ces vitres de brume. C'était ainsi qu'il regardait toujours, une taie légère flottant sur son œil gris qui cachait ce qu'il ne fallait pas voir.

— Le temps qu'il faisait le jour de ton arrivée ici, tu t'en souviens ?... Moi je m'en souviens. Vieille déformation professionnelle. Une tête familière, je la revois toujours en souvenir collée sur le même fond de ciel où je l'ai aperçue la première fois, et aussi les ombres, les nuages, le vent, la chaleur. Tous les nuages... Je pourrais les dessiner... Toi, je te vois toujours sur fond de brume, avec une auréole. Une vraie auréole, — ne ris pas, — le rond de la torche électrique dans le brouillard.

Le rire un peu forcé s'acheva dans un flottement gauche. Il ne nous avait jamais été facile de bavarder. Le tutoiement même de Marino, avec son je ne sais quoi d'imperceptiblement voulu, de plus réglementaire qu'amical, nous éloignait, soulevait une gêne qu'aucune bonne volonté ne devait dissiper. La voix se refroidit, légèrement contrainte, et interrogea.

— C'est gentil d'être venu bavarder avec moi.

— Je crains que ce ne soit plus sérieux.

Le visage de Marino se tendit insensiblement.

— Ah !... Le service, alors ?

— C'est à vous de juger.

Je racontai assez sèchement, en m'efforçant à la précision, ma découverte de la veille. Au fur et à mesure qu'avançait le récit, j'entendais ma voix prendre une dureté métallique et offensante, comme si, de minute en minute, j'avais senti devant moi fuir la crédulité. Marino me regardait fixement, le visage immobile ; je sentais que c'était *moi* qu'il écoutait, — et non le passage de ce navire fantôme par lequel j'espérais réveiller ses instincts de chasseur, — comme écoute un médecin dont la fausse complaisance dérobe dans les saccades de la voix, dans les tics du visage, les signes fugaces de la maladie.

— C'est bien ! conclut-il après un instant décent de silence. Je vais ordonner qu'on patrouille ce soir aux abords

44

de la passe. Quoiqu'il ne soit guère probable que ce bateau revienne toutes les nuits.

Sa voix me donnait congé. C'était ce que j'avais craint le plus. Le ton professionnel, égal, faisait choir l'apparition au rang de détail du service, la dégradait, lui dressait contravention. Et pourtant son détachement excessif m'avertissait : il y avait là quelque chose de trop bien joué. J'insistai :

— Ce qui serait grave ne serait pas qu'il repasse, mais qu'il soit parti pour de bon.

— Parti ? Je ne vois pas bien ce que tu veux dire.

— C'est pourtant clair.

Je m'échauffais peu à peu.

— Où veux-tu que ce bateau s'en aille ? Excepté Maremma, il n'y a pas un port à trois cent milles d'ici. Ce seront des fêtards de Maremma qui ont voulu s'offrir une promenade de nuit.

— Au delà de la zone des patrouilles ?

— Ils avaient peut-être bu.

— Ou peut-être ils savaient ce qu'ils faisaient, et étaient décidés à aller plus loin.

Pour la première fois le regard de Marino me fixa avec un ressentiment et une hostilité marquée, comme un homme auquel on s'est efforcé en vain, jusqu'au dernier moment, d'éviter une bévue.

— Je ne vois pas. En pleine mer ? Ce serait absurde.

— Il y a des ports en face de nous. Il y a la côte du Farghestan.

Le mot tomba dans un silence de catastrophe. C'était moi qui l'avais nommé. Aussi bien, il n'avait jamais été question d'autre chose. Marino se taisait. Je me sentis devenir venimeux.

— C'est un nom qui ne semble guère avoir cours ici.

La réponse m'opposa un mur d'hostilité froide.

— Non. C'est un nom qui n'a guère cours.

— Vous souffrirez pourtant que je le prononce. En venant ici, j'avais lieu de croire qu'on m'envoyait dans un poste militaire. Il est de tout repos, je veux bien le croire. Je le crois davantage depuis que je suis ici. Mais il ne sert à rien de fermer les yeux. Après tout, nous sommes en guerre.

J'avais laissé jouer l'accent de moquerie traditionnel sur ma dernière phrase, mais la voix de Marino prit soudain un ton de fierté dure que je ne lui connaissais pas :

— De ce qui t'a paru blâmable à l'Amirauté, tu rendras compte. C'est ton devoir. Mais tes moqueries tombent mal, Aldo, je t'en avertis. J'ai perdu ces doigts au service de la Seigneurie. Je suis ici pour assurer sa sécurité au long de ces côtes, et je ne crois pas faillir à mon devoir. La manière dont je l'assure, j'en suis juge, et je te crois bien jeune pour te prononcer...

Le regard se leva imperceptiblement au-dessus de moi, dans une *fermeté de propos* qui donnait au visage une soudaine beauté.

— ... De cela aussi je rendrai compte.

Je me sentais étrangement mal à l'aise, confondu à l'extrême par la gageure de ce ton si sérieux. Mais déjà Marino lisait dans mes yeux sa méprise, et, un instant hors de ses gardes, retrouvait ce ton de moquerie placide qui lui était familier.

— Nous nous sommes laissé entraîner bien loin, il me semble, par un malheureux bateau qui passe en contrebande. Nous n'allons pas nous brouiller pour une sottise, tu ne le voudrais pas, Aldo ?

L'œil gris, derrière l'écran de la parole lente, quêtait une approbation qui chassât les doutes, cherchait à sonder jusqu'où j'avais lu dans ce brusque désarroi.

— Je n'ai pas voulu vous blesser, vous le savez bien.

— Tu es jeune, et je te comprends. J'ai été comme toi, plein de zèle pour le service. Plein de zèle très égoïste, plutôt. J'ai pensé comme toi qu'il devait m'arriver des choses singulières. Je m'y croyais destiné. Tu vieilliras comme moi, Aldo, et tu comprendras. Il n'arrive pas de choses singulières. Il n'arrive rien. Peut-être n'est-il pas bon qu'il arrive quelque chose. Tu t'ennuies à l'Amirauté.

Tu voudrais voir lever quelque chose à cet horizon vide. J'en ai connu d'autres avant toi, tout jeunes comme toi, qui se levaient la nuit pour voir passer des navires fantômes. Ils finissaient par les voir. Nous connaissons cela ici : c'est le mirage du Sud, et cela passe. L'imagination est de trop dans les Syrtes, je t'en avertis ; mais on en vient à bout, on finit par l'user. Tu as vu courir ces oiseaux de nos steppes aux ailes atrophiées. Ils me sont un bon exemple. Là où il n'y a pas d'arbres où se poser et pas de faucon qui vous pourchasse, on n'a pas besoin de voler. Ils se sont adaptés. A l'Amirauté aussi on s'adapte, et c'est ainsi que vont les choses, et c'est ainsi que les choses vont bien. C'est de cette manière qu'on vit ici en sécurité. Si tu t'ennuies trop, si tu ne veux pas céder à l'ennui, à cette monotonie qui est ici une bonne conseillère, — tu m'entends bien, — je vais te donner à mon tour un conseil d'ami et de père. Car je t'aime bien, Aldo, tu le sais. Le nom que tu portes est illustre et ta famille bien accréditée à la Seigneurie. Je vais te donner le conseil de partir.

— Partir ?

Les yeux de Marino flottèrent lointains, comme on fouille la haute mer, en quête d'un repère insaisissable.

— Il y a ici un équilibre que je maintiens. C'est une chose difficile, et cela exige qu'on retire ce qui d'un côté pèse trop lourd.

— Et qu'est-ce qui pèse trop lourd ?

— Toi.

Je retins un instant ma respiration avant de répondre. Je ne pouvais me tromper au ton de Marino : en cette minute même, il m'aimait, je le sentais profondément. Mais j'étais décidé à voir plus avant.

— Vous me chassez. Vous ne le feriez pas sans motifs graves. Puis-je savoir plus précisément ce qui, dans ma conduite ici, vous a déplu ?

— Ne renverse pas les rôles. Il est trop facile de refuser de comprendre. Je me suis mis à ta discrétion : un mot de toi à Orsenna, bien plutôt, peut me chasser à jamais d'ici.

Il n'est pas question de service, mais d'une conversation d'homme à homme, je pensais que tu l'avais déjà compris. Je t'en veux d'être ce que tu es, en dépit de toi-même. Je t'en veux d'être ici une cause de trouble, en attendant d'être une source de danger.

— Je ne me connais pas un pouvoir aussi magique. Me mettrez-vous une fois pour toutes en face des maléfices que j'ai exercés ?

Marino resta silencieux un instant, comme cherchant pour ses pensées la clé d'un ordre difficile.

— J'ai parlé, tout à l'heure, d'équilibre. Le rassurant de l'équilibre, c'est que rien ne bouge. Le vrai de l'équilibre, c'est qu'il suffit d'un souffle pour faire tout bouger. Rien ne bouge ici, et cela depuis trois cents ans. Rien n'a changé non plus de toutes choses, si ce n'est une certaine manière de leur retirer son regard. Et pourtant, de Rodrigo (c'était l'amiral qui avait bombardé le Farghestan) à moi, il y a bien de la différence. Les choses ici sont lourdes et bien assises, et tu t'efforcerais en vain de relever les pierres qui roulent chaque jour dans les fossés. Mais tu peux peut-être davantage. Il y a un comble d'inertie qui tient depuis trois siècles cette ruine immobile, la même qui fait crouler ailleurs les avalanches. C'est pourquoi je vis ici à petit bruit, et retiens mon souffle, et fais de cette coquille le lit de ce sommeil épais de tâcheron qui te scandalise. Je ne te reproche pas, comme Fabrizio, de t'agiter comme un jeune chien sevré de sa laisse. Il y a ici de la place pour s'ébattre et le désert en a usé de plus vigoureux. Je te reproche de ne pas être assez humble pour refuser les rêves au sommeil de ces pierres... Ils sont violents... Je suis vieux maintenant, et j'ai appris ce que c'est que mourir. C'est une chose difficile et longue, et qui réclame aide et complaisance. Je veux te dire ceci, Aldo : toutes choses sont tuées deux fois : une fois dans la fonction et une fois dans le signe, une fois dans ce à quoi elles servent et une fois dans ce qu'elles continuent à désirer à travers nous. Je ne te reproche que ta complaisance.

48

— Alors, je vous croirai indulgent et aussi, pardonnez-moi, un peu romanesque. Je ne pensais pas que la vie à l'Amirauté cachait tant de fantastique. J'ai peur que vous n'en ajoutiez peut-être un peu.

J'avais senti soudain l'envie stupide de reprendre l'avantage. Je compris aussitôt que notre entretien avait passé le point critique. Marino ne demandait qu'à se rassurer.

— Tous les marins sont un peu romanesques...

Il rit de bon cœur.

— ... Il faut l'être un peu pour sentir venir l'orage rien qu'en humant l'air. Mais sois tranquille, Aldo, va, il n'y aura pas d'orage. Il n'en arrivera pas. Il n'arrivera rien. Il n'arrive rien aux gens raisonnables...

La voix me taquinait, un peu troublée pourtant.

— Et peut-être que malgré tout tu t'habitueras ici. L'hivernage n'est pas sans charme. A ce propos — j'allais oublier — il se prépare pour toi une vie de fêtes, il paraît. Nous avons des amis à Maremma, et des amis qui voudraient beaucoup te voir. Et j'ai même à te transmettre une invitation dans les règles.

— Vous savez que je ne bouge pas d'ici.

— Et que tu as même grand tort, mais c'est ton affaire. La princesse Aldobrandi te prie à une soirée qu'elle donne chez elle demain. Elle aimerait beaucoup te voir, et m'a prié d'insister. Tu en feras ce que tu voudras. Tu la connais, je pense. Enfin, je ne te donne pas de conseils, comme j'en donnerais à une jeune recrue dans l'intérêt de son avancement. Tu es assez grand garçon... C'est dit pour ce soir ; je donnerai les ordres pour la patrouille...

Il me jeta un regard à demi amusé.

— Viens avec nous. Cela te désennuiera.

Je me trouvai, en quittant Marino, dans une disposition d'esprit singulière. De cette conversation tendue, et qui devait à certains égards devenir pour moi si lourde de sens, un souffle brusque venait de dissiper au dernier moment les nuées d'orage. Marino avait voulu me chasser des Syrtes, et, la poterne franchie, je ne m'étonnais même

49

4

plus de ma soudaine insouciance. Des souvenirs affluaient à moi en foule, qui dissipaient ces nuages avec l'exubérance d'un vent du matin. Je songeais à Vanessa Aldobrandi.

Les jardins Selvaggi dans le mois de mai, au sortir du labyrinthe de rocailles et de marbre qui surplombe la colline, sont une seule nappe de soufre clair qui flambe d'un blanc de coulée jusqu'au bas de la pente et vient mordre en festonnements de vagues la falaise opposée de forêts sombres qui clôt de ce côté Orsenna comme un mur. Passé le faîte de la colline qui l'isole des bruits familiers de la ville, à midi l'odeur des narcisses et des jacinthes reflue sur le vallon comme un vertige tournoyant, pareille à l'attaque sur l'ouïe d'une note trop aiguë qui creuse pourtant, avant de la combler aussitôt, la soif d'une note plus aiguë et plus déchirante encore. Sur les derniers degrés de marbre, mordus par la nappe lisse comme un escalier qui plonge dans la mer, les feuilles d'un tremble font cet ombrage vivant, si pareil au reflet sur un mur d'une eau agitée, et la brusquerie du silence, au sortir du fracas de la rue, est celle d'un lieu magique, de ces cimetières abandonnés où le suspens léger et détendu de toutes choses donne au seul bourdonnement d'une abeille une plénitude d'orgue, et comme le poids grave d'une visitation. On connaissait peu à Orsenna ces jardins à demi abandonnés ; je m'y glissais souvent vers midi, où j'étais sûr de n'y trouver personne, avec l'enchantement toujours neuf qu'on éprouve à faire jouer une porte secrète et indéfiniment complice. Il était là, chaque fois comme pour moi seul ravivé dans son incandescence — dans un au-delà instantané et dérisoire de la promesse également, inépuisablement dispensateur.

J'avais quitté l'Université, ce matin-là, de bonne heure et pris congé d'Orlando à quelques rues de là : ces promenades clandestines étaient de celles dont il avait le secret de me faire rougir. Je descendais déjà les dernières marches de mon belvédère préféré quand une apparition inattendue m'arrêta, dépité et embarrassé : à l'endroit

50

exact où je m'accoudais d'habitude à la balustrade se tenait une femme.

Il était difficile de me retirer sans gaucherie, et je me sentais ce matin-là d'humeur particulièrement solitaire. Dans cette position assez fausse, l'indécision m'immobilisa, le pied suspendu, retenant mon souffle, à quelques marches en arrière de la silhouette. C'était celle d'une jeune fille ou d'une très jeune femme. De ma position légèrement surplombante, le profil perdu se détachait sur la coulée de fleurs avec le contour tendre et comme aérien que donne la réverbération d'un champ de neige. Mais la beauté de ce visage à demi dérobé me frappait moins que le sentiment de *dépossession* exaltée que je sentais grandir en moi de seconde en seconde. Dans le singulier accord de cette silhouette dominatrice avec un lieu privilégié, dans l'impression de présence entre toutes appelée qui se faisait jour, ma conviction se renforçait que la *reine du jardin* venait de prendre possession de son domaine solitaire. Le dos tourné aux bruits de la ville, elle faisait tomber sur ce jardin, dans sa fixité de statue, la solennité soudaine que prend un paysage sous le regard d'un banni ; elle était l'esprit solitaire de la vallée, dont les champs de fleurs se colorèrent pour moi d'une teinte soudain plus grave, comme la trame de l'orchestre quand l'entrée pressentie d'un thème majeur y projette son ombre de haute nuée. La jeune fille tourna soudain sur ses talons tout d'une pièce et me sourit malicieusement. C'est ainsi que j'avais connu Vanessa.

Je ne devais me rendre compte que bien plus tard de ce privilège qu'elle avait de se rendre immédiatement inséparable d'un paysage ou d'un objet que sa seule présence semblait ouvrir d'elle-même à la délivrance attendue d'une aspiration intime, réduisait et exaltait en même temps au rôle significatif *d'attribut*. « Baigneuse sur la plage », « châtelaine à son rouet », « princesse sur sa tour », c'étaient les termes presque emblématiques qui me venaient à l'esprit quand j'essayai plus tard de me rendre compte du pouvoir de *happement* redoutable de cette main ensorcelée. Les choses, à Vanessa, étaient perméables. D'un geste ou d'une inflexion de voix merveilleusement aisée, et pourtant imprévisible, comme s'agrippe infaillible le mot d'un poète, elle s'en saisissait avec la même violence amoureuse et intimement consentie qu'un chef dont la main magnétise une foule.

Le vieil Aldobrandi était le chef d'une famille célèbre à Orsenna pour son esprit inquiet et aventureux. Son nom s'était associé de façon presque légendaire à tous les troubles de la rue, à tous les complots nobiliaires qui ébranlèrent parfois la Seigneurie jusque dans ses assises. Les reniements scandaleux, les intrigues, les enlèvements romantiques, les assassinats, les hauts faits militaires jalonnaient la chronique de cette souche princière, qui portait dans ses mœurs privées la même violence débridée et hautaine qui l'avait amenée dans la vie publique aux trahisons avérées comme aux plus hauts postes de l'Etat. Un Aldobrandi avait pacifié par des mesures de haute sagesse la révolte agraire et la sécession de Mercanza, un autre passait pour avoir mis en défense les forteresses farghiennes au temps du grand bombardement. Murée dans son orgueil, et comme campée en pleine ville au milieu d'un quartier de petites gens dans son palais du faubourg du Borgo, c'était une race sans tiédeur et sans loi, une race d'humeur lointaine et forte, suspendue indéfiniment sur Orsenna dans son nid d'aigle pour la féconder ou la foudroyer comme un bel orage. On se répétait à Orsenna le défi de sa devise insolente : « *Fines transcendam* », et on ne manquait guère d'en nuancer l'énoncé d'ironie en se rappelant pour combien de ses membres exilés elle avait pris souvent un sens amèrement concret. Le père de Vanessa, démagogue intrigant, convaincu de participation dans une émeute des faubourgs qu'il avait soudoyée de sa grosse fortune, avait été la dernière victime de ces bannissements répétés ; cette circonstance, grossie par l'imagination d'un très jeune homme, nuança d'un respect exalté et romantique mes relations avec Vanessa ; elle était l'un des plus riches partis de la ville, et fort insoucieuse d'un père qu'elle avait à peine entrevu : je protégeai, je vénérai en elle une orpheline menacée. Nous ne nous rencontrions guère ailleurs que dans ce jardin qui prolongeait pour nous sa floraison secrète, et c'est à peine, je pense, si nous nous parlions ; nous demeurions de longues minutes sans rien dire en face de cet océan incendié que Vanessa m'ouvrait de toutes parts sur le monde, — dans ses yeux passait pour moi le reflet trouble des mers lointaines qu'avait traversées l'exilé, — son malheur, que je m'exagérais, mettait sur mes joies une arrière-pensée de retenue secrète, et sur les pensées moins chastes qui me venaient comme l'interdit d'un sacrilège ; je l'aimais en absence, sans souhaiter qu'elle me devînt plus proche, et comme si sa main pensive et immatérielle n'eût été faite que pour ordonner dans un lointain indéfiniment approfondi la perspective de mes songes. Elle me parlait souvent de ces contrées d'où son père parfois écrivait ; sa voix, devenue brève et comme gutturale, trahissait alors une calme exaltation. Vis-à-vis d'Orsenna et des choses de la vie courante, son détachement était extrême et méprisant. Au cœur de cette ville si complaisamment assise dans sa richesse, et dont elle était par excellence l'Etrangère, ces longues entrevues m'entraînaient dans une dérive sourde et dissolvante. Aux côtés de cette frêle silhouette dressée qui jetait l'anathème sur la vie médiocre et acceptée, je reniais en esprit Orsenna et sa santé rassurante et haïe ; je revenais du jardin Selvaggi au long de rues désenchantées et mornes, mes après-midi se traînaient dans une langueur interminable. Je rouvrais parfois la porte du jardin au crépuscule, avec la précaution d'un visiteur en contrebande ; je me glissais jusqu'à notre place maintenant vide. Le soleil se couchait derrière la muraille de forêt d'un noir d'encre ; une brume couvrait déjà les pentes basses du jardin et montait comme une marée vers notre observatoire ; dans une immobilité tendue, je fixais jusqu'aux dernières lueurs les silhouettes des arbres sombres qui se découpaient sur la bande lumineuse de l'horizon. Là s'était fixé le dernier regard de Vanessa ; j'attendais de voir paraître ce qu'il m'avait mystérieusement désigné. Le jardin se repliait dans son silence hostile de cloître et me chassait ; je baisais la pierre froide où s'était accoudée Vanessa, je revenais par les rues noires de la banlieue, entre les silhouettes basses des maisons blanches écrasées près de leurs ifs et de leurs cyprès dressés, et toutes pareilles à des tombes allumées.

Je me déprenais peu à peu d'une vie sans accidents et sans fièvre. Vanessa desséchait tous mes plaisirs, et m'éveillait à un subtil désenchantement ; elle m'ouvrait des déserts, et ces déserts gagnaient par taches et par plaques comme une lèpre insidieuse. J'abandonnai peu à peu mon travail ; je condamnai plus souvent ma porte à mes amis, rien ne me plaisait plus autant que la perspective d'une journée vide que coupait à midi cette seule rencontre avec Vanessa. Les occupations régulières m'étaient devenues fastidieuses. Avec l'intransigeance provocante de l'extrême jeunesse, je poussais les manifestations de mon dégoût jusqu'à l'absurde : à la stupeur de ma famille, je prétendis qu'Orsenna sentait le marécage et me refusai, sauf pour ces brèves rencontres, à sortir plus longtemps au grand soleil. Je parcourais la ville de nuit, très tard ; j'aimais frôler au passage ces silhouettes. imperceptiblement trop rapides ou trop lentes, que le jour pour un moment mécanise et que la nuit avancée, comme une fin de course impitoyable, égrène au long des rues dans leur nudité tragique de grand fauve ou de bête boiteuse. Quelque chose de louche et de blessé traînait dans les rues d'Orsenna à cet instant de fatigue nue. On eût dit que les eaux croupies qui baignaient les pilotis de la ville basse se retiraient à leur laisse extrême, et mettaient au jour la forêt tourbeuse et rongée de mauvaises fièvres qui lui servait de support ; je plongeais avec délectation dans ces profondeurs qui fermentaient ; un instinct me dénudait soudain comme à un visionnaire une ville menacée, une croûte rongée croulant par grands pans sous un pas trop lourd dans ces marécages dont elle avait été la suprême fleur. Comme le visage d'une femme encore belle, et pourtant irrémédiablement vieillie, que fait soudain craquer l'éclairage funèbre du petit matin, le visage d'Orsenna m'avouait sa fatigue ; un souffle d'annonciation lointaine passait en moi qui m'avertissait que la ville avait trop vécu et que son heure était venue, et, arc-bouté moi-même contre elle dans un défi mauvais à cette heure trouble où se déclarent les transfuges, je sentais que les forces qui l'avaient soutenue jusque-là changeaient de camp.

Il m'avait paru quelquefois que je trouvais des justifications inavouées pour ces rêves d'enfant qui pouvaient devenir actifs. A qui la contemplait d'un œil non prévenu, la ville pouvait sembler parfois somnoler au grand jour, comme captive d'un réseau chaque jour plus difficilement renoué d'habitudes lasses. Le recul que me donnait maintenant mon voyage aux Syrtes me dotait d'une clairvoyance plus grande : le souvenir décantait à distance des impressions jusque-là sans cesse brassées et dissoutes dans ce tumulte du quotidien qui nous ramène à flot dans son agitation légère. Vanessa avait été pour moi cette minime fêlure qui donne la profondeur d'un cristal invisible ; mais les apparences mêmes à Orsenna, — comme un étranger décèle le premier sur un visage familier les altérations de la maladie, — une fois cette distance prise, n'étaient plus celles de la santé. L'expression du menu peuple aux jours de fêtes — toujours somptueuses et toujours fidèlement suivies — était celle de l'ennui sous une imitation trop attentive du plaisir : ce vêtement de fête gardait quelque chose de défraîchi et de frustré, comme ces uniformes de vétérans qui conservent les plis poussiéreux de l'armoire. La fidélité aux traditions, devenue presque maniaque, disait l'appauvrissement d'un sang incapable de recréer. On pouvait penser quelquefois à ces vieillards secs et bien conservés qui trompent longuement leur monde en ce que, à mesure que s'en retire la vie, ils semblent mettre au jour à la place, chaque année plus impérieuse et plus accusée, la

forte et convaincante réalité de leur squelette : ainsi en
était-on venu à citer partout à l'étranger en exemple le
mécanisme modèle de la constitution de la Seigneurie,
qui en effet fonctionnait pour la satisfaction des connaisseurs avec la perfection dérisoire d'une pièce de musée,
et comme au sein d'un *vide* inquiétant qui ne dissipait
plus le doute quant à la vigueur du ressort qui le maintenait encore en marche. Le scepticisme des hautes classes
était devenu profond, à mesure que se faisaient plus
exigeantes les règles méticuleuses du service, et qu'un
point d'honneur plus impitoyable, s'attachait à leur
stricte exécution. Un symptôme qui pouvait paraître
à la réflexion spécialement inquiétant naissait pour moi
des goûts de voyage, de l'esprit cosmopolite, des *fugues*
bizarres qui commençaient à dépeupler par places cette
termitière trop ingénieusement agencée, — comme si le
sang se fût porté de lui-même à la peau pour se rafraîchir,
— de l'humeur nomade qui s'emparait des cercles les plus
cultivés. J'en étais moi-même un exemple, et je me mis à
songer plus attentivement à cette singulière colonie de
Maremma dont Fabrizio faisait tant de cas. Oui, Vanessa
trouvait là sa place d'avance marquée.

Cependant que le *Redoutable* prenait peu à peu son
allure sur une mer calme, je me mis à sourire à ce que
cette proche rencontre prenait soudain de frappant pour
moi seul. J'avais depuis longtemps perdu de vue Vanessa :
le vieil Aldobrandi, mortellement ennuyé de son exil,
avait fini par réclamer brusquement sa famille. J'étais
très jeune — j'oubliai ; ou je crus oublier. J'avais appris
distraitement, par la suite, son retour et sa soudaine
rentrée en grâce, et conclu avec un sourire ironique que
les choses allaient bon train et qu'Orsenna composait
désormais avec des forces qui ne pouvaient guère s'offrir
à la conduire à bien.

La nuit était devenue très noire. Debout près de moi
sur la passerelle, le regard de Marino se rivait à l'avant
du bateau. Le corps disparaissait sous les reflets miroi-
tants du ciré sombre. Le visage s'était étrangement isolé,

les traits tout aiguisés dans la tension du guet. Il n'attendait rien, je le savais, de cette banale croisière nocturne, mais Marino ne faisait jamais les choses à moitié. Le *Redoutable*, sur cette mer rassurante, avançait paré pour une rencontre, son équipage alerté, ses canons approvisionnés. Si dérisoire qu'il pût être, devant la réalité tendue de ce petit monde militaire en marche à travers la nuit aveugle, et que j'avais si légèrement découplé, je me sentais incertain et troublé. Je ressentais quelque chose du remords tardif et de la panique de l'apprenti sorcier à l'instant où, tout doucement d'abord et à son incrédule et profond étonnement, les choses malmenées dans leur dignité pesante se mettent tout à coup à *bouger* ; dans le déhanchement maugréant de bête réveillée du navire, j'avançais en proie à un léger étourdissement et au sentiment exaltant d'un déclic magique. J'avais fait sortir en mer le *Redoutable*, des dizaines d'yeux bien ouverts relayaient mon regard incertain sur la mer. A travers la nuit opaque, un réseau assourdi de voix avares répercutait par intervalles des commandements secs — ces voix brèves et prenantes, à reflets de destin, qui montent de la gorge de l'homme dans toute machine lancée vers un horizon aventureux. Une efficacité surveillée, tendue, alertée, se retrouvait, se rassemblait autour de nous à travers le noir ; je la sentais nouer ses rênes dans mes mains, crépiter avec les intervalles exacts d'une machine en ordre de marche. Le regard même de Marino, ce regard rassis et froidement lucide, s'enfiévrait légèrement, comme aux premiers effluves de l'atmosphère subtilement magnétisée de l'*action*. Ce branle-bas militaire, dans son ambiguïté de jeu qui pouvait d'un instant à l'autre devenir sérieux, apportait à son tour consistance et réalité à la douteuse apparition de la veille, mettait en marche un engrenage subtil : je m'attendais presque à voir ressurgir devant moi la silhouette énigmatique ; je fouillais l'ombre d'un regard de minute en minute plus absorbé ; une fois ou deux, à un reflet plus clair jouant sur les vagues, je retins ma main prête à agripper nerveusement le bras de Marino. Me trompais-je ? C'eût été en ce moment le signe d'entente qu'on adresse à un complice. Le vieux sang des corsaires parlait haut chez Marino ; je le sentais, à mes côtés, soudain presque aussi nerveux que moi. Nous étions à cet instant deux chasseurs lancés à travers la nuit, tout le bateau sous nos pieds tressaillant comme à une bourrasque d'une brusque fièvre d'aventure.

— Une belle nuit, Aldo, qu'en dis-tu ?

Il y avait dans sa voix un tremblement réprimé qui le livrait, soudain, au sein de son élément, en dépit de lui-même inexplicablement *à son affaire*. Je sentis qu'il m'en voudrait demain d'un épanchement chez lui si extraordinaire. Mais ce soir rapprochait en nous deux ennemis très intimes ; par ce bateau lancé qui vibrait sous nos pieds, nous communiquions dans les profondeurs.

— Une belle nuit. La meilleure que j'aie encore passée dans les Syrtes.

Dans la demi-obscurité de la passerelle, il se produisit alors une chose très solennelle : sans que le regard se détournât, la main de Marino chercha mon bras et s'y posa une seconde. Je sentis mon cœur se gonfler comme à une extraordinaire permission, comme un homme devant qui une porte s'ouvre à laquelle il n'aurait pas même osé frapper.

— Vous n'aimez guère sortir le *Redoutable*, pourtant.

— Pas trop souvent, Aldo. Pas trop. Le moins possible... Il me semble que je ne gagne pas mon traitement... Il me semble que je prends des vacances.

La lune se leva sur une mer absolument calme, dans une nuit si transparente qu'on entendait, des fourrés de roseaux de la côte, gagner de proche en proche le sourd caquettement d'alarme des oiseaux de marais alertés dans les joncs par notre sillage. La côte que nous longions se hérissait en muraille noire contre la lune des lances immobiles de ses roseaux. Silencieuse comme un rôdeur de nuit, la coque plate du *Redoutable* se glissait dans ces passes peu profondes avec une sûreté qui trahissait le coup d'œil infaillible de son capitaine. Derrière le liséré sombre, les terres désertes des Syrtes à l'infini reflétaient la majesté d'un champ d'étoiles. Il était bon ce soir d'être en mer avec Marino, fortifiant de s'enfoncer avec lui sans fin dans l'inconnu de cette nuit tiède.

LES RUINES DE SAGRA

FABRIZIO me réveilla en entrant dans ma chambre le lendemain de bonne heure, l'air ironique et entendu.

— Tu me vois pantelant après les détails de cette expédition nocturne. Il paraît que vous avez fait buisson creux...

Cette fanfare matinale m'était désagréable. De cette nuit embrouillée, je ne sentais décidément rien à dire à Fabrizio. Il y avait trop de murs à abattre.

— Au diable, Fabrizio ! Respecte au moins le repos des gens qui s'adonnent à des occupations sérieuses. Va-t'en jouer... Laisse-moi dormir.

Fabrizio n'était pas décidé à quitter le terrain. Pelotonné maussadement derrière les couvertures contre l'air piquant, avec la plus franche hostilité je l'observais qui voletait dans la pièce, ouvrait les fenêtres sur le matin glacé, parcourait du regard lès cartes des Syrtes jetées sur ma table.

— Brr !... Il ne fait guère chaud chez toi, Aldo... Du travail fignolé, je vois... C'était positivement passionnant, j'en suis sûr... « La ligne des patrouilles »... accentua-t-il d'un ton emphatique en fixant la carte curieusement. Je pense bien qu'avec Marino vous n'avez pas risqué de la passer. Vous n'avez pas dû vous écarter beaucoup de la côte, lança-t-il en levant le nez d'un air rusé.

— Marino sait ce qu'il a à faire, et se passe des conseils d'un gamin comme toi. Ferme cette fenêtre, Fabrizio ; ferme-la ou je fais du scandale. Tu veux ma mort, je pense... Je dors, entends-tu, je *dors*. Je pense que je vais te jeter dehors, ajoutai-je d'une voix sans conviction.

— « Te jeter dehors »... L'aimable frère !... Bon, bon, d'ailleurs comme tu voudras. Nous avons tout le temps. Tu me raconteras ça tout à l'heure, tout en marchant.

— J'ai autant envie de marcher ce matin que de me pendre, c'est sûr. Fabrizio, fixe bien cette porte... Tu la vois ?

Fabrizio consulta sa montre.

— Il nous reste un petit quart d'heure pour la passer ensemble, ou nous allons être en retard. Tu ferais aussi bien de te dépêcher.

— Une fois pour toutes, va-t'en au diable !

Fabrizio haussa les yeux et les épaules d'un geste emphatiquement excédé.

— Enfin, Aldo, tâche tout de même de rappeler tes esprits. C'est ce matin la cérémonie.

La perspective sans agrément d'avoir à me lever devenait en effet imminente. Marino, sur un ton officiel, m'avait dit un mot de cette cérémonie des morts, rituelle à l'Amirauté, et l'Observateur auprès des Forces Légères ne pouvait sans scandale s'en dispenser. Je m'habillai en maugréant. Au surplus, je n'arrivais pas à me persuader qu'il s'agit d'une simple corvée. Marino y figurerait, et cette cérémonie éveillait en moi une vague curiosité.

La route sous nos pas, par ce matin de gel, sonnait dure et légère. Fabrizio me guidait. Le cimetière de l'Amirauté, perdu dans les étendues de joncs, était distant de quelques centaines de mètres à peine. Un soleil lavé resplendissait sur les Syrtes. Cheminant aux côtés de Fabrizio, drôlement guindé dans son plus bel uniforme, mon humeur redevenait plus égale. Par ce matin sec et craquant de givre, sur la bonne route, on goûtait un vif plaisir à n'être pas mort.

Nous nous taisions. Fabrizio me jetait de temps en

temps un regard de côté. Visiblement, sa curiosité cherchait un biais pour m'accrocher. Nous passâmes un petit tertre d'où l'on découvrait la mer.

— Tu as dû entendre les grèbes, à la pointe des Sables. Il paraît qu'il y en a des milliers, et que l'hiver va être froid. Giovanni dit qu'il n'en a jamais vu autant que cette année.

— Oui, nous sommes passés à la pointe des Sables, si tu tiens à le savoir. Et tout près de la côte, à toucher, si cela peut te faire plaisir...

Je sentis, à mon tour, la démangeaison d'attaquer Fabrizio.

— ... Qu'est-ce qui te faisait dire ce matin que nous n'avions sûrement pas passé la ligne des patrouilles ?

Fabrizio prit un air de componction.

— Marino n'y consentirait jamais. Il ne faudrait pas le connaître.

— Est-ce que tu l'aurais passée, toi, par hasard ?

— Il paraît, une fois.

Visiblement, ce souvenir ne paraissait pas spécialement agréable à Fabrizio.

— Et il t'en a cuit ?

— Ah ! seigneur Dieu, quel tapage ! Marino était dans tous ses états. Et ce ton sec qu'il prend dans les grandes occasions, à vous geler le sang. Je n'en menais pas large, je te le jure. « Vous êtes un gamin sans cervelle, incapable de mesurer la portée de ses actes... » Tu vois le genre. Le tonnerre, quoi ! Je t'assure que je ne suis pas à la veille de recommencer... Naturellement, je te confie cela en ami, inutile que tout cela revienne aux bureaux.

— Ta confiance m'honore. Mais aussi, qu'est-ce qui pouvait te pousser à une pareille sottise ?

Fabrizio prit un air contrit.

— Qu'est-ce que tu veux, je sortais le *Redoutable* pour la première fois. J'étais très fier de moi, tout seul sur la passerelle. J'avais envie de faire un éclat. Avoue que c'est drôle aussi, que ce n'est pas naturel pour un marin, ce bateau de guerre qui passe son temps à donner du nez le long des vasières quand on pourrait aussi bien prendre la mer par le travers.

— Et tu l'as pris ?

— Oui. J'avais envie de perdre un peu de vue les vasières. Alors j'ai fait prendre la route plein est. Les vieux maîtres d'équipage faisaient une drôle de tête.

— Une drôle de tête ?

— C'est difficile à te dire : mi-figue, mi-raisin, plutôt. Ils ne savaient qu'en dire. Ça les changeait, tu comprends. Ça les désorientait de perdre de vue leurs roselières...

Fabrizio resta un instant comme rêveur.

— ... Mais j'ai l'impression qu'avec le temps ils y auraient assez vite pris goût. Il ne faut pas se fier aux habitudes. Ils s'ennuient quelquefois aux Syrtes, tu sais.

Je fixai soudain Fabrizio les yeux dans les yeux, dans ma voix l'accent brûlant de la provocation.

— Tu as pensé quelquefois à la côte d'en face ?

Fabrizio s'arrêta, interdit, moins sensible, je pense, à ma question qu'au ton d'âpreté qui me mordait les lèvres.

— Non, je n'y pense guère. Je n'avais rien en tête, tu sais. C'était une escapade de collégien. La guerre du Farghestan ne me fait pas bouillir le sang, je t'avoue. Reconnais avec moi que c'est du refroidi. Ce sont des sauvages, bon, mais qui après tout nous laissent bien tranquilles. Note que je suis prêt comme tout le monde à les recevoir comme il faut, s'ils revenaient. Quelle journée, Aldo !... Tu t'imagines ce vieux *Redoutable* crachant le feu sur les lagunes. Un spectacle à ne pas manquer, genre du feu d'artifice de la Saint-Jude. Dommage que ce ne soit bon qu'à faire des contes pour les nourrices, à Orsenna. Ce serait au moins distrayant.

— Tu le prends du bon côté.

— Je n'en pense pas si long que toi, Aldo, c'est tout. Ce qui est passé est passé. Veux-tu que je te dise : le Farghestan, c'est comme Croquemitaine ; c'est bon maintenant pour faire peur aux enfants.

— Ce n'est pas si peu de chose.

63

Fabrizio se boucha plaisamment les oreilles.

— Ah ! voilà tes grands raisonnements. Tu y penses, toi, je le sais, tu n'as pas besoin de me le dire.

— Cela m'arrive.

— Mais tu n'y penses pas comme moi, quand cela t'arrive.

— Comment cela ?

— Moi, j'y pense comme à une terre en face, comme les autres, une terre comme toutes les autres terres. Toi tu en fais un vice. Tu y penses pour toi. Tu en as besoin. Tu l'inventerais à l'occasion. Tu inventes Croquemitaine pour te faire peur.

Fabrizio mit sa main en abat-son sur sa bouche, et avec une mimique grotesque se tourna vers le côté de la route en chuchotant.

— Qu'est-ce qui te prend ?

— Je confie le grand secret aux roseaux, comme Midas : « Aldo a inventé le Farghestan ! Aldo a inventé le Far-ghes-tan ! »

— Finis ces singeries.

— Je ne voulais pas te vexer. Après tout, chacun ses lubies. Et tu n'es pas le seul à y penser.

— Vraiment ?

Fabrizio redevenait sérieux.

— Marino y pense aussi. Ce doit être une épidémie. Il y pense plus que toi, peut-être.

— Tu crois ?

— Oui. Je vais te dire. J'ai remarqué une drôle de chose. Un jour, j'avais une soirée vide, j'ai cherché dans la bibliothèque un ouvrage sur le Farghestan. Je n'en ai pas trouvé un seul. Et pourtant il y en a plusieurs dans le catalogue. Ils n'y sont pas. Giovanni m'a dit où ils étaient. Ils sont tous dans la chambre de Marino.

— Et après ?

J'avais pris sans même m'en rendre compte un ton extraordinairement déplaisant. Devant Fabrizio, je défendais soudain un allié.

— Après ? Après, rien. Si tu le prends sur ce ton là...

64

Je croyais que ça t'intéressait. Personne ne veut te voler le Farghestan, tu sais, ajouta-t-il dépité.

Mais de l'humeur de Fabrizio je ne me souciais guère. J'évoquais la voix coupante de Marino, cette voix à moi si peu familière : « Vous êtes un gamin sans cervelle, incapable de mesurer la portée de ses actes. »

Le cimetière s'élevait sur une éminence qui dominait la mer, une grossière enceinte carrée de murs bas, balayée de bout en bout par le vent du large et toute remplie du froissement de houle des roseaux. Les durs alignements à l'équerre des tombes sans fleurs, la nudité froide des allées sans arbres, l'entretien méticuleux et pauvre de cette nécropole réglementaire mettaient sur ces fosses perdues un surcroît de tristesse morne et revêche que n'ont pas les tombes isolées du désert. Une nausée serrait le cœur devant ce vide administré, où l'idée même de la mort eût fait surgir quelque chose de trop vivant ; on sentait que trois siècles de corvées anonymes s'étaient relayés, absorbés à leur tour dans l'anonymat des sables, pour égaliser là le lieu du parfait effacement.

Ils pourrissaient à l'alignement, les défenseurs d'Orsenna. Comme si j'avais pu voir émerger de ses marécages, dressant ses cent mille bras au port d'armes, la forêt patiemment arc-boutée des pilotis qui soutenaient la ville, j'avais là sous les yeux en perspective cavalière trois siècles des fondements de la patrie. Les corps bus par le sable, l'un coiffant l'autre dans un aplomb rigoureux, enfonçaient sous la terre à coups répétés de masses pesantes et molles leur forêt de piliers verticaux. Le génie sinistre de la ville, jusque dans ces confins extrêmes, transparaissait dans la mutilation patiente qui, de tant de vies neuves et naïvement foisonnantes, par un élagage acharné avait taillé cette charpente ajustée, cet emboîtement funèbre. Générations après générations avaient usé leur vie à se mortaiser à leur alvéole exacte, à se calibrer aux mensurations du trou prévoyant qui s'approfondissait pour elles dans les sables. La ville vorace se maintenait à fleur du sol à la cime vertigineuse d'un jardin de monstres, d'une charpente d'ossements rabotés vifs. Elle était, elle durait, une mince membrane vive tout entière devenue folle, tout entière en proie à une nécrose géante, usant jusqu'à la dernière goutte de ses humeurs à sécréter de l'os, à étirer sous terre dans une verticale de cauchemar une de ces formidables carcasses que couchent à plat les ères géologiques.

Cependant que nous parcourions distraitement, Fabrizio et moi, ces allées mornes, une petite troupe en armes s'était massée silencieusement à la porte du cimetière : un peloton de débarquement, une partie de l'équipage du *Redoutable*, et un détachement d'ouvriers agricoles, reconnaissables à leurs gestes gauches et à leurs tuniques salies par l'étable où s'accrochaient encore des brins de paille. Un commandement bref retentit, la troupe présenta les armes, et Marino descendit de cheval devant la grille.

Nous le saluâmes à l'entrée. Pesant et lent dans ses grandes bottes d'uniforme, l'air d'un paysan habillé, le capitaine avait accroché à sa vareuse grise la médaille de la Valeur, une distinction rarement accordée par la Seigneurie. Il nous entraîna de son pas lourd vers le fond du cimetière. Enchâssé dans la maçonnerie récemment refaite, un pan de mur vétuste se dressait là, gardant encore à l'un de ses angles les armes et le millésime de l'entrée en charge du podestat qui l'avait élevé ; la marque sobre et orgueilleuse de la ville éclatait sur ce mur nu qui portait seulement, fascinant le regard comme l'œil d'une cible, les armes d'Orsenna et l'étrange devise où se pétrifiait son génie sans âge : *In sanguine vivo et mortuorum consilio supersum.* Les troupes se rangèrent devant le mur, une double file grise qu'éclaboussait de rouge la bannière de Saint-Jude ; le doyen des maîtres d'équipage présenta à Marino une couronne de myrtes et de lauriers des Syrtes ; le capitaine, ployant la taille à grand'peine, la plaça debout au pied du monument, et, se relevant, retira sa casquette d'uniforme. Il y eut un instant de silence morne. Dans l'immobilité approfondie bougeait seulement cette touffe de cheveux gris dépeignée par le vent de mer, vaguement vivante. Au pied du monument, je remarquai soudain, dans le silence ensommeillé, une longue coulure sale qui tachait la pierre et venait rejoindre une litière spongieuse de feuilles noircies. Les couronnes fanées glissaient d'une année à l'autre à ce coussinet absorbant, évoquant une douce continuité pourrissante où l'emblème se reconnaissait. Cet humus approvisionné réjouissait les narines augustes. Même en symbole, Orsenna continuait à fabriquer de la terre de cimetière.

Ce fut à cet instant que, dans la déflagration brutale d'une bourrasque, les trompettes sonnèrent. Un vieil hymne d'Orsenna, un air des temps héroïques où passaient les brocarts roides, les tiares barbares, les traînes hiératiques sur les degrés de marbre, le cinglement d'ailes des flammes triomphales, les soirs rouges pleins de galères laissant flotter des voiles sur la mer. Un déchaînement splendide et noble, pareil au déploiement à longs plis, l'un après l'autre, d'une interminable et raide draperie de sacre, où jouaient les moires impalpables de l'Orient. Une douce foudre tombait en pluie d'argent sur le cimetière. Longues, brèves, longues, les notes se poursuivaient en appel surhumain, en coulée de joie chaude et rouge, étouffante comme un caillot de sang. Elles cessèrent enfin, comme on rallume les lumières. Rien n'avait bougé. Jusqu'aux limites de l'horizon, les Syrtes s'étendaient grises et ternes. La couronne pendait toujours à son crochet. Les doigts embarrassés de Marino tournaient sur le bord de sa casquette. Sur les tubes de leurs instruments, avant de les remettre dans leurs étuis, les trompettes roulaient les drapelets aux armes de la ville, comme on replie un parchemin illisible.

Il y eut un déjeuner d'apparat à l'Amirauté, où Marino avait convié par diplomatie quelques-uns de ces éleveurs riches qui formaient pour notre main-d'œuvre volante la plus solide clientèle. Leurs manières rondes et rustaudes, et l'excès de cordialité que déployait Marino, me déplurent ; quelques maquignonnages s'ébauchèrent au dessert qui me mirent les nerfs à vif, encore que j'eusse les preuves que Marino administrait sa petite troupe avec la plus scrupuleuse honnêteté. Le faste de la réception atteignit son comble quand il leur proposa une visite de la forteresse : le roi Soleil à court d'argent menant promener les traitants dans le parc de Versailles ne m'eût pas plus scandalisé ; j'envoyai seller mon cheval et m'excusai en me prétendant malade. Je l'étais presque réellement ; l'idée de ces bottes mal récurées de la paille de l'étable et traînant sur le pavé noble m'écœurait : j'y voyais un vague sacrilège. Fabrizio ne fut pas dupe, et s'arrangea pour me croiser comme je quittais la salle.

— Tu n'oublies pas que c'est le jour des Aldobrandi. On compte absolument sur toi ce soir. La voiture part à six heures.

— Au diable cette engeance ! lui chuchotai-je, emporté par un mouvement de colère que je ne pouvais plus maîtriser. En cet instant, Vanessa même s'agrégeait à la troupe sordide, un de ces *civils* pour qui j'en voulais tant à Marino de se montrer prévenant.

— Tu es devenu fou à lier, je pense.

Fabrizio fit son haussement d'yeux et d'épaules éloquent du matin. J'esquivai un peu brusquement le sermon en aparté et courus aux écuries. J'avais hâte de me sentir seul.

J'avais devant moi un long après-midi de beau temps et je me décidai à en profiter pour une visite longtemps remise aux ruines éloignées de Sagra. Giovanni m'avait parlé de cette ville morte, où l'avaient entraîné parfois ses randonnées de chasseur, comme d'une espèce de sous-bois pétrifié d'isolement sauvage où l'on pouvait, paraît-il, tirer le gros gibier au coin des rues. Cette perspective de solitude m'agréait ; le soleil brillait haut encore dans le ciel, j'enfonçai une carabine de chasse dans mes fontes et me mis en route.

La piste à demi effacée qui sinuait entre les joncs et conduisait aux ruines traversait une des parties les plus mornes des Syrtes. Les roseaux à tige dure qu'on appelle

68

l'ilve bleue, verdissants au printemps pour une courte période, secs et jaunes tout le reste de l'année, et qui s'entrechoquent au moindre vent avec un bruit d'os légers, croissaient là en massifs épais, et nul défrichement n'avait jamais entamé ces terres déshéritées. J'avançais, par l'étroite tranchée qui coupait les tiges sèches, dans un froissement d'osselets qui faisait vivre sinistrement ces solitudes, distrait seulement de temps à autre par une échappée de vue, à ma gauche, sur les lagunes ternes comme une lame d'étain et bordées d'une langue jaune où mourait avec indécision le jaune plus terne encore de ces chaumes obsédants. Et pourtant la tristesse même de ce soleil flambant sur une terre morte ne parvenait pas à calmer en moi une vibration intime de bonheur et de légèreté. Je me sentais de connivence avec la pente de ce paysage glissant au dépouillement absolu. Il était fin et commencement. Au delà de ces étendues de joncs lugubres s'étendaient les sables du désert, plus stériles encore ; et au delà — pareils à la mort qu'on traverse — derrière une brume de mirage étincelaient les cimes auxquelles je ne pouvais plus refuser un nom. Comme les primitifs qui reconnaissent une vertu active à certaines orientations, je marchais toujours plus alertement vers le sud : un magnétisme secret m'orientait par rapport à la *bonne direction*.

Cependant le soleil déclinait déjà. J'avais marché de longues heures, et rien encore sur ces plaines découvertes n'annonçait l'approche des ruines dont je cherchais à deviner de loin la silhouette brisée sur l'horizon plat. Je marchais depuis un moment en direction d'un boqueteau isolé et assez dru qui bordait la lagune et vers lequel, à mon étonnement, se dirigeaient aussi les traces toutes fraîches d'une voiture, qui paraissait avoir emprunté la piste étroite et fauché sur son passage les joncs dont j'apercevais partout les tiges brisées. Pendant que je me perdais en conjectures sur ce qui avait pu attirer Marino ou ses lieutenants vers ce bois perdu, je perçus de manière distincte, à peu de distance, le murmure surprenant d'un ruisseau ; les joncs firent place à des arbustes entremêlés, puis au couvert d'un épais fourré d'arbres, et je me trouvai tout à coup dans les rues mêmes de Sagra.

Giovanni n'avait pas menti. Sagra était une merveille baroque, une collision improbable et inquiétante de la nature et de l'art. De très anciens canaux souterrains, par leurs pierres disjointes, avaient fini par faire sourdre, à travers les rues, les eaux sous pression d'une source jaillissante qu'ils captaient à plusieurs milles de là ; et lentement, avec les siècles, la ville morte était devenue une jungle pavée, un jardin suspendu de troncs sauvages, une gigantomachie déchaînée de l'arbre et de la pierre. Le goût d'Orsenna pour les matériaux massifs et nobles, pour les granits et les marbres, rendait compte du caractère singulier de violence prodigue, et même d'exhibitionnisme, que revêtait partout cette lutte — les mêmes *effets de muscles* avantageux que dispense un lutteur forain se reflétaient à chaque instant dans la résistance ostentatoire, dans le porte-à-faux qui opposait, ici un balcon à l'enlacement d'une branche, là un mur à demi-déchaussé, basculé sur le vide, à la poussée turgescente d'un tronc — jusqu'à dérouter la pesanteur, jusqu'à imposer l'obsession inquiétante d'un ralenti de déflagration, d'un instantané de tremblement de terre.

J'avançais saisi d'étonnement dans ce demi-jour vert où les branches immobiles laissaient couler une résille de soleil sur le pavé gras. Une humidité lourde traînait au ras du sol, couvrant les moellons d'un drapé de mousse qui feutrait les bruits, laissant tinter seulement le son très clair de l'eau qui filtrait partout en ruisselets rapides sur les pierres, dans l'égouttement nonchalant qui suinte d'une fin de bombardement ou d'incendie.

J'attachai mon cheval au chambranle à demi descellé d'une porte, et me mis à errer au hasard par les avenues, trébuchant parfois sur un épais feutrage spongieux de feuilles pourries. Sagra, à l'évidence, n'avait été que très sommairement une ville, plutôt un comptoir banal entrecroisant ses quelques rues en damier au bord de la lagune.

Les rez-de-chaussée derrière lesquels on entrevoyait des arrière-salles solidement voûtées, les caves spacieuses sur lesquelles le pavage s'effondrait en bordure des rues, parlaient d'entrepôts et de boutiques ; quelques fantômes de villas cossues se profilaient tapis dans leurs jardins en délire comme derrière une forteresse de broussailles. Mais la pénombre et l'immobilité close prenaient dans un cristal magique ces débris médiocres, une rêverie se dévidait au fil de ce bruit de fontaines qui semblait rappeler encore à leurs humbles besognes les occupants évanouis, renouer en guirlande muette autour du puits et du lavoir ces gestes profonds qui font bondir au cœur comme un sentiment panique de la permanence de la vie. Une envie soudaine et inquiète me prenait de réveiller pour un instant les échos de ces rues, de héler quelque *âme qui vive* oubliée dans ce labyrinthe de silence.

Mais, d'évidence, il n'y avait personne. Le jour commençait à baisser dans ces avenues très sombres, et j'allais me décider à repartir lorsque je crus discerner un léger bruit de vagues, et presque aussitôt débouchai à l'improviste au bord d'un bassin irrégulier d'eau clapotante qui avait été l'ancien port de Sagra. De grands arbres l'encerclaient, qui faisaient traîner leurs basses branches sur l'eau, laissant tomber au milieu seulement du bassin une tache plus claire. Mais, à demi cachée sous la retombée des arbres, une silhouette insolite accrochait les restes de lumière d'un reflet de métal : le long du quai ruiné était amarré un petit bâtiment.

Un geste instinctif me fit reculer sous le couvert des arbres, comme si j'avais senti à la seconde même qu'il était surtout important de n'être pas vu. Je me rappelais brusquement les traces de la piste. Mais un autre souvenir me parlait à voix plus distincte encore. Dans cette silhouette vague, encore à peine devinée, quelque chose me rappelait l'apparition de la grève.

Les fourrés, heureusement, poussaient épais au bord du bassin, et je gagnai un poste d'observation plus commode. Le bâtiment, de dimensions médiocres, et que je

71

distinguais assez mal sous sa voûte de branchages, évoquait
l'idée d'un bateau de plaisance, mais robuste, et assurément capable de tenir la haute mer. La poupe seule était
distinctement visible, et je pouvais m'applaudir de ma
prudence : le tableau d'arrière ne portait ni nom ni trace
aucune de l'immatriculation nautique réglementaire à
Orsenna. Je me sentis monter au cœur, avec la fièvre
du chasseur, une espèce d'épanouissement intime qui me
justifiait. J'avais barre sur Marino. Il y avait là quelque
chose qui n'était plus dans l'ordre.

Haussé sur la pointe des pieds, je braquais mon regard
sur le bateau, presque à découvert, à travers les feuilles.
Il me fascinait — comme une apparition fiévreusement
espérée — comme un gibier introuvable que jette sur
vous soudain à le toucher, cerné pourtant de mystère,
la lunette d'une carabine. Je le tenais à ma merci. Dans
le silence de cette jungle, il eût pu sembler abandonné là,
si les cuivres brillants et les peintures fraîches n'avaient
témoigné d'un entretien récent. Une seconde, je me sentis
sur le point de céder à l'envie démesurée de sauter sur
le pont et de m'éclaircir tout à fait sur ce qui ne pouvait
plus manquer d'être une bonne prise, lorsque je réfléchis
tout à coup que le bateau pouvait être gardé de la rive,
et j'essayai de sonder du regard, dans le jour maintenant
très déclinant, les broussailles drues qui jaillissaient du
quai descellé. Je distinguai alors, à peu de distance sous
les arbres, la silhouette d'une maisonnette à demi écroulée,
et m'aperçus, avec un dépit qui m'ôta toute envie de sortir
de ma cachette, qu'un filet de fumée sortait des ruines.

Pendant que je réfléchissais au moyen de tourner cet
obstacle imprévu, j'entendis soudain derrière moi le
hennissement malencontreux de mon cheval se répercuter à travers le bois, et, presque aussitôt, la silhouette
d'un homme, le fusil à la main, se détacha de la maisonnette. D'un pas incertain, l'air inquiet et indécis, il s'avançait comme par réflexe vers le bateau qu'il avait évidemment mission de garder, s'arrêtant par instants pour
prêter l'oreille, et je pus l'entrevoir une seconde plus

clairement dans une éclaircie des broussailles. Sa mise
était celle des bergers des Syrtes, mais ce qui me frappa
aussitôt vivement était quelque chose d'onduleux et de
singulièrement souple dans la démarche, et surtout la
teinte très sombre, presque exotique, du visage et des
mains. L'ombre me dérobait déjà la silhouette à peine
entrevue, brouillant une impression presque indéfinissable, et pourtant — non, ce n'était pas le jeu d'une
imagination enfiévrée par la surprise — je croyais pouvoir
jurer que c'était là quelqu'un qu'on ne se fût pas attendu
à rencontrer dans les Syrtes. Après un moment de guet
immobile, et avec la même rapidité onduleuse, l'homme,
sans doute rassuré, se coula de nouveau dans les ruines.

Le bateau était évidemment bien gardé, et il ne me
restait plus qu'à partir. Je me glissai le plus silencieusement possible dans l'obscurité jusqu'à l'un des fantômes
de rues, et, guidant mon cheval par la bride vers le tunnel
de lumière diffuse qui marquait l'entrée des ruines, je
quittai sans bruit l'intrigante Sagra.

Je ne risquais pas de m'égarer dans cette nuit assez
claire, et je rendis les rênes à mon cheval dès la tranchée
de joncs qui devait le ramener comme un rail à l'Amirauté. Il y avait un lien évident entre la présence de ce
bateau et les traces de la voiture, et, plus j'y songeais,
plus j'étais porté à chercher la clé de ces allées et venues
clandestines du côté de Maremma. L'idée d'un trafic de
contrebande venait à l'esprit, mais l'aspect de ce bateau
de plaisance ne pouvait guère le confirmer. Sa présence à
Sagra ne prêtait pas moins à cent explications banales.
Mais je me sentais une répugnance instinctive à les
admettre ; mes suppositions s'orientaient déjà d'elles-
mêmes, se projetaient dans cette direction obsédante où
tout ce qui débordait le cadre de la vie banale tendait
déjà pour moi à s'infléchir.

Je ne pouvais plus me dissimuler l'importance excessive que commençait à prendre tout ce qui, de près ou de
loin, se rapportait au Farghestan. Il avait été dans ma vie
inoccupée à l'Amirauté d'abord l'objet d'une rêverie

vague — j'avais cherché contre l'appel du vide un étai à portée de ma main. Le sommeil défait d'Orsenna, trop perméable à l'assaut de souvenirs obsédants, comme celui d'un vieillard mal défendu contre une longue mémoire, avait été la permission de mes rêves aventureux, et il était significatif que j'eusse en effet d'instinct traité ces rêves en rêves et le Farghestan comme une figure complaisante que j'exhumais à mon gré, pour l'y replonger, du silence de la chambre des cartes. Au milieu de ce vagabondage inoffensif de somnambule, ma conversation du matin avec Fabrizio venait brusquement de m'ouvrir les yeux. Des brumes trop rassurantes s'étaient dissipées. Il y avait une côte devant moi où pouvaient aborder les navires, une terre où d'autres hommes pouvaient imaginer et se souvenir.

C'était dans cette nouvelle perspective que j'étais porté à songer à un navire qui semblait prendre de si singulières libertés avec les instructions nautiques, et c'était ce qui m'engageait d'instinct à m'abstenir de faire part à Marino de ma découverte. Quant à la conduite à tenir pour le reste, je ne me sentais guère pressé de m'arrêter dès maintenant à un parti. J'avais depuis l'avant-veille le sentiment d'être en contact avec une chaîne d'événements qui m'avait pris en remorque. Ma découverte de Sagra était un maillon de cette chaîne, et, tout en pressant mon cheval vers l'Amirauté, aiguillonné par le pressentiment d'un proche avenir fertile en surprises, je me mis à songer de nouveau au signe d'appel que m'avait adressé Vanessa. Je commençai à regretter amèrement mon mouvement d'humeur ; brusquement je pris le galop dans l'espoir que la voiture avait pu être retardée, et c'est fort dépité qu'en débouchant de la chaussée des lagunes je me retrouvai au milieu de la lande vide et de l'Amirauté déjà plongée dans la nuit.

UNE VISITE

J'ÉTAIS très contrarié, et, pour la première fois, la solitude à l'Amirauté m'apparut pesante. Une brume lourde était descendue avec la nuit sur les lagunes ; l'humidité ruisselait sur les murs nus ; la lueur de ma lampe, pendant que je traversais la lande, dessinait ce même halo irréel que m'avait rappelé Marino. Je me sentais inquiet et nerveux, et soudain aussi rejeté qu'un enfant puni qui, du fond de sa chambre noire, se tend vers la chaleur et les lumières de la fête. J'étais frappé, pour la première fois, de tout ce qu'il y avait de désorientant dans l'idée que Vanessa et Marino se connussent. Comme chaque fois qu'entrent loin de nous en contact deux êtres liés à des épisodes séparés de notre vie, le sentiment d'une collusion suspecte venait subitement assombrir et voiler de secret les lumières de cette fête lointaine. Dans ce décor théâtral que je m'imaginais à distance, et que l'entrée pressentie de Vanessa venait de charger d'une brusque tension, une scène lourde de sens se jouait à travers ma rêverie, où j'avais l'impression troublante qu'il était de quelque manière *décidé de moi*.

Ces pressentiments inquiets ajoutaient encore à l'ennui d'une soirée très morne. Je me promenai longtemps de long en large dans ma chambre. Dans mon esprit engourdi par ce va et vient mécanique, la pièce très obscure finissait par paraître inhabituelle, entretenait, sans que je pusse le localiser, ce malaise léger d'une chambre familière, où l'on n'arrive pas à déceler quel meuble a été dérangé. Je m'aperçus tout à coup que les cartes de Sagra, emportées l'après-midi, jonchant la table en désordre, à chaque passage avaient fixé machinalement mon regard — ou plutôt je compris que l'envie me tenaillait, depuis une heure, d'entrer dans la chambre des cartes.

La masse de la forteresse se dressait devant moi à travers la lande, plus impressionnante encore dans le noir presque opaque de l'illusion qu'elle me donnait, même au milieu de l'obscurité, de jeter de l'ombre, de communiquer à ce campement de sommeil la pulsation faible et presque perceptible d'un cœur de ténèbres battant lourdement, puissamment, derrière la nuit. A la faveur de cet écran énorme, brisant les vents du large qu'on entendait siffler dans les créneaux, j'avançais au milieu d'une immobilité lourde et plombée. Cette nuit tiède et mouillée, trop molle, ajoutait à l'air confiné de ces murailles une tristesse de prison entrebâillée : l'humidité glaçait les murs des couloirs comme les parois d'une caverne. A la lueur tournoyante de feu follet que vissait ma lampe dans ces tunnels, j'étais frappé comme jamais encore du caractère extraordinairement inhospitalier du lieu. Son silence était la signification d'une hostilité hautaine. Une approche menaçante semblait s'embusquer derrière cette ombre machinée, dans ce paquet de vaisseaux noués autour d'un cœur noir.

La lumière faible de ma lanterne sur les murs de la chambre des cartes y faisait bouger, de façon maintenant presque matérielle, ce très léger frémissement d'éveil dont j'avais ressenti dans mes nerfs la vibration tendue dès ma première visite. Comme le cri figé par l'ombre des sculptures de cavernes que libère soudain sous leur glaise de siècles le dégel d'une lampe allumée, les panoplies des cartes luisantes se ranimaient à travers la nuit, y rajustaient par places le réseau d'une fresque magique, aux armes de patience et de sommeil. A la faveur de l'heure avancée et de la fatigue de la chevauchée de l'après-midi, il me semblait soudain que l'énergie même qui désertait mon esprit dissocié venait recharger ces contours indécis et — me fermant à leur signification banale — m'ouvrait doucement en même temps à leur envoûtement d'hiéroglyphes, dénouait une à une les résistances conjurées contre une énigmatique injonction. Je glissai peu à peu dans un sommeil peuplé de mauvais songes, et, à demi conscient encore, j'entendis une horloge tout à coup sonner dix heures dans la forteresse endormie.

Le malaise où je m'étais trouvé plongé se dissipait mal. Au sortir de ce sommeil bref, il me semblait retrouver la pièce inexplicablement changée. Dans un soudain retour de peur panique, sous mon regard bien réveillé, les murs de la salle continuaient à bouger légèrement, comme si le songe eût résisté à crouler autour de cette chambre mal défendue. A une fraîcheur aux épaules, je sentais que le vent léger où s'était engouffrée la pièce n'avait pas cessé de souffler, et je devinai soudain que les ombres dansantes oscillaient sur les murs avec la flamme même de ma lanterne, et que la porte derrière moi s'était depuis quelques secondes ouverte sans bruit.

Je me retournai tout d'une pièce et sursautai en froissant de ma joue la robe d'une femme. Un rire léger et musical éclata dans le noir, qui me rejetait à la mer, me roulait dans une dernière vague de songe. Je crispai les mains sur la robe, et relevai les yeux vers le visage noyé dans l'ombre. Vanessa était devant moi.

— On ne peut pas dire que l'Amirauté soit excessivement gardée. Je dirai cela au capitaine. Ainsi, voilà pourquoi tu délaisses ta meilleure amie, ajouta-t-elle en se penchant avec curiosité sur la table.

Déjà elle s'asseyait sur le bras du fauteuil, et, balançant un pied, dépliait les cartes sans se presser, comme on pousse par désœuvrement la porte d'un voisin de campagne. Je reconnaissais au premier instant ce *plainpied* inimitable dans l'entrée en matière, cette façon aisée qu'elle avait de planter tout à coup ses tentes en plein vent.

— Mais tes invités ?... Comment es-tu là ? prononçai-je enfin d'un ton mal assuré.

Ainsi abruptement dispensé de préambule, je me sentais je ne sais pourquoi pris *la main dans le sac*.

— Mes invités se portent bien et te remercient. Ils festoient à ma santé à Maremma.

— Mais... Vanessa ?

— Il a bien dit cela, il n'a pas tout oublié...

Le rire léger éclata de nouveau, insolite soudain dans cette pièce aux échos profonds, comme un rire de théâtre derrière une rampe éteinte. Vanessa posa sa main sur mon front et me regarda d'un air fixe et sérieux.

— ... Comme tu es resté enfant, ajouta-t-elle avec une inflexion presque tendre. Tu te plais ici ?

Elle parcourait la pièce noire d'un regard lent.

— ... Marino dit qu'on ne peut t'arracher de l'Amirauté. Est-ce vrai ?

Elle s'établissait maintenant peu à peu, à mes yeux brouillés par la surprise, avec la fixité parfaite, la quiétude d'une flamme de bougie élevée dans une chambre calme. Dans le fouillis poussiéreux de la pièce, la carnation égale et très pâle de ses bras et de sa gorge suggérait à l'œil une matière extraordinairement précieuse, radiante, comme la robe blanche d'une femme dans la nuit d'un jardin.

— Il est vrai que je n'en bouge guère. Et je me plais ici, c'est vrai.

— C'est moins gai que le jardin Selvaggi. Mais, en effet, ce n'est pas sans charme.

Son regard, maintenant accoutumé à l'obscurité, devint soudain fixe. Elle éleva la lanterne : le grouillement compliqué des cartes sortit de l'ombre. Le visage saisi se figeait dans une curiosité intense et enfantine.

— Est-ce pour regarder ces cartes que tu viens ici ?

— C'est un interrogatoire ?

— Rien que de flatteur pour toi. Je ne connais rien de plus décoratif.

Le rayon de la lanterne s'arrêta sur une carte ancienne, empanachée d'étranges lettres bouclées. Dans la voix de Vanessa joua soudain un accent de provocation directe.

— J'ai la même à Maremma dans ma chambre. Tu la verras.

— Qu'es-tu venue faire à Maremma ?

— Les Syrtes vont être très à la mode à Orsenna. Nous avions là un palais qui tombait en ruines. Je m'ennuyais. Il m'a pris fantaisie de venir arranger tout cela. Tu as l'air d'être le seul à ne pas t'en apercevoir. Et, d'ailleurs, on y rencontre des gens agréables. Ton ami Fabrizio, par exemple...

Le visage de Vanessa se tendit imperceptiblement, comme on écoute tomber une pierre dans un puits.

— ... Le capitaine Marino.

Le nom ravivait mes regrets de la soirée, remuait soudain en moi toute une eau trouble.

— Le capitaine Marino n'est pas exactement ce que j'appellerais un homme agréable.

— Tu as tort, Aldo. Lui t'apprécie beaucoup, je peux te le dire.

— Ravi qu'il te délègue pour me transmettre ses certificats.

Vanessa ignora l'interruption.

— Il n'a pas assez d'éloges pour ton zèle. Il te trouve seulement un peu exalté, un peu imaginatif...

Elle plongeait ses yeux dans les miens avec insistance.

— ... Je lui rappelle que tu es très jeune, qu'il ne faut pas se plaindre de la fougue des jeunes gens, et que tu t'assagiras...

Le regard fixe dans le visage moqueur m'interrogeait plus curieusement que ne le comportait ce badinage.

— ... Tu vois que nous avons des conversations très sérieuses.

— Et de quoi encore parlez-vous ?

— Nous avons en commun beaucoup de sujets d'intérêt.

— Marino ne s'intéresse qu'au service.

— Ce n'est pas ce qui peut écourter nos conversations.

Vanessa parvenait à ses fins. Je me sentis rougir de colère.

— Très bien. Si tu es au courant des affaires du service, tu comprendras qu'il a aussi ses exigences. Je suis désolé, crois-le bien, de n'avoir pu te donner cette soirée.

— On ne peut congédier plus élégamment. Je pensais naïvement que ma visite te ferait plaisir. J'étais loin d'imaginer que tu avais tant de besogne. Je me plaindrai à Marino. Je lui ferai honte de t'enfermer le soir dans une sombre casemate. Je lui dirai qu'il fait de toi une véritable Cendrillon.

Son rire me provoquait à découvert.

— Je travaille quand je veux et où il me plaît.

Vanessa cédait au rire fou. Ce rire généreux qu'elle avait, cette pluie de gaîté tendre, dégonflait ma mauvaise humeur, me ramenait par la main au jardin Selvaggi. Elle braqua sur moi la lanterne que secouaient encore ses accès de rire et je sentis, à mon front, le contact fortifiant, la chaleur fondante de ses doigts familiers qui me dépeignaient.

— Là ! Voilà ! c'est tout à fait ça. Je t'assure, tu es à croquer en gamin boudeur. Tu es positivement adorable, Aldo.

Sa voix essoufflée se brisa sur une inflexion sourde qui fit soudain fourmiller mon sang à mes mains et à mes lèvres. La légère bousculade nous avait rapprochés. J'emprisonnai les mains qui s'attardaient dans mes cheveux, la lanterne tomba, faisant l'obscurité complète. Je plongeai ma tête au creux de ces mains chaudes et les baisai longuement. Vanessa les pressait doucement à mes lèvres dans le noir. Elle s'écarta brusquement, comme réveillée, et détourna les yeux.

— Comment as-tu trouvé les ruines de Sagra ?

— Les ruines de Sagra ?... Vraiment tu devines les choses, Vanessa. J'étais en train de me dire qu'elles t'auraient positivement intéressée.

Vanessa se leva, serra son manteau autour d'elle et chercha mes yeux d'un regard appuyé.

— Si tu m'aimes, Aldo, tu garderas tes impressions pour toi seul.

Le ton bref que contredisait la voix étouffée coupait court à tout commentaire, et je me levai à mon tour, indécis. Vanessa s'enveloppa frileusement dans sa fourrure ; la tache blanche de sa robe s'éteignit, la mêla de nouveau à l'obscurité de la chambre.

— Bien entendu, je t'emmène.

— A Maremma ? Si tard !...

Je me rendais déjà sans conditions. Je ne voulais plus la quitter.

— Ne fais pas l'enfant. J'ai promis de te ramener. Tu me compromettrais... ajouta-t-elle avec un sourire malicieux. Et puis je veux que tu voies ma fête, c'est décidé... Je la donnais pour toi.

J'écoutais monter dans sa voix cette exaltation enfantine que je reconnaissais si bien. Je la retrouvais. Sur ce visage au tissu plus délicat, on voyait les émotions et les pensées non pas se former, mais naître. Le désir de Vanessa montait à ses yeux dans sa fraîcheur neuve, comme les étoiles qui sortent de la mer.

— Allons, il ne sera pas dit que j'aurai contrarié un enfant gâté.

Bien plus que la perspective de la fête, c'était la pensée de ce voyage seul à seul avec Vanessa qui m'avait décidé. Vanessa me conduisait. J'avais passé mon bras autour d'elle dans la tiédeur des fourrures, je sentais contre moi le consentement de tout un poids doux et fléchissant. Nous longions parfois une de ces grandes fermes fortifiées endormies dans la tiédeur de la nuit des Syrtes ; au bord de la route sablonneuse des murs gris miroitaient un instant devant la voiture ; trompés par la lumière insolite de nos phares, parfois des coqs chantaient. Les lumières violentes mêlaient au sol bossué de la route des bêtes pétrifiées de terre grise, accrochaient à leurs yeux l'éclat coupant des pierreries. Vanessa m'emportait dans la nuit légère. Je me rassemblais en elle. Je la sentais auprès de moi comme le lit plus profond que pressentent les eaux sauvages, comme au front le vent emportant de ces côtes qu'on dévale les yeux fermés, dans une remise pesante de tout son être, à *tombeau ouvert*. Je me remettais à elle au milieu de ces solitudes comme à une route dont on pressent qu'elle conduit vers la mer.

Une nuit laiteuse de brume et de lune traînait sur les lagunes quand nous arrivâmes à Maremma, tout injectée de lumière diffuse par le plan argenté des eaux calmes. Le sentiment d'irréalité qui traversait cette nuit blanche persistait. Maremma tout emmêlée à sa nuit m'apparaissait comme une nébuleuse de ville, tout entière en vagues caillots de brouillard qui semblaient naître sur notre passage de la trépidation même de la voiture pour se dissoudre aussitôt. La voiture s'arrêta brusquement ; je sentis sous mes pieds un pavé glissant et humide, et sur le visage le souffle cru qui décape la peau moite de sommeil du passager extrait de son wagon tiède. Un quai devant nous s'ouvrait à pic sur une eau noire. Vanessa, sans se retourner, d'un mouvement rapide, marcha tout droit vers le bord. Je la regardais, muet d'étonnement sur le quai vide, comme on regarde un passant par une nuit de brume grimper sur le parapet d'un pont. Vanessa se retourna, surprise de se trouver seule, m'aperçut et partit d'un rire fou. Une barque nous attendait au quai.

Ainsi rappelé à moi, je me souvenais brusquement de ce surnom très complaisamment ironique de « Venise des Syrtes » qu'on donnait à Maremma. L'image me revenait, qui m'avait souvent frappé sur les plans de la chambre des cartes, d'une main aux doigts effilés qui s'avançait dans la lagune et figurait le delta instable et bourbeux d'un des rares oueds qui parviennent à la mer dans les Syrtes. A une époque où les incursions des Farghiens rendaient la terre peu sûre, les colons de la côte s'étaient réfugiés sur ces bancs de vases plates, — le cours du torrent détourné pour arrêter le colmatage de la lagune, un canal avait décollé le delta de la côte à sa racine,

— Maremma comme Venise s'était retranchée, avait largué ses amarres ; campée sur ses vases tremblantes était devenue une île flottante, une main enchantée, docile aux effluves qui venaient d'au delà de la mer. Une brève période de splendeur s'était ouverte pour elle à l'époque de la paix des Syrtes : alors ses marins et ses colons avaient essaimé sur toute la côte, drainant vers la mer les laines et les fruits des oasis éloignées, et ramenant sur leurs galères l'or et les pierreries brutes du Farghestan. Puis la guerre était venue, et la vie s'en était retirée ; Maremma aujourd'hui était une ville morte, une main refermée, crispée sur ses souvenirs, une main ridée et lépreuse, bossuée par les croûtes et les pustules de ses entrepôts effondrés et de ses places mangées par le chiendent et l'ortie.

Je regardais passer sous mes yeux dans une rêverie ce décombre de mer, pareil aux délivres d'une grande ville charriées à la côte par une inondation. Des canaux abandonnés montait une odeur stagnante de fièvre ; une eau lourde et gluante collait aux pelles des avirons. Pardessus un pan de mur croulant, un arbre maigre penchait la tête vers l'eau morte qui fascinait ces ruines. De hauts murs, qui paraissaient être des enceintes de couvents, dressaient çà et là sur des îlots des bastions préservés et hostiles, comme les derniers carrés battus par un désastre. Le bruit plat et liquide des avirons et la brume lunaire creusaient encore le silence de peste, et je remarquai alors que la surface faiblement miroitante du canal se vergetait continuellement de fins triangles : dans le minuscule gargouillis et les bruits trop intimes qui montent d'une fosse noyée, les rats d'eau colonisaient cette nécropole.

J'avais posé ma main au bord de la barque sur la main de Vanessa. Je la devinais, à son silence, saisie comme moi par ce cimetière d'eaux mortes, par ce vau-l'eau poignant d'une ville à son suprême échouage. Pareil à celui de l'amour, ce silence la trahissait. Vanessa m'accueillait dans son royaume. Je me souvenais du jardin Selvaggi, et je savais quel appel l'attirait vers ce repaire de vases moisies. Maremma était la pente d'Orsenna, la vision finale qui figeait le cœur de la ville, l'ostension abominable de son sang pourri et le gargouillement obscène de son dernier râle. Comme on évoque son ennemi couché déjà dans le cercueil, un envoûtement meurtrier courbait Vanessa sur ce cadavre. Sa puanteur était un gage et une promesse. Et, sentant dressée à mon côté cette figure de proue qui m'ouvrait la route, je comprenais que Vanessa avait rejoint sur ces bords perdus sa vision préférée.

Coupé de la ville par des étendues de terrains vagues où l'on devinait les traces de ses anciens jardins, le palais Aldobrandi se dressait à l'extrémité d'un des doigts de la main ouverte, et son isolement au droit de la passe des lagunes et à l'extrémité du canal élargi me parut figurer singulièrement l'humeur de la souche ombrageuse qui l'avait construit à son image. Ce séjour de plaisance, jeté comme un ricanement sur des eaux grelottantes de fièvre, se souvenait toujours du château fort. Séparé de la langue de sable par un étroit chenal qu'enjambait un pont de bois, il allongeait au bord du canal les lignes basses d'un môle accroupi sur l'eau, d'où pointait à l'une des extrémités une de ces tours de guet rectangulaires, étroites et élevées, qui font reconnaître à Orsenna les palais nobles de la haute époque. Sous la lumière faible de la lune qui noyait les détails, les lignes dures et militaires évoquaient la forte assise, la robustesse et la massivité d'un banc, d'un terre-plein enroché comme une dent sur ces vases mobiles. Cependant que les arcades basses déversaient au ras de l'eau, comme une bouche de four, des traînées de lumière violente, la galerie supérieure de l'édifice, profondément endormie sous sa terrasse lunaire, s'allongeait au-dessus de bout en bout comme un bandeau aveugle, et laissait sous l'impression dominante d'une réserve hostile, d'une respiration secrète dans l'obscurité.

La fête avait maintenant visiblement cessé de battre son plein. Sa fièvre retombait. Dans les voix qui montaient des groupes isolés perçait cette nuance d'essoufflement et ce ton détaché de *retour au calme* qui frappe dans les conversations encore animées de la rue quand on survient après l'accident. Je saluai Marino avec une ombre de gêne et évitai de répondre à son regard malicieux. Le capitaine était de fort bonne humeur, et j'attribuai une heureuse conclusion aux marchandages du matin. Je fus surpris pourtant, comme d'une familiarité chez lui excessive, de le voir s'emparer de mon bras, et, pendant que nous circulions lentement à travers les groupes, je crus remarquer qu'il tendait l'oreille aux propos qui s'échangeaient çà et là. Je voyais reparaître sur son visage cette même expression de finesse tendue que j'avais remarquée sur la passerelle du *Redoutable* quand il tâtonnait sa route entre les hauts fonds, et je le devinai tout à coup plus préoccupé qu'il ne m'avait paru.

— Sais-tu qui sont ces gens-ci ? me demanda-t-il tout à coup d'un ton sérieux, en m'arrêtant et en me désignant les salles d'un geste vague.

Frappé de ce ton de malaise si anormal chez Marino, je commençai à examiner l'assistance d'un œil plus intéressé. J'avais remarqué sur mon passage, dans quelques yeux, une lueur d'attention soudaine et, çà et là, un signe amical auquel je ne répondais que gauchement, troublé que j'étais par une impression de *déjà vu* encore indéfinissable. Certains souvenirs me revenaient maintenant plus clairement. Il y avait là des gens que j'avais rencontrés presque certainement chez mon père, avant que la mort de ma mère n'eût fait cesser pour lui toute vie mondaine, et je pus glisser à l'oreille de Marino sur-le-champ quelques grands noms d'Orsenna, et tels que leur annonce seule dans un salon de notre ville eût pu suffire à classer une soirée. En m'assurant que les Syrtes allaient être à la mode à Orsenna, Vanessa n'avait pas menti. Cependant, c'était là peut-être moins une mode établie qu'une fantaisie bizarre, et l'impression que donnait cette foule d'invités assez dense ne confirmait d'aucune manière la garantie que semblaient apporter

quelques noms indiscutés. Bien plus que le miroitement
d'une réunion mondaine, ces regards trop brillants et
qui semblaient absorbés dans une hantise commune
évoquaient le cousinage spontané, la franc-maçonnerie
intime des villes d'eaux où l'on vient soigner une maladie
grave. Je ne m'étonnais plus que la santé de Marino se
trouvât de trop dans cette foule. Je pouvais d'ailleurs
maintenant me convaincre à quel point elle était mélangée,
et avec quelle familiarité s'y coudoyaient, à ma surprise,
des gens qui ne se fussent jamais salués à Orsenna.

— Les Aldobrandi ont toujours fréquenté des gens
bizarres. On dirait qu'ils sont venus à Maremma prendre
les fièvres.

— Oui, on respire mal ici. J'ai eu tort de quitter
l'Amirauté ce soir. Allons jusqu'au buffet.

Marino m'entraînait. Nous levâmes silencieusement
nos coupes. Son air préoccupé ne le quittait plus.

— Je crois que je vais rentrer, Aldo. La princesse se
charge de te faire reconduire. Je ne m'inquiète pas. Tu
es chez toi, ici... ajouta-t-il en plissant les yeux légèrement.

— Et Fabrizio ?

— Ce galopin m'attend déjà dans la voiture...

Marino désigna le buffet d'un geste navré.

— ... Il s'est rendu malade... Je te laisse ici défendre
l'honneur de la flotte, ajouta-t-il avec une grimace piteuse.

Je ris de bon cœur. La bonté maladroite de Marino
revenait avec remords sur notre grande discussion, me
tendait un gage timide. Il était là tout entier, et je sentis
de nouveau combien je l'aimais.

— Vanessa sera désolée. Vous savez qu'elle m'a beaucoup parlé de vous. Elle m'a dit que vous aviez de grandes
conversations.

Marino toussota et rougit avec une naïveté qui m'alla
au cœur.

— C'est une femme très remarquable, Aldo. Très, très
remarquable.

Je me sentis un peu piqué.

— C'est une chance pourtant que vous ayez pu vous entendre. Vanessa n'est pas un caractère facile.

— Ce n'est pas exactement ce que je veux dire.

La voix de Marino monta placide et égale.

— ... Elle me hait. Allons, il est temps de partir, enchaîna-t-il, visiblement pour couper court. A demain, Aldo. Bonne soirée.

Il hésita un instant.

— Prends garde aux brumes du matin. C'est là qu'on attrape les fièvres.

Je n'avais rien fait pour retarder ce départ brusque. Marino me délivrait d'un regard agaçant. Je me sentis faire peau neuve, saisi aux épaules par une soudaine désinvolture, comme une jeune fille à son premier bal quand sa mère, après avoir opposé au sommeil une belle défense, se décide enfin à *débarrasser le plancher*. Je savais que Vanessa ne manquerait pas de me retrouver tout à l'heure, mais rien ne pressait, et je me sentis l'envie de prendre contact de plus près avec les estivants équivoques de Maremma. Je me dirigeai vers une salle d'où parvenaient des bouffées de musique, et qui s'allongeait le long du front de mer. Je comptais sur le sommeil bref de la musique pour me livrer ces visages : plus qu'ailleurs, j'avais là chance d'observer sans être vu.

La fête de Vanessa ne faisait pas mentir sa réputation de prodigalité somptueuse. On avait ouvert toutes grandes les baies à arcades qui donnaient directement sur la lagune : l'odeur entêtante des eaux mortes soulevait comme une marée les parfums des gros buissons de fleurs, leur donnait cette même opacité funèbre et mouillée qui nous glace les tempes dans une chambre mortuaire. Par les baies noires, on apercevait un fourmillement de barques qui portaient des fleurs et des lumières sur la mer. L'éclairage, tamisé par les panaches serrés de feuilles retombantes, faisait flotter la salle dans un demi-jour verdâtre et vitreux de grotte moussue et d'étang habitable qui engluait les mouvements, laissait traîner derrière chaque poignet étincelant comme la bavure d'argent d'un sillage perceptible, et protégeait autour de la musique la vibration intégralement transmise d'un air presque liquide, une zone de plus profond, de plus intime ébranlement. Je retins un mouvement de recul, comme si j'avais soulevé la portière sur un spectacle par trop privé. Il y avait dans la salle assez peu de monde, mais je fus frappé par quelque chose de singulier dans l'attitude et la disposition des groupes qui, plutôt que d'une salle de concert, parlait de fumerie d'opium ou de cérémonie clandestine, et qui me conseilla de *rentrer dans le rang* rapidement. Je plongeai vers un siège dans la pénombre et m'assis en hâte, retenant malgré moi ma respiration.

La musique très lourde et très sombre, l'éclairage voilé et les parfums absorbants me dépaysaient. Il me sembla que je reprenais lentement mes sens, comme si j'étais tombé là par une trappe, et que je les reprenais seulement un à un, entraîné d'abord au fil seul de cette musique envoûtante, puis dilaté dans l'explosion même de ces parfums fiévreux. Je commençais à mieux voir dans la salle, et j'étais frappé de nouveau par la liberté d'attitude et de gestes des couples qu'avait attirés là, comme on pouvait s'y attendre, la promesse d'un relatif isolement. Une subtile atmosphère de provocation, un magnétisme sensuel insidieux me paraissaient soudain s'allumer çà et là à la courbe d'une nuque trop complaisamment affaissée, à un regard trop lourd, au luisant gonflé d'une bouche s'entr'ouvrant dans la demi-obscurité. Des mouvements légers s'éveillaient, ébauchés seulement et à peine perceptibles, mais qui soudain bougeaient plus purement que d'autres pour l'œil, à la même profondeur, eût-on dit, que les gestes d'un dormeur. Cependant, au milieu de cet éveil de grotte marine, j'éprouvai soudain distinctement, comme un souffle sur la nuque, le sentiment d'une présence plus alertée et plus proche. Je jetai les yeux rapidement autour de moi. Presque à me toucher, m'apparut-il, tellement je m'y heurtai soudainement comme à une porte, le visage d'une jeune femme était tourné vers moi. Et je compris, au happement nu avec

88

lequel ils s'emparaient des miens, dans un au-delà souverain du scandale, qu'il n'était plus question de me détourner de ces yeux.

Ce qui peut bondir de la vie des profondeurs de plus tapi et de plus nocturne était tourné vers moi dans ces prunelles. Ces yeux ne cillaient pas, ne brillaient pas, ne regardaient même pas, — plutôt qu'au regard leur humidité luisante et étale faisait songer à une valve de coquillage ouverte toute grande dans le noir, — simplement ils s'ouvraient là, flottant sur un étrange et blanc rocher lunaire aux rouleaux d'algues. Dans le désarroi des cheveux pareil à un champ versé, l'enfoncement de ce bloc calme s'ouvrait ainsi qu'à un ciel d'étoiles. La bouche aussi vivait comme sous les doigts, d'un tremblement rétractile, nue un petit cratère bougeant de gelée marine. Il faisait brusquement très froid. Comme on raccorde dans la stupeur les anneaux d'un serpent emmêlé, s'organisait par saccades autour de cette tête de méduse une conformation bizarre. La tête était enrochée au creux d'une épaule d'étoffe sombre. Deux bras lui faisaient une étole, un collier engourdi d'aise pantelante, qui fouillaient comme dans une auge pleine au creux de son corsage. L'ensemble décollait des profondeurs sous une pression énorme, montait fixement à son ciel de sérénité comme une lune pleine à travers les feuillages.

J'avais beau recourir aux alcools violents et me laisser rouler par la foule vers les points les plus éveillés de la fête, je ne me remettais que lentement. Comme mordus un instant par un soleil trop vif, un point noir flottait devant mes yeux sur le scintillement des lumières. Si invraisemblable que pût paraître dans une telle soirée la célébration à découvert de cette très intime liturgie amoureuse, je ne me sentais pas scandalisé. Les yeux qui m'avaient regardé étaient sans juge. Ils témoignaient. Quand j'essayais de retrouver l'étrange pesanteur qui m'avait soudain rivé à eux, une image obsédante me revenait : celle de ces puits naturels ouverts au ras du

89

sol, dans lesquels l'oreille cherche à surprendre vainement la chute d'une pierre. Sur ce vide de nausée au delà du comblement, on trébuchait une seconde, l'esprit ailleurs, mais comme si de rien n'était il ne fallait plus songer à reprendre sa route. Ces yeux marchaient auprès de moi, le vent faible de leur gouffre soufflait les lumières ; ils faisaient tanguer doucement la fête sur un fond de cauchemar.

Il me sembla tout à coup, cependant que je circulais désœuvré entre les groupes, en songeant aux invités singuliers que Vanessa avait rassemblés là, qu'un de ces visages où j'essayais parfois de mettre un nom m'était apparu plus fréquemment que les autres. Un visage sec et glabre, dont les yeux, comme voilés d'une taie, gardaient cependant un regard plus éveillé et plus aigu — un visage qui ne m'était pas étranger et dont la réapparition insistante semblait me *tirer par la manche*. Vaguement intrigué, je m'adossai quelques instants à une encoignure, guettant entre deux plongeons, dans le tourbillon de foule qui s'écoulait, sa réapparition. Une voix s'éleva tout contre moi, une voix nette, mais feutrée et volontairement basse, déjà placée dans le registre d'un entretien seul à seul. Le visage était devant moi.

— Une fête grandiose, n'est-ce pas, monsieur l'Observateur... Puis-je me réclamer de mon amitié pour votre père pour vous rappeler mon nom ? ajouta-t-il en lisant sans se déconcerter ma surprise sur mon visage et en souriant légèrement. Giulio Belsenza... Je vous ai connu très jeune...

Sa voix prit une inflexion complice.

— ... Et, sans vouloir mêler le service aux plaisirs, j'ai pensé que nos fonctions pouvaient nous rapprocher ce soir.

Je me souvenais brusquement de ce nom. Les instructions que j'avais reçues à mon départ me le désignaient comme l'agent secret que la Seigneurie entretenait à Maremma. Mes civilités restèrent courtes, et aussi peu professionnelles que possible. Quelque chose dans cette physionomie me parlait de ragots de police, et il me déplaisait de les entendre dans les salons de Vanessa.

— ... Oui, continua la voix sans paraître prendre d'ombrage, vous me pardonnerez de m'être dit : au diable la bienséance ! Puisque j'ai la chance de rencontrer ce soir quelqu'un qui touche de près aux bureaux... Je suis très seul à Maremma — on me laisse sans ordres, sans renseignements.

Sa voix avait souligné une parenthèse très amère. Il leva soudain les yeux sur moi d'un air gourmand.

— ... Ce sont ces bruits...

Dans la fixité brusque de ses yeux, une pointe anxieuse démentait le sourire. Je cessais tout à fait d'être distrait.

— Je serai moins renseigné, sans doute, que vous ne pensez...

— On ne sait rien à l'Amirauté ? Je me rassure.

Le sourire ironisait avec insistance. Je me sentis soudain agacé.

— Non, je vous avoue que je ne vois pas... Je n'ai que peu affaire ici, ajoutai-je dédaigneusement, et je ne me mêle guère des on-dit.

— On dit beaucoup de choses précisément à Maremma, et on en dit peut-être trop.

— Au sujet de l'Amirauté ?

— Au sujet du Farghestan.

La voix avait soupesé comme une main, une fraction de seconde, un mot plus lourd que les autres. Je me sentis parcourir tout entier d'une onde légère, comme un pêcheur qui voit son bouchon plonger dans une eau calme, et devenir dans l'instant la figure même du parfait détachement.

— Vraiment ? On a le goût de la spéculation désin-téressée à Maremma. Et parle-t-on aussi de la lune ?

Belsenza me regarda d'un air fin.

— On le pourrait, à leur compte. Il ne manquerait pas d'astrologues de bonne volonté. C'est que voilà la bizarrerie de la chose : aussi impossible de retracer l'origine de ces bruits que d'y couper court. Maremma, monsieur l'Observateur, n'est pas une ville très saine, comme vous le savez peut-être... Je suis payé, moi, pour le savoir (mal payé, disait la voix aussi clairement que possible. Je remarquais maintenat le teint jaune, les traits moins ascétiques que tirés, la mine subalterne. Un colonial qui se néglige, pensai-je rapidement. Dans quelques années, Belsenza serait un pauvre diable) et je finis par penser que ses petits accès de fièvre ne viennent pas tous de ses marais.

— Très alarmant, ma parole. Mais vous seriez gentil de me mettre au fait.

Les yeux de Belsenza devinrent vagues, et ses mains se serrèrent l'une sur l'autre, dans l'attitude de qui cherche à rassembler difficilement des impressions fuyantes — comme le rêveur qui, pour raconter son rêve, se laisse couler dans la mimique du dormeur.

— J'ai eu tort de parler de bruits, et raison de parler de fièvre. En un sens, c'est moins que rien. La fièvre toute seule n'est rien, ce n'est qu'un signe... Ne me prenez pas pour fiévreux, moi aussi... Je vis ici, voyez-vous, et c'est difficile de se faire comprendre. Moi, je comprends, je comprends mieux à vous voir ce soir. A ce que j'ai eu envie de vous parler ce soir. Vous n'êtes pas de Maremma, et parler avec vous — me croirez-vous, c'est peu probable — c'est comme ouvrir la fenêtre d'une chambre où il y a un malade. On respire mal à Maremma, — on cherche de l'air, — voilà le mot : on cherche de l'air.

— On y vient beaucoup, pour une chambre contagieuse.

La mine éloquente de Belsenza me prit à témoin.

— Une pure extravagance, monsieur l'Observateur. Les gens sont fous à lier à Orsenna, positivement... J'y viens, j'y viens ! se reprit-il devant mon air impatienté. Voici un an, à peu près, que la chose a commencé ; c'est-à-dire, corrigea-t-il, que j'ai commencé à remarquer quelque chose. On ne parlait guère du Farghestan ici, je vous assure. C'était comme s'il n'avait pas existé. Effacé, rayé de la carte... On avait d'autres soucis. La vie est dure ici, on vit maigrement, les apparences trompent... Je vous ferai visiter la ville, ajouta-t-il en désignant les salons d'un geste amer ; elle n'est pas toute aussi somptueuse que le palais Aldobrandi.

— Je sais. Il y avait clair de lune, ce soir.

— Ah ! vous avez vu. Quoique la nuit, vous savez... il reste surtout le pittoresque. Les gens du palais préfèrent se promener la nuit. Mais je m'écarte, coupa-t-il en me rassurant d'un geste de la main. Maintenant on parle de là-bas, les gens se mettent à savoir des choses.

— Là-bas ?

— J'oublie que vous n'êtes pas d'ici. Les tics se gagnent à la longue. On n'y prend plus garde. On dit très peu : « le Farghestan », ici, autant dire jamais. On dit : « là-bas ».

— Curieux. De loin, on ne supposerait guère tant de familiarité.

— De loin, on ne suppose rien, mais ici on suppose beaucoup. Du moins, c'est ce que je veux croire. Ce serait plus rassurant. On dirait...

— On dit quoi, au juste ?

J'étais cette fois réellement exaspéré. Belsenza s'immobilisa, et ses sourcils se rapprochèrent comme à une question difficile.

— Au juste, vous levez le lièvre, monsieur l'Observateur. J'aime aussi à mettre les choses noir sur blanc. Mais quand j'essaie de commencer un rapport, la plume me tombe des mains. Vous essayez à peine de les saisir *au juste*, que les bruits prennent immédiatement une autre forme. Comme s'ils avaient surtout peur de se laisser attraper, vérifier. Comme si les gens avaient peur surtout qu'on les empêche de courir, de tenir en haleine. Comme si les gens avaient surtout peur qu'il cesse d'y avoir des bruits.

Belsenza fit une moue excédée et dérisoire.

— ... Cela se réduit — si on veut le réduire — à très peu de chose, à rien. A moins que rien. A peu près à ceci. Il y aurait eu de grands changements au Farghestan.

Quelqu'un, ou plutôt quelque chose, aurait pris le pouvoir.
Et — là-dessus l'accord est universel et énergique — ce
quelqu'un... ce quelque chose... ce changement... ne pré-
sagerait rien de bon pour Orsenna.

— Des bruits !... Allons donc. C'est de l'extravagance
pure.

Belsenza me fixa d'un œil de défi.

— Je me sens porté à le croire comme vous. Mais je
puis aussi vous assurer que de le prouver, ce qui serait
encore mieux que de le dire, ne sera d'aucun secours pour
les faire cesser.

— Vous pourriez cependant publier un démenti officiel.

— J'y ai songé... Non, croyez-moi, trop tard. Il y a
ici un feu qui couve. Toute matière peut lui devenir
inflammable. Un démenti nourrira les bruits. C'est une
question de température.

— Qui parle ?

— Aujourd'hui, tout le monde. Au début, il me semble,
— Belsenza baissa la voix, — surtout les étrangers.
J'oublie encore, se reprit-il rapidement, les « étrangers »,
ce sont ici les gens d'Orsenna. Et quand on se demande
« qui parle », comprenez-moi bien, il faut s'entendre.
On ne *parle* au fond guère. Même presque pas. C'est
plutôt par allusion, par omission qu'on parle. Rien de
positif. Tout reste enveloppé, indirect. Tout *renvoie* aux
bruits, mais rien ne les dénonce. Comme si les paroles,
toutes les paroles d'une journée, dessinaient obstinément
un moule, — le moule de quelque chose, — mais que ce
moule restât vide. Je me fais bien mal comprendre. Je
vais me servir encore d'une image. Vous connaissez le
jeu du furet. Tout le monde fait cercle, les mains sont
fermées sur la corde, on ne voit rien, mais les mains sont
complices, le furet court, glisse le long de la corde, repasse,
tourne inlassablement. Il n'est jamais là. Chaque main
est vide, mais chaque main est un creux tiède pour
l'accueillir, pour l'avoir accueilli. Voilà à quel jeu joue
Maremma toute la journée. Et je ne suis pas tout à fait
sûr que ce soit un jeu.

» ... Non, un démenti ne servirait à rien, conclut Belsenza pensif. Il faudrait couper la corde, mais d'abord il faudrait la trouver.

— La corde ?

— La corde au long de laquelle le furet glisse.

Belsenza sourit d'un air absorbé. Je gardai un moment le silence. Je ne me sentais pas l'envie de sourire. Ce discours m'était moins incohérent que je ne l'aurais souhaité.

— Je comprends. Même sans cela, il arrive pourtant qu'on l'attrape. Vous n'avez arrêté personne ?

— Non. Pas plus que je n'ai publié de démenti. Pour les mêmes raisons. Au surplus...

Belsenza enveloppa les salons d'un coup d'œil précautionneux.

— ... je n'ai ni appui ni crédit à Orsenna, et on se met vite sur les bras une méchante affaire.

Je sentis que ma voix tremblait légèrement.

— Je suis comme vous au service de la Seigneurie, Belsenza, et mes amitiés ne viennent qu'ensuite. Je voudrais que vous parliez plus clairement. Vous craignez que le fil ne vous mène ici ?

— Peut-être.

— C'est une impression, ou une certitude ?

La voix de Belsenza sonna d'un accent de franchise.

— C'est une impression. Tout cela n'est qu'impression, je vous le répète. J'ai peut-être eu tort de parler. Il est possible que je me monte la tête.

— Je ne vois rien de bien grave dans tout cela. Maremma n'est pas une ville distrayante. Ce sera un remède à l'ennui.

— Je le souhaite, monsieur l'Observateur.

La voix reprenait sa nuance officielle et neutre, et je sentis que la fente où je collais mon œil allait se refermer.

— Un mot de vous, tout à l'heure, m'a étonné, si ce n'est pas méprise de votre part. En parlant de l'auteur de ce soi-disant coup d'Etat, « là-bas », vous avez dit : quelqu'un... ou quelque chose.

— Précisément. Ce n'est pas une méprise. Il y a là encore une bizarrerie...

Belsenza semblait buter inopinément sur un obstacle.

— ... Vous allez toucher là du doigt, monsieur l'Observateur, à quel point tout démenti serait inopérant. On dirait que les bruits s'immunisent, en naissant, contre toute preuve matérielle. Le mot coup d'Etat est très inexact. D'après les bruits, rien là-bas ne s'est passé qu'on puisse voir. Rien n'a changé en apparence. C'est même à souligner que rien n'a changé dans les apparences que les bruits gagnent quelque chose de plus troublant. L'idée, pour autant qu'on puisse y voir clair, serait plutôt qu'une espèce de pouvoir occulte, disons de société secrète, aux buts mal précisés — mais certainement exorbitants, inavouables — aurait réussi à subjuguer le pays, à en faire sa chose, à mettre la main sans que rien la dénonce sur tous les rouages du gouvernement.

— Excessivement romanesque ! Vous ne me ferez pas croire qu'on ajoute foi ici à de pareils contes...

— Cela paraît peu croyable, en effet. Je voudrais pourtant que vous me permettiez une remarque. J'ai parlé tout à l'heure de fièvre et de maladie. Les effets de la maladie sont bizarres. J'ai eu l'occasion, à Orsenna, de mener des enquêtes sur des charlatans, des guérisseurs. Et de la plus grossière espèce. Croyez-moi là-dessus : il était rare qu'ils n'eussent pas dans leur clientèle quelques-uns des gens les plus remarquables, les plus éclairés de la ville. Je pourrais citer des noms...

Je ne tenais pas à les savoir. De nouveau, il y avait dans la voix de Belsenza une insinuation qui m'était désagréable.

— Je ne vois pas autour de nous de malades bien graves.

Belsenza jeta sur les groupes un coup d'œil rêveur, et je me souvins tout à coup de Marino.

— Moi non plus. Et pourtant...

Il se rapprocha de moi d'un geste nerveux.

— ... voyez-vous, monsieur l'Observateur, je connais

bien cette ville. En un sens, c'est bien toujours la même. Je me frotte les yeux, et je ne vois rien. Tout est dans l'ordre. Et pourtant il y a quelque chose de changé. Il y a quelque chose...

De nouveau, les yeux flottèrent vagues.

— ... Il y a quelque chose qui ne va pas.

L'air désemparé de Belsenza et l'anxiété qui perçait dans son accent me troublaient. La visite à Sagra me revint tout à coup vivement à la mémoire.

— De toutes façons, ceci vous regarde. Mais je ne peux croire que ces bruits soient nés d'eux-mêmes. Et c'est la source qui m'intéresse. Vous avez dû vous demander, naturellement, si quelqu'un à Maremma n'était pas, d'une façon ou d'une autre, en relations avec le Farghestan ?

Le visage de Belsenza devint celui même de l'ahurissement, et je me sentis soudain pénétré de la vive conviction d'avoir fait une sottise.

— En relations ?... C'est impossible.

Mon humeur m'emportait.

— C'est interdit, ce qui n'est pas la même chose.

Une expression singulière se formait sur le visage de Belsenza : celle d'un homme choqué et intimement scandalisé, et que la bienséance empêche pourtant de vous rappeler à l'ordre. Je me sentis soudain en face de lui comme un étranger auquel, par la mimique d'une gêne muette, on essaie d'éviter un *manquement aux convenances* trop subtil à expliquer.

— C'est *tout à fait* impossible, voyons...

Belsenza toussa et me regarda dans les yeux avec un sourire figé.

— ... Vous le savez mieux que moi, monsieur l'Observateur. Votre présence même à l'Amirauté rendrait injurieuse toute recherche dans cette direction.

— Excusez-moi, dans ce cas, de ne plus très bien voir à quoi tendaient ces confidences.

Le ton de Belsenza redevint léger et mondain, et je le sentis *rompre* de nouveau, cette fois définitivement. D'un bout à l'autre de cette conversation toute en passes suspectes, il avait été pour moi la silhouette vexante qui, dans l'arène, transparaît, puis disparaît jusqu'à l'exaspération derrière un lambeau d'étoffe rouge.

— Oh ! c'était une conversation, nullement une démarche. Encore une fois, il n'était pas question de service. Je pensais bien que l'Amirauté dédaignait ces sottises. Maintenant, j'en suis sûr, c'est tout.

L'excitation de la fête déclinait maintenant tout à fait. Les propos de Belsenza avaient glissé sur moi : ils me laissaient distrait plutôt qu'ébranlé, comme la gesticulation insignifiante d'un chasseur qui tire un coup de feu dans le lointain, avant que la détonation vous parvienne. Les voix indistinctes s'emmêlaient, faisaient à mes oreilles le bruit même, indéfiniment repris et défait, de la marée. Je me sentais comme leur rivage hostile. J'étais au milieu de cette foule comme un intrus à qui l'on n'a pas donné le mot de passe, et qui sent chaque visage tourner vers le sien une insupportable interrogation. La voix précautionneuse et sombrée de Belsenza, comme on baisse les lumières, avait brouillé pour moi l'éclat de la fête ; il était temps de rejoindre Vanessa.

Au sortir du brouhaha de foule et de l'éclairage violent, la galerie supérieure du palais semblait profondément endormie. Devant moi, un couloir dallé tout empli de silence se perdait dans la pénombre ; par les hautes fenêtres d'un bleu de nuit ouvertes sur la lagune, les maillons lunaires qui montaient de l'eau toute proche bougeaient sur les voûtes comme un faible murmure de clarté. Je m'accoudai un moment à l'une des croisées ouvertes. La nuit était aussi calme que si on y eût élevé une lampe. Devant moi, dans un lointain à peine visible, le mince liséré blanc des vagues qui déferlaient sur la barre marquait l'entrée de la passe des lagunes. La faible oscillation des reflets sur les murs, les traînées lumineuses qui se croisaient çà et là au ras de l'eau, le silence tendu dans le noir de cette passerelle endormie au-dessus d'un profond et confus remue-ménage, me rappelaient la nuit du *Redoutable*, évoquaient l'idée d'un appareillage, d'une croisière tous feux éteints dans l'obscurité. Le palais veillait pour Maremma dans cette nuit assoupie. Très loin déjà sur la route, la voiture de Marino roulait comme un astre minuscule à travers cette nuit vide qui dilatait le regard. Les bruits s'étaient tus dans la ville, et Belsenza regagnait son logis fiévreux. Je me rappelai en souriant avec quelle gêne équivoque il m'avait désigné le palais comme la source de ces rumeurs obscures ; je songeai à la promesse ironique que Vanessa m'avait faite à l'Amirauté, et je poussai la porte de son appartement d'un doigt nerveux.

L'appartement de Vanessa occupait dans toute sa largeur l'extrémité de l'aile du palais qui regardait vers la mer. C'était une immense pièce aux murs nus que les fenêtres ouvertes sur trois côtés emplissaient tout entière du léger froissement d'eaux de la lagune. Un seul angle de la pièce émergeait dans une lumière faible, mais je fus frappé dès l'entrée, malgré l'éclat oriental des tapis et la richesse des revêtements de marbre, d'une impression intime de délabrement. Dans cette salle taillée à la mesure d'une vie oubliée, l'existence revenue semblait se recroqueviller, flotter comme dans un vêtement trop large. Un étang de vide se creusait au milieu de la pièce ; comme une cargaison qui se tasse aux coups de roulis d'une coque géante, les meubles dépaysés, trop rares, se réfugiaient peureusement contre les murs.

— Marino est parti de bonne heure, ce soir. Est-ce qu'il avait affaire à l'Amirauté ? Viens, assieds-toi. N'aie pas peur, ajouta Vanessa en riant de mon hésitation à traverser la pièce vide.

Je m'assis en face d'elle, intimidé. Allongée sur un divan bas, la lampe voilée la laissait presque tout entière dans l'ombre. L'écho inattendu des murs me déroutait, démentait l'intimité précaire de cette lampe d'alcôve, de ces coussins tièdes et profonds. L'espace désœuvré de la chambre derrière moi me raidissait, pesait à mes épaules comme un théâtre vide.

— Non, sûrement pas. Les allées et venues du capitaine te préoccupent vraiment beaucoup.

Vanessa paraissait nerveuse et contrariée.

— Tu n'as pas parlé, n'est-ce pas ? Je veux dire : de ta visite à Sagra.

— Non, bien sûr. Quelle idée folle ! Et même, j'espère être payé de ma noblesse d'âme. Tout de même, à l'Amirauté, tout à l'heure, tu as été d'une discrétion excessive. J'aurais pu m'en vexer.

Vanessa demeurait sérieuse.

— Cela m'ennuierait beaucoup que Marino découvre ce bateau.

— C'est un grand secret ?

Vanessa haussa les épaules d'un air boudeur et préoccupé.

— C'est un enfantillage. Mais Marino ne le prendrait pas de cette façon.

— Il aurait peut-être à cela de bonnes raisons. Il me semble avoir vu moi-même ce bateau naviguer assez loin de Sagra. Dans des conditions qui n'étaient guère réglementaires, c'est le moins qu'on puisse dire.

Vanessa me lança un coup d'œil moins alarmé que curieux.

— Et qu'en as-tu pensé ?

— J'en ai averti Marino. Nous avons patrouillé le lendemain soir. Et c'est une chance pour toi, je dois te le dire, que nous n'ayons rien trouvé.

Vanessa baissa les yeux.

— Il n'est pas défendu de se promener en mer. Ces règlements sont une absurdité pure. Maremma devient une plage fréquentée, et l'Amirauté pourrait fermer un peu les yeux. Il serait temps que Marino le comprenne.

— Tu pourrais essayer de le convaincre.

Vanessa hésita une seconde, cherchant ses mots avec application.

— Le capitaine est un homme que j'estime. Mais il n'est pas très intelligent.

— Il l'est sûrement assez pour être indulgent à ce genre

de plaisirs. C'est un marin. Peut-être qu'une démarche directe, et surtout franche...

Vanessa fronça légèrement le sourcil et me regarda d'un air sérieux.

— Je n'aime pas trop, Aldo, tes insinuations de mélodrame. Tu prends peut-être Maremma pour un repaire de contrebandiers ?

— Non.

Je la regardai à mon tour dans les yeux.

— ... Mais, si tu veux le savoir, je la tiens pour un séjour de plaisance au moins très imprévu. Et je pense que Marino se demande comme moi ce que tu es venue au juste y faire.

Il y eut un court moment de silence, et je sentis soudain, à une impression de délivrance anxieuse, tout le poids que j'avais mis dans mon interrogation. Vanessa abandonna son persiflage étudié et, tournant les yeux vers la fenêtre ouverte, me déroba son visage.

— Ce que je suis venue y faire ? Mais rien, Aldo, je t'assure. Je n'en pouvais plus d'Orsenna. Nous avions là cette vieille ruine. Je suis venue. Je suis restée plus longtemps que je ne pensais. C'est tout.

Il y avait dans sa voix l'accent d'une sincérité incrédule. Chaque mot épuisait la vérité, mais comme le récit du rêveur celle de son rêve.

— Tu trouves tant de charme à ces sables ?

— Je ne vois guère les sables. Je ne bouge guère d'ici.

Vanessa se tourna vers moi. Sa voix blanche et sans timbre était comme le murmure passionné de cette pénombre.

— ... J'attends.

— Tu parles par énigmes, Vanessa. Ne veux-tu pas me dire ?...

Je me sentais bizarrement remué. Je sentais passer malgré moi, dans mon accent, la nuance de prévenance douce que prend la voix au chevet d'un malade. La voix de Vanessa, à son tour, s'appuya sur moi avec une confiance tendre.

101

— C'est difficile de se faire comprendre, Aldo. Quelque chose doit arriver, j'en suis sûre. Les choses ne peuvent plus durer ainsi. Je suis revenue à Orsenna. Tu le sais, j'avais été longtemps absente. J'ai vu les gens, les rues, les maisons. Et j'ai reçu un choc. C'était comme quelqu'un qu'on revoit au bout de quelques années et dont on s'aperçoit, aussi clair qu'il fait jour, qu'il a la mort sur le visage. Les gens autour rient, s'affairent, vont et viennent comme si de rien n'était. Mais on voit, et on sait. Tout seul. On a peur.

— Quelquefois on en prend son parti.

Vanessa me défia des yeux.

— Je n'ai pas changé. Je hais Orsenna, tu le sais. Sa complaisance, sa sagesse, son confort, son sommeil. Mais j'en vis aussi. Et j'ai eu peur.

Vanessa devint songeuse.

— ... Voici longtemps que les miens sont dans cette ville. Elle a fait leurs griffes et leurs dents à sa chair. Pour la première fois, j'ai vu le bout, et j'ai eu le vertige. J'ai songé au ver qui a fini de dévorer sa pomme. J'ai compris que la pomme ne durerait pas toujours.

— Et tu es venue y réfléchir à Maremma. Rien de plus ?

— Je ne vois pas ce que tu veux dire.

— On ne médite pas seulement à Maremma, il paraît. On y parle. Il semble même qu'on y parle beaucoup.

— Belsenza cherchait à te rencontrer. Je l'ai remarqué. Je vois que tu ne perds pas de vue tes obligations professionnelles, lança Vanessa avec une moquerie dans le regard.

— Belsenza est très surpris qu'on accueille ici de pareils commérages. Et, si c'est vrai, il a raison. Tu devrais y couper court.

Le visage de Vanessa se ferma.

— Je n'ai pas le moyen de couper court à ces bruits. Et je n'en ai pas l'envie.

— Prends garde, Vanessa. Belsenza a des soupçons. Un de ces jours, la Seigneurie s'intéressera à ces enfantillages.

Elle est méfiante, tu le sais. Le palais Aldobrandi n'est pas une auberge, et ce qui serait ailleurs commérage pourrait faire penser ici à quelque chose de plus sérieux.

— Tu comprends mal, Aldo. Tout le monde est complice dans cette affaire. Belsenza le premier, qui la condamne, mais s'empresse de t'en parler.

— Mais enfin, Vanessa, qu'y a-t-il derrière cette histoire ?

— Je n'en sais rien. Je ne cherche pas à le savoir. Ce qui m'intéresse n'est pas ce qu'il y a derrière... mais ce qu'il y a devant.

— Devant ? Ou je connais mal la Seigneurie, ou il y a une rafle probable de quelques bavards.

Les yeux mi-clos de Vanessa se détournèrent.

— Non. Tu vas me comprendre. En été, il fait très chaud sur les sables de Maremma. Il y a des journées où l'air se fait si calme, si lourd qu'il en devient irrespirable. On étouffe. Alors, au creux de l'après-midi, en plein calme ensoleillé, on voit se former brusquement sur les dunes de petites trombes, minuscules. La poussière monte en gerbe, un tas d'herbes brusquement vole dans les airs, on ne sait pourquoi. A dix mètres, on ne sent rien. Pas un souffle. C'est aussi incongru, aussi inattendu qu'un éternuement. Derrière, il vient un orage. On peut rire de ce cyclone grotesque. Mais c'est le tourbillon qui comprend le mieux. Il comprend, lui, parce qu'il tournoie, que l'air s'est raréfié insensiblement et qu'il y a un vide qui appelle à lui n'importe quoi.

— Les têtes légères et les cervelles creuses, pour commencer.

Vanessa sourit ironiquement.

— Attends. Je n'ai pas fini ma fable. Si les cailloux pensent, ils trouvent sûrement ridicule la poussière de danser ainsi en l'air quand il n'y a pas de vent.

Je me mis à sourire, un peu piqué, d'un sourire de commande.

— Je trouve ton image séduisante. En as-tu fait profiter le capitaine ?

103

— Marino prend cette affaire plus au sérieux que toi.

— Tu lui en parles ?

— Tu te trompes, Aldo. C'est lui qui m'en parle. Je lui rapporte ce qu'on entend dire ici, c'est tout. Il ne s'en lasse pas. Il m'écouterait pendant des heures.

— Cela ne lui ressemble guère.

— Il revient pourtant. Tu reviendras aussi, Aldo.

Vanessa se mit à manier distraitement la boucle de sa ceinture.

— Bien sûr, Vanessa. Je crois que je vais avoir besoin de tirer cette affaire au clair.

Je souris, et je pris doucement dans la mienne une main qui ne s'anima pas.

— Je ne pense pas que ce soit pour se renseigner que Marino vienne ici. A toi, je peux parler. Il vient chercher sa drogue. Il en a besoin. On y vient d'Orsenna, tu l'as vu.

— De quelle drogue veux-tu parler ?

— La même, Aldo, que tu vas chercher dans cette casemate où il y a tant de cartes. Le capitaine ne sait pas pourquoi il revient à Maremma. Moi, je pourrais le lui dire. Il revient ici parce qu'il est écœurant de trop dormir, parce que dans un sommeil trop lourd on se retourne sur son lit pour chercher une place moins molle et moins creuse, et qu'il a besoin pour vivre de s'aviser vaguement que les équipages d'Orsenna ne sont pas voués de toute éternité au sarclage des pommes de terre.

La voix de Vanessa se tut, et il se fit un silence. Je ressentais au cœur un pincement bizarre. Je revoyais les remparts de l'Amirauté, l'appel que leur élan adressait au vide. Je souhaitais que se tût maintenant cette voix qui écartait trop d'ombres. J'avais tout à coup peur de moi.

Un faible et profond murmure entrait par les fenêtres, peuplait maintenant le silence revenu et faisait vivre sourdement autour de nous la chambre vide. L'espace que je sentais se creuser derrière moi me pesait ; je me levai d'un geste nerveux et marchai vers l'une des hautes baies ouvertes. La lune s'était levée. Le dôme des vapeurs s'élevait au-dessus de la lagune. Sur le front de mer, les premières façades de Maremma, blanchâtres et serrées, sortaient vaguement de l'ombre. La musique s'était tue dans les salons et une rumeur plus lointaine immobilisait ces faces de pierre. La flèche des sables fermait l'horizon d'une barre noire ; par la passe ouverte, les rouleaux de vagues gonflés par la marée déferlaient en paliers phosphorescents de neiges écumeuses, en degrés démesurés qui semblaient crouler théâtralement par saccades du cœur même de la nuit. Un crissement solennel montait des sables, et, comme la frange du tapis qui déborde d'un escalier de rêve, une nappe aveuglante venait se défroisser à mes pieds mêmes sur les eaux mortes.

Je sentis à mon épaule un léger contact, et, avant même de retourner la tête, je sus que la main de Vanessa s'y était appuyée. Je demeurai immobile. Le bras qui me frôlait tremblait de fièvre, et je compris que Vanessa avait peur.

— Viens, dit-elle tout à coup d'une voix contractée, la nuit est froide.

Je me retournai vers la pièce noire. Le mur en face de moi semblait flotter dans la clarté diffuse de la lagune et, comme par une silhouette qui se détache sur un lointain indécis, mon attention fut aussitôt vivement attirée par un portrait auquel j'avais tourné le dos à mon entrée dans la chambre, et qui me donnait maintenant l'impression subite, par sa présence presque indiscrète et une sensation inattendue et gênante de proximité, d'être venu soudainement émerger à la faveur de ma distraction sur cette surface lunaire. Bien que le tableau restât très sombre et fût passé d'abord seulement en ombre vague sur le coin très oblique de l'œil, une sensation violente de *jamais vu* qui me coula sur les épaules fit que je rallumai les lumières, de la même main brutale dont on démasque un espion derrière une tenture. Et je compris soudain quelle gêne j'avais senti peser sur moi dès mon entrée dans la chambre et tout au long de mon entretien avec Vanessa. Il y avait eu un tiers entre nous. Comme le regard qu'aimante malgré lui par l'échappée d'une fenêtre un lointain de mer ou de pics neigeux, deux yeux grands ouverts apparus sur le mur nu désancraient la pièce, renversaient sa perspective, en prenaient charge comme un capitaine à son bord.

Je connaissais cette œuvre célèbre, un des portraits où Longhone passait pour avoir mis cette touche de jubilation dans l'angoisse profonde à quoi se reconnaît sa manière suprême, et que matérialisent souvent dans les œuvres de la fin de sa vie le très léger strabisme du regard et la nuance imperceptible d'égarement dans le sourire qui font voir à certains son chef-d'œuvre dans le portrait — peint à quatre-vingts ans — du podestat Orseolo. Je m'étais souvent arrêté malgré moi, comme saisi par un charme, devant l'ancienne copie qu'en possède à Orsenna la Galerie du Conseil, et devant laquelle un rite séculaire exige qu'on se couvre, en signe d'exécration pour la mémoire d'un traître dont Orsenna porta longtemps le souvenir gravé dans sa chair. C'était le portrait de Piero Aldobrandi, transfuge d'Orsenna, qui soutint contre ses forces le siège des forteresses farghiennes de Rhages, dont le tableau précisément évoquait l'assaut le plus furieux. Mais, cette fois, j'avais devant les yeux le tableau lui-même, aussi neuf, aussi scandaleusement dégainé que le vernis des muscles sous une peau qu'on arrache : l'œuvre ressemblait à la copie comme à un nu agréable ressemble un écorché vif.

Les dernières pentes boisées du Tängri, descendant jusqu'à la mer en lignes molles, formaient l'arrière-plan du tableau. La perspective cavalière et naïve, très plongeante, tronquait le sommet de la montagne, dont les lignes convergentes des croupes basses suggéraient cependant l'imminence et l'énormité vivante de la masse, comme si l'agrippement écrasant d'une patte géante se fût appesanti en plongeant du bord du cadre jusqu'à la mer. Au bord de l'eau, l'ensoleillement d'une après-midi étincelante faisait reluire dans la chaleur l'amphithéâtre des maisons et des remparts de la ville, comme un mirage levé sur la mer. Rhages apparaissait surprise dans la torpeur amoureuse de la sieste, avec les allées et venues bâillantes de ses terrasses, la douce activité de somnambules des minuscules personnages qui cheminaient çà et là dans ses rues. Une riche fourrure de flammes aux volutes architecturales faisait un liséré à la ville assiégée. L'impression trouble que communiquait ce tableau de massacre tenait au caractère extraordinairement naturel et même reposant que la cruauté sereine de Longhone avait su donner à sa peinture. Rhages brûlait comme une fleur s'ouvre, sans déchirement et sans drame : plutôt qu'un incendie, on eût dit le déferlement paisible, la voracité tranquille d'une végétation plus goulue, un *buisson ardent* cernant et couronnant la ville, la volute rebordée d'une rose autour du grouillement d'insectes de son cœur clos. La flotte d'Orsenna était rangée en demi-cercle au large de la ville, mais si un mur de fumées calmes s'élevait en lourds panaches de la mer, bien plus qu'au fracas déchirant de l'artillerie on songeait malgré soi à quelque cataclysme pittoresque et visitable, au Tängri venant de nouveau faire grésiller ses laves dans la mer.

Tout ce que la seule distance prise peut communiquer de cyniquement naturel aux spectacles de la guerre refluait alors pour venir exalter le sourire inoubliable du visage qui jaillissait comme un poing tendu de la toile et semblait venir crever le premier plan du tableau. Piero Aldobrandi, sans casque, portait la cuirasse noire, le bâton et l'écharpe rouge de commandement qui le liaient pour jamais à cette scène de carnage. Mais la silhouette, tournant le dos à cette scène, la diluait d'un geste dans le paysage, et le visage tendu par une vision secrète était l'emblème d'un surnaturel *détachement*. Les yeux mi-clos, à l'étrange regard intérieur, flottaient dans une extase lourde ; un vent de plus loin que la mer agitait ces boucles, rajeunissait tout le visage d'une chasteté sauvage. Le bras d'acier verni aux reflets sombres élevait d'un geste absorbé la main à la hauteur du visage. Entre les pointes des doigts de son gantelet de guerre à la dure carapace chitineuse, aux cruelles et élégantes articulations d'insecte, dans un geste d'une grâce perverse et à demi amoureuse, comme pour en aspirer de ses narines battantes la goutte de parfum suprême, les oreilles closes au tonnerre des canons, il écrasait une fleur sanglante et lourde, la rose rouge emblématique d'Orsenna.

La chambre s'envolait. Mes yeux se rivaient à ce visage, jailli du collet tranchant de la cuirasse dans une phosphorescence d'hydre neuve et de tête coupée, pareil à l'ostension aveuglante d'un soleil noir. Sa lumière se levait sur un au-delà sans nom de vie lointaine, faisait en moi comme une aube sombre et promise.

— C'est Piero Aldobrandi, prononça comme pour elle-même Vanessa d'une voix haute. Tu ne savais pas qu'il était à Maremma ?

Elle ajouta d'une voix changée :

— Tu l'aimes, n'est-ce pas ? C'est une chose merveilleuse. Ici, on se sent vivre sous un regard.

UNE POUSSÉE DE FIÈVRE

IL y a dans notre vie des matins privilégiés où l'*avertissement* nous parvient, où dès l'éveil résonne pour nous, à travers une flânerie désœuvrée qui se prolonge, une note plus grave, comme on s'attarde, le cœur brouillé, à manier un à un les objets familiers de sa chambre à l'instant d'un grand départ. Quelque chose comme une alerte lointaine se glisse jusqu'à nous dans ce vide clair du matin plus rempli de présages que les songes ; c'est peut-être le bruit d'un pas isolé sur le pavé des rues, ou le premier cri d'un oiseau parvenu faiblement à travers le dernier sommeil ; mais ce bruit de pas éveille dans l'âme une résonance de cathédrale vide, ce cri passe comme sur les espaces du large, et l'oreille se tend dans le silence sur un vide en nous qui soudain n'a pas plus d'écho que la mer. Notre âme s'est purgée de ses rumeurs et du brouhaha de foule qui l'habite ; une note fondamentale se réjouit en elle qui en éveille l'exacte capacité. Dans la mesure intime de la vie qui nous est rendue, nous renaissons à notre force et à notre joie, mais parfois cette note est grave et nous surprend comme le pas d'un promeneur qui fait résonner une caverne : c'est qu'une brèche s'est ouverte pendant notre sommeil, qu'une paroi nouvelle s'est effondrée sous la poussée de nos songes, et qu'il nous faudra vivre maintenant pour de longs jours comme dans une chambre familière dont la porte battrait inopinément sur une grotte.

C'est dans cet état d'alerte sans cause que je me réveillai le lendemain à Maremma. Tout dormait encore sur la lagune, comme si la ville entière eût réglé par respect l'heure de son réveil sur le sommeil attardé du palais. Le soleil brûlait les canaux vides et les grèves mortes avec la même aridité qu'un paysage de salines, faisant grésiller de blancheur les linges pendus aux fenêtres des quartiers pauvres. Une barque de pêcheur, sur les eaux désertes, glissait silencieusement vers la passe. Un bruit de voix montait du salon de Vanessa, feutré par la distance ; leur rumeur distincte et incompréhensible s'emmêlait à mes rêves de la nuit, rejoignait ce lointain bourdonnement d'orage que j'avais senti rouler la veille à travers les propos de Belsenza. On *parlait* déjà à Maremma ; à travers la ville endormie se réveillait avec ces voix feutrées le pouls de la légère fièvre que je sentais battre maintenant à mon poignet.

J'allai prendre congé. Il y avait déjà chez Vanessa beaucoup de monde, mais la porte poussée fit devant moi comme une onde de silence. Je me sentais mal à l'aise. La nuit blanche et la lumière crue défaisaient les visages : malgré l'élégance des vêtements et les sourires, le salon peuplé à cette heure insolite évoquait le qui-vive et l'incertitude d'un campement improvisé en plein vent, d'une arrivée de réfugiés au petit matin. Au moment de partir, Vanessa, d'un geste rapide, m'entraîna un peu à l'écart.

— Je pars demain pour Orsenna... A la fin du mois, je serai de retour. Sitôt revenue, je t'attends, Aldo. Seulement, cette fois, tu viendras ici dès le matin. A la pointe du jour...

Elle ajouta d'une voix plus basse :

— Nous aurons à allez assez loin.

— C'est une expédition ?

— Oui et non. En tout cas, j'espère, une surprise. Je te ferai prévenir dès mon retour.

110

La voix un peu fiévreuse me *prenait à part*, et je songeai aussitôt, un peu embarrassé, à Marino.

— Dois-je prévenir le capitaine ?

Vanessa parut contrariée.

— Tu viendras seul. Tu auras eu affaire à Maremma, voilà tout.

Un incident de route retarda la voiture. L'Amirauté, quand je l'atteignis à l'heure de la sieste, portes et fenêtres closes dans le flamboiement de l'arrière-été, semblait abandonnée. Les coups de marteau espacés venus du hangar aiguisaient encore sur les pierres la vibration de la chaleur. Ma chambre grande ouverte sur la lande torride me parut inhabitable ; je me réfugiai dans la pièce fraîche où je travaillais parfois près du bureau de Marino : du courrier y était déposé pour moi, et je commençai à classer sans enthousiasme quelques pièces officielles. Dans le silence mortuaire, le grincement de ma plume luttait seul contre le léger bourdonnement des mouches. Je me sentis soudain accablé de sommeil ; je me jetai sur un lit de camp et m'endormis pesamment.

Je me réveillai la tête lourde. Les rais de soleil avaient à peine bougé sur le carreau rouge. On parlait dans la pièce voisine. Le bruit de voix monotone et égal *reprenait le fil*, me ramenait au réveil du matin comme à un rêve coupé d'insomnies, et je me rencoignai dépité, mal convaincu de ne plus dormir. Les voix pourtant continuaient à filtrer à travers la porte, doucement intarissables, avec le calme traînant et insipide d'une discussion paysanne. Je reconnaissais maintenant distinctement la voix de Marino, dont il savait ralentir le débit comme au théâtre, et j'essayai de suivre, amusé, aux seules inflexions savantes de la voix, les méandres d'une discussion dont je devinais à peu près le sujet. Il n'y avait pas à s'y tromper : c'était sa voix « des contrats de fermage » que contrefaisait si bien Fabrizio. Le pas lourd du capitaine sonna sans hâte sur les dalles et la porte s'ouvrit.

— Ah ! te voilà réveillé, Aldo. La nuit a été courte, je vois...

Le clin d'œil de Marino manquait de vraie malice. Il paraissait préoccupé.

— ... Viens m'aider. Nous avons des ennuis.

Dans le bureau du capitaine, Beppo, un des maîtres d'équipage qui servaient de cadres à nos équipes agricoles, tirait les rubans de son bonnet d'un air gêné.

— Comprends-tu ce que vient m'annoncer Beppo ? me lança Marino d'un ton incrédule. Le domaine d'Ortello refuse de renouveler l'engagement de nos hommes.

Je levai des yeux mal réveillés encore sur Beppo. C'était en vérité une étrange nouvelle, et une grosse déconvenue. Ortello était une des terres les plus étendues des Syrtes et fournissait à l'Amirauté sa plus vieille et sa plus solide clientèle. Pour tout dire, ce domaine, célèbre aux Syrtes pour ses grandes battues et son hospitalité fastueuse, était comme le premier-né et l'orgueil de Marino, qui se jugeait un peu le patriarche et le père nourricier de ces terres perdues ; il avait grandi grâce à lui, et il y mettait toutes ses complaisances : on eût dit, quand il en parlait, qu'il le cultivait de ses mains.

— Qu'est-ce qui ne va pas ?

— Il va te le dire lui-même, reprit Marino sourdement indigné. Du diable si j'y comprends rien.

Beppo toussa pour s'éclaircir la voix, sans aucun enthousiasme. Je compris que l'accueil de Marino avait été une douche d'eau froide.

— Le capitaine ne veut pas me croire, mais ils m'ont bien recommandé de dire qu'ils ne se plaignaient pas du travail des hommes. Ce sont les circonstances, voilà ce qu'ils ont répété.

— Tu plaides pour ton saint. Les circonstances ! coupa Marino, excédé. Mais enfin qu'est-ce que cela signifie ? Qu'est-ce qu'il y a de changé, je te le demande ?

La voix découragée de Beppo visiblement renonçait à se faire croire.

— Ah ! ça, capitaine !... Ils disent qu'ils ne peuvent plus verser les deux ans de salaire d'avance, qu'on ne peut plus s'engager maintenant pour si longtemps.

— Ils veulent vendre leur terre ?

Beppo saisit énergiquement la perche tendue, et sentit qu'il allait faire plaisir à Marino.

— Pour ça non, capitaine. Sûrement pas ! Une terre pareille ! Ils viennent de refaire les chemins et l'an dernier ils ont mis en oliviers la pièce des dunes.

— Alors veux-tu me dire où ils comptent trouver des bras pour le travail ?

— Ça, capitaine !...

Le ton de Beppo redevint piteux.

— ... Ils disent qu'ils tâcheront de s'arranger.

— Il y a quelque chose là-dessous, pourtant, gronda Marino en le regardant dans les yeux. Tu auras fait une bêtise, voilà ce qu'il y a.

— Je vous jure, capitaine ! hoqueta Beppo au bord des larmes.

Tout à coup, Beppo m'intriguait. Quelque chose avait passé dans l'embarras de sa voix qui me rappelait dans un éclair Belsenza. La colère froide de Marino visiblement le paralysait, et je pressentis qu'il n'avait pas vidé son sac. Ma voix se fit aussi intéressée que possible.

— Tu n'as pas idée de ce qu'ils veulent dire en parlant des circonstances ?

Beppo s'accrocha à moi comme à une bouée de sauvetage.

— On ne peut pas dire au juste, monsieur l'Observateur. Ce sont des vieux, vous comprenez ; ils marmonnent leurs mots entre leurs dents ; on dirait qu'ils savent des choses qu'ils ne veulent pas dire.

Beppo fronça les sourcils dans un effort de réflexion.

— ... Ils disent que les temps ne sont pas sûrs, voilà ce qu'ils disent.

— Pas sûrs ?

— Ils disent qu'il va y avoir du nouveau, et qu'on ne peut plus faire des arrangements à l'avance.

— Qu'est-ce que cela veut dire ?

La voix de Marino tremblait légèrement.

— Du nouveau, capitaine, du vilain : la guerre autant dire. Voilà ce qu'ils disent maintenant.

La voix de Beppo retomba comme sur l'aveu d'une maladie honteuse. Il y eut un instant de silence pesant. J'essayais de prendre une contenance. Le regard de Marino, derrière moi, me faisait peur. Pourtant sa voix s'éleva, très maîtresse d'elle-même, et dans cet instant je l'admirai.

— Allons, Carlo vieillit beaucoup. Va-t'en maintenant, Beppo. J'irai à Ortello arranger l'affaire.

Le départ de Beppo me découvrait. Marino, la tête basse, les mains derrière le dos, marchait de long en large d'un air absorbé. Le silence devenait tellement suffocant que d'un geste machinal j'ouvris la fenêtre. L'ennui vide de la fin de l'après-midi reflua dans la pièce comme une odeur. Les pas s'arrêtèrent, et la voix de Marino monta derrière moi étrangement douce, comme une voix de grand blessé.

— C'est ennuyeux, cette affaire, Aldo.

Je haussai les épaules d'un air aussi dégagé que possible.

— Cela ne me paraît guère sérieux. Carlo réfléchira. Je ne vois guère comment Ortello se passerait de nos hommes.

— Tu crois ?

Si soudainement *dépendant*, il semblait vieilli. J'avais pitié de sa voix presque haletante, qui s'accrochait à moi comme une main.

— ... C'est cela qui m'inquiète, continua-t-il d'une voix lasse, comme se parlant à lui-même. Ils ne peuvent guère se passer de nous, et ils le savaient.

— Vous devriez y aller voir. Ils ne jurent que par vous.

Soudain, je le désirais loin de moi, comme on cherche à s'échapper d'une chambre de malade. Il n'attendait que ma permission.

— Oui, tu as raison. J'y vais tout de suite...

Il s'arrêta d'un air indécis.

— Je voulais te dire, Aldo...

Il paraissait presque confus.

— ... Enfin, c'est ton affaire, tu en feras ce que tu voudras. Tu as entendu Beppo tout à l'heure. Il y a peut-être là quelque chose qui te concerne.

— Je le pense aussi.

Marino parut soulagé. Par la fenêtre, je suivis de l'œil un moment son cheval sur la chaussée des lagunes : une maigre silhouette noire sur l'horizon nivelé ; et il me sembla qu'il me venait des lagunes une bouffée d'air. Je courus presque à ma chambre, les tempes serrées d'une exaltation mauvaise. Entre la défaillance de Marino et son retour, j'avais hâte de mettre de l'irréparable.

Lorsque j'eus achevé de relire, une heure plus tard, avant de le sceller, le rapport que j'avais rédigé pour Orsenna, je reposai le papier signé sur ma table, j'entr'ouvris ma fenêtre sur la lande que noircissait déjà l'ombre allongée de la forteresse ; comme si la fraîcheur montée du sol m'eût dégrisé, je demeurai un moment le front collé à la vitre froidie, et, pour la première fois, je sentis dans mon exaltation se glisser un sentiment d'alarme.

Le rapport en lui-même était sans reproche, et, en le relisant d'une tête qui ne parvenait pas à se garder complètement froide, je pouvais m'accorder sincèrement qu'il était la modération et la clarté mêmes. Les propos de Belsenza m'étaient revenus à l'esprit sans effort et dans leurs moindres détails, et les réticences mêmes de sa conversation s'étaient transcrites comme d'elles-mêmes et avec une agilité singulière. Et cependant je restais troublé, moins peut-être par le contenu inoffensif de ces pages banales que par l'impression que je gardais de l'aisance anormale de leur rédaction. Cette impression ressemblait à celle d'un virtuose qui relève d'une longue maladie et sent ses doigts s'échapper de lui, s'emballer d'eux-mêmes sur leur instrument familier. La voiture de l'Amirauté s'arrêta sous ma fenêtre ; c'était l'heure du départ du courrier ; je cachetai le pli en hâte, je suivis longtemps de l'œil sous le ciel terne la voiture cahotant vers Maremma sur la chaussée des lagunes. La chaleur était tombée, la fin d'après-midi toute grise. Je me sentais léger et creux comme une accouchée.

Ce soir-là, Marino ne rentra que très tard, et nous l'attendîmes longtemps devant nos verres déjà vides, autour de la table du dîner. La causerie se nouait avec gêne autour de la pièce assombrie, laissant traîner des intervalles de silence qui se dissipaient mal. Le verre resté plein devant le siège vide de Marino accrochait malgré eux les regards comme une offrande rebutée au génie du lieu : là où il n'était pas, le désert entrait par les fenêtres ouvertes. Le pas de son cheval sur la lande nous ranima, fit danser autour de la salle l'ondulation d'une flamme douce. Marino entra sans mot dire, et s'assit en vérifiant machinalement du doigt les boutons de sa vareuse d'uniforme ; c'était chez lui un grand signe : je compris que la négociation avait mal tourné. Il me sembla que la lumière baissait brusquement, et que je sentais comme une légère constriction aux tempes : quelque chose allait commencer.

Le dîner, ce jour-là, finit très vite. Je ne pouvais détacher mes yeux du capitaine. Il y avait dans ses gestes lents une grande et soudaine lassitude. Je remarquai qu'il respirait avec difficulté, et semblait chercher mon regard plus souvent que d'habitude. Ces yeux me parlaient seul à seul, et, quand ils croisaient les miens, ils secouaient un instant pour moi leur lourde brume de fatigue. En cet instant, je sentis que Marino hésitait, et je sentis qu'il était déjà trop tard : Fabrizio, Roberto et Giovanni s'étaient tus l'un après l'autre, un silence complet s'était fait peu à peu autour de la table, et, dans la succion de ce silence vorace, la nouvelle explosait déjà.

Lorsque nous fûmes seuls, Marino alluma son cigare d'un geste brusque, en marmonnant derrière la flamme de son allumette.

— Tu leur as expliqué, Aldo ?

— Je n'ai rien dit... Vous espériez encore arranger cette affaire, ajoutai-je avec un peu de cruauté.

La main de Marino eut un geste d'impuissance résignée.

Mais le visage se releva brusquement, et les yeux bleu-gris firent face avec décision. La voix monta nette et calme et s'adressa à tous, et je remarquai de nouveau son autorité singulière et voilée, que Marino prodiguait si peu.

— Je vous prierai de rester tous un moment. Il s'est élevé une difficulté à l'Amirauté et il est temps de vous en faire part... Fabrizio, veux-tu fermer cette fenêtre. Nous avons besoin d'être seuls.

Fabrizio se leva avec une solennité bouffonne, le génie de l'à-propos comme un soleil sur le visage. Le capitaine aimait le taquiner dans les fins de dîner.

— Entendre, c'est obéir, capitaine. On n'a pas tous les jours conseil de guerre.

Le mot tomba dans un silence soudain. Le coin de la bouche de Marino se mit à trembler légèrement.

— La réflexion est de trop, et elle est d'un imbécile...

Fabrizio devint brusquement très rouge, et se coula sans bruit à sa place. On entendit dans le silence une ou deux toux gênées.

Marino exposa brièvement l'affaire d'Ortello. Il n'était plus question des bruits, et les motifs de la rupture du contrat restèrent dans une ombre vague. Marino donna à comprendre que l'équipe de l'Amirauté n'avait pas donné satisfaction. Tout en parlant, je remarquai qu'il me fixait d'une manière hostile, presque provocante : la voix, imperceptiblement martelée à mon intention, m'*avertissait* formellement, accentuait syllabe après syllabe une version officielle définitivement arrêtée. Il termina par une allusion rapide à la conviction qu'il avait acquise l'après-midi que toute négociation était désormais inutile. Le récit avait été brusqué et sommaire ; visiblement, Marino, refusant de lire la stupeur qui se peignait sur les visages, avait hâte d'en être à bout.

— Et maintenant, il s'agit de savoir ce que nous allons faire...

Il leva la tête d'un geste vif qui *passait l'éponge*, balayait tout commentaire sur l'incident.

117

Roberto tira sur son cigare d'un air absorbé, les yeux fixés sur la fenêtre. Il commençait à faire très sombre. La masse confuse de la forteresse, en face, se drapait, s'élargissait, ramassait autour d'elle le brouillard du soir.

— Combien avions-nous d'hommes à Ortello, capitaine ?

— Quatre-vingts... quatre-vingt-deux avec Beppo et Mario.

— Et impossible de songer à les replacer dans une autre ferme ?

Fabrizio fit un signe timide de la main pour demander la parole. D'un geste agacé du menton, Marino la lui céda.

— Ce ne sera guère facile. Je suis passé hier à Gronzo pour les encaissements, capitaine. Je pensais d'abord que c'était sans conséquence, mais ils parlaient aussi de nous rendre du monde l'an prochain.

Giovanni plissa légèrement les yeux.

— C'est tout de même bizarre.

L'œil allait et venait, quêtait de l'un à l'autre une réponse qui ne vint pas. La pièce devenait peu à peu très noire, et, pour la première fois, tous sentirent qu'avec ce crépuscule immobile se glissait dans la salle une inquiétude.

Marino coupa de nouveau le silence d'une voix sèche :

— La question n'est pas là. Quoi qu'il en soit, il faut songer à employer les hommes disponibles. Nous les aurons sur les bras dès demain. Et Orsenna ne nous permettra pas de les nourrir à ne rien faire... Il me semblait que tu avais une idée, Roberto.

La voix de Marino s'adoucissait, quêtait un appui. Roberto était un ancien de l'Amirauté, et le capitaine aimait cet esprit lent, pesant, engourdi dans les nuits d'affût patientes, qui le rassurait, arc-boutait son bloc de calme.

— Peut-être. Je me disais qu'après tout, si nous voulions, il ne manquerait pas de travail ici.

— A l'Amirauté ?

118

La voix de Roberto s'affermissait, reflétait avec une satisfaction visible l'évidence même du bon sens.

— A l'Amirauté.

Il fit un geste vers la fenêtre.

— Vous ne trouvez pas que cette bâtisse ne nous fait guère honneur ? Elle croule tout à fait... Nos hommes ont fait les laboureurs pendant des années... ils pourraient tout aussi bien faire les maçons...

— Tu veux réparer la forteresse ?

Dans la voix de Marino avait pointé soudain une note aiguë, une vibration incontrôlable qu'une contraction de la gorge coupa net, mais si perceptible, si révélatrice d'une panique intime, que Roberto sous son enveloppe épaisse en fut alerté et demeura une seconde interdit.

— Réparer, c'est beaucoup dire. C'est une grosse affaire, et nous n'avons guère de moyens. Mais on pourrait la nettoyer. C'était une fameuse bâtisse, ajouta Roberto en fixant de nouveau son œil sur la fenêtre, et maintenant elle n'a même plus figure humaine. Une broussaille, une jungle, voilà ce que c'est.

Une onde d'approbation chaude courut sourdement autour de la salle — les yeux brillèrent. La parole gauche de Roberto tiédissait l'air comme un dégel.

— Oui, c'est démoralisant pour les hommes. Cette ruine nous chasse d'ici. On ne peut plus se prendre au sérieux, à vivre dans ces décombres... Autant bâtir sa hutte dans les rues de Sagra et commencer des fouilles, ajouta Giovanni avec humeur.

— Faites-moi confiance, et donnez-moi l'équipe d'Ortello, capitaine.

Fabrizio se dressait, très excité.

— ... En deux mois, je vous promets une forteresse toute neuve. Et les canons tout astiqués.

Il n'y avait pas à s'y tromper : une petite bourrasque s'élevait sur l'Amirauté, une vraie sédition intime. L'œil de Marino, incrédule, errait d'un visage à l'autre, stupidement docile au choc alterné des voix, à ce brusque réveil d'énergie — déjà *à la remorque*, réduit à une défensive sans espoir. Il respira profondément et chercha ses mots avec lenteur, les yeux abaissés sur la table.

— Tout cela est bel et bon, mais c'est enfantin. La forteresse est désaffectée, et la Seigneurie n'ouvrira pas un sou de crédits pour un travail inutile.

Les visages se fermèrent, soudain hostiles. La riposte de Marino venait trop tard. Une lueur s'était glissée par la porte entrebâillée, et des épaules s'arc-boutaient à cette porte.

— Si l'on faisait les comptes, tous les comptes, il me semble qu'Orsenna vous serait plutôt redevable.

— C'est une question de propreté. Il y a un crédit ouvert pour les travaux d'entretien.

— Vous avez assez économisé pour eux, capitaine. La forteresse porte encore ses armes, et la Seigneurie pourrait tout de même se respecter.

Il y eut un murmure d'approbation grave et de dignité blessée, soudain un peu comique. Marino me regardait du coin de l'œil. Dans une excitation froide de joueur, je regardais s'abattre toutes ces cartes truquées. Contre elles, Marino jouait seul, et il ne jouait pas franc jeu.

— Messieurs !... Messieurs !...

Marino frappa sur la table un coup sec et fit le silence.

— Il me semble que vous vous emportez un peu. Orsenna nous voit et nous entend, ajouta-t-il en relevant sur moi un regard indéchiffrable... ne l'oubliez pas. Aldo est notre ami, mais il y a des bornes. Et il me semble qu'il est bien silencieux.

Je sentis avec un pincement au cœur que Marino jouait sa dernière carte. Je me levai un peu pâle. J'allais le trahir deux fois.

— Il me semble que la proposition de Roberto est raisonnable. De toutes façons, le contingent d'Ortello retombe à notre charge. Orsenna ne peut objecter à ce qu'on l'emploie utilement.

Dans l'œil de Marino je vis passer un éclair. Il se leva d'un geste brusque.

— Soit. Tu as carte blanche, Fabrizio. Demain, je visiterai avec toi la forteresse.

De son pas pesant de veilleur de nuit, il quitta la pièce, s'arrêta hésitant sur le seuil, ébauchant de la main un signe qui ne s'acheva pas. La tête rentrait plus lourde que jamais dans les épaules ; le regard s'était terni d'un coup. Tout à coup, je le revoyais, le soir de la chambre des cartes, lorsqu'il avait élevé sa lanterne. Dans un geste de relâchement sénile, il hochait la tête, misérablement.

— Ce sont de grands changements....

Tous levèrent les yeux, surpris, mais la phrase ne s'acheva pas. Le hochement de tête continuait, mécanique. Le regard errait sans parvenir à se fixer, à nouveau bizarrement tourné vers l'intérieur, comme celui d'un malade perdu dans l'obscur avertissement de sa chair noire. Il enfonça sa casquette et s'éloigna de son pas lourd.

A partir de ce jour, il se fit chez le capitaine un remarquable changement. Quelque chose vacillait en lui, qui touchait aux racines mêmes de la vie. Lorsqu'il dépouillait pour le repas du soir son lourd manteau d'uniforme, sa silhouette semblait de jour en jour s'exténuer, s'amincir. Chaque matin, immuable, dans son bureau de silence, elle s'encadrait encore dans l'éloignement de ce couloir qui la protégeait du temps, l'exorcisait, comme la perspective de son boyau de pierre une momie sous les roides bandelettes de son éternité. Mais le visage maintenant *vivait* terriblement, d'une espèce d'éveil lugubre et mécanique, où l'esprit ne prenait aucune part, tous les traits devenus étrangement, involontairement contractiles dans leur immobilité tendue de plante sensitive, comme s'ils n'eussent plus servi qu'à amplifier, qu'à renforcer les vibrations exacerbées de l'ouïe. Plus lourde, plus ramassée que jamais sous les épaules rapprochées, la masse du corps se tassait inerte. Le travail continuait apparemment comme de coutume, et la pile de papiers rangée le matin à sa gauche et reformée le soir à sa droite, comme on renverse un sablier, restait la figure même du temps sans secousses de ces journées de l'Amirauté ; mais

121

le visage, comme décollé du corps au-dessus des mains actives, était tiré de tics et de tressaillements autonomes. Marino écoutait. Un élancement, une morsure térébrante lui venait du tréfonds de la forteresse, éveillée, ébranlée maintenant du matin au soir par des bottes lourdes. Les yeux, dans le grand jour, gardaient le regard aveugle d'une taupe débusquée. Parfois, lorsque je travaillais près de lui à sa table, je relevais les yeux malgré moi à la dérobée sur son visage, et avec un léger choc m'était rendue la révélation de sa soudaine, de son inquiétante animalité. Certes, Marino avait vieilli, et pourtant cette animalité n'était pas sénile. Elle dégénérait de l'intelligence en ceci seulement qu'elle vivait à une plus grande profondeur. Elle évoquait plutôt la stupidité sagace de l'attention totale, et me faisait parfois songer à l'expression fascinante que donne aux traits la vie ramassée sur une interrogation organique profonde : celle du médecin dans l'auscultation, de la femme épiant sa grossesse, de l'animal apeuré qui couve au fond de sa nuit chaude l'annonce obscure d'un typhon ou d'un raz de marée. Le sentiment nous est rendu, devant cette tension presque interdite, qu'il entre alors dans l'acte même de dévisager quelque chose de sacrilège ; un instinct nous avertit que l'esprit qui se terre là devant nous à chaque seconde plus profondément s'approche trop dangereusement près de certains *centres* interdits où quelque chose bouge, ainsi une faible ride creusée sur le visage de Marino me paraissait soudain équilibrer ailleurs une pression énorme : je détournais les yeux en hâte, et il me semblait que mon cœur battait plus rapidement.

Cependant l'Amirauté sortait de son sommeil. Sur la jetée du petit port, sur les terre-pleins, sur la lande, une agitation inaccoutumée chassait maintenant le silence, qui ne revenait guère qu'à l'heure de la sieste, rituelle dans le climat des Syrtes, bien qu'on touchât déjà à la période de l'hivernage. La place manquant pour loger le contingent d'Ortello dans les bâtiments depuis long-temps désaffectés et qui menaçaient ruine, Fabrizio avait fait débroussailler en partie la lande qui s'étendait derrière la forteresse ; les tentes dressées à l'alignement, et les files régulières des feux de camp qui fumaient pour le repas du soir, évoquaient quelque chose de plus strict et de plus militaire que tout ce qu'on pouvait voir à l'Amirauté. Marino ne s'aventurait guère du côté de ce qu'il nommait d'un ton dédaigneux « les roulottes », et l'accent d'ironie avec lequel il entretenait Fabrizio de ses « réfugiés » laissait assez clairement à entendre que ce renfort si peu souhaité et qui lui rappelait un souvenir amer lui demeurait à charge, mais ce remue-ménage continuel de fusils entrechoqués, de cliquetis de métal et de cris d'appel, ce brouhaha de voix plus hautes qui se réaccoutumaient au plein air nous plaisait ; il était devenu le point le plus vivant de l'Amirauté. Ce campement brusquement poussé au flanc de la ruine ainsi qu'une plante folle était comme une montée de sève inattendue dans ces steppes ; ce qu'il avait de provisoire appelait un avenir, et quand, le dîner fini, nos pas nous portaient malgré nous vers la lande où les fumées rabattues des feux de camp qui rougeoyaient dans le noir se mêlaient au brouillard tôt retombé de la lagune, le bruit des voix joyeuses et fortes qui s'interpellaient autour des tentes invisibles mettait dans l'air une note d'imprévu, de liberté et de sauvagerie, comme celle qui flotte sur une troupe rassemblée ou un navire en partance, et nous sentions tout à coup monter en nous comme une légère griserie d'aventure. Marino ne s'y était pas trompé : c'était de grands changements. Comme un jeune arbre qui agrippe de toutes parts ses racines, cette cellule anarchique, mais vivante, *tirait* de toutes parts sur la machinerie assoupie et vermoulue de l'Amirauté, et l'on en percevait les craquements, qui troublaient la torpeur du capitaine. C'était presque chaque jour de nouveaux problèmes à résoudre à l'improviste : le ravitaillement qui manquait, du matériel de campement à acheter à Maremma, l'insuffisance de l'outillage qui faisait tempêter Fabrizio, brusquement très persuadé de son importance — problèmes à la vérité minuscules, mais autour desquels chacun s'affairait au delà même des bornes de ses attributions avec un excès débordant de zèle et de bonne volonté où entrait une part de jeu et l'enivrement de l'activité pure, mais qui n'en manifestait que davantage jusqu'à l'évidence le *besoin de fièvre* qui s'était emparé de l'Amirauté. Les déjeuners et les dîners de la forteresse étaient maintenant tout bourdonnants de projets et de décisions, de chiffres de devis et de discussions de service, qui faisaient hocher de temps en temps la tête de Marino, fatigué, du geste mécanique dont on chasse un essaim de mouches ; parfois, à la fin d'un dîner trop animé, il se mettait à somnoler doucement sur un coin de la table, ou peut-être feignait-il — du moins je le soupçonnais — cet assoupissement qui le protégeait, l'aidait à regagner un coin d'ombre hanté de figures trop lisibles. Le même profond respect l'environnait qu'il avait su commander de toujours, et pourtant sa lenteur calculée et voulue à éclaircir les affaires, qui faisait invariablement l'office d'un coup de frein, provoquait parfois des signes d'impatience qu'on ne réprimait plus maintenant qu'à moitié : le rythme accéléré de la vie à l'Amirauté semblait le rejeter insensiblement sur la grève, et il n'y résistait pas, ménageant peut-être ses forces pour une conjoncture plus lointaine. Je remarquai qu'il tendait à s'établir dans les instances réglementaires de la marche des affaires des espèces de *courts-circuits* qui le laissaient en dehors du jeu : ainsi il arrivait à Fabrizio, chargé des réparations de la forteresse, de traiter directement des fournitures d'outillage avec Giovanni qui avait dans son ressort les questions de matériel. Presque chaque soir, des conciliabules à deux ou trois s'engageaient ainsi à mi-voix au bout de la table, dont Marino n'était ni inconscient ni dupe : son œil à demi fermé, qui clignait vers moi avec une moue, me prenait parfois à témoin de son émerveillement ironique devant tant de zèle, et du miracle que des affaires si compliquées et si insolites pussent s'expédier si rapidement. Dans ces instants, l'expression de son regard était celle d'une ruse profonde, dont les implications m'échappaient et l'eussent dérouté peut-être en ce qu'elles revêtaient soudain de curieusement impersonnel : on eût dit parfois que le regard de Marino souriait *pour un autre*, et il était de fait que ce sourire un peu cruel ne lui ressemblait pas ; comme si quelque chose d'infiniment plus dur et d'infiniment plus vieux que lui eût substitué à son clignement complice, dans la fente de cette paupière soudain sans âge, le reflet coupant et glacial comme un éclat de rire qui me froidissait le sang.

Il semblait que l'ennui eût disparu de l'Amirauté. L'activité de Fabrizio faisait merveille. Il s'était pris au jeu, et il trouvait chez les hommes, qui avaient pensé s'endormir tout à fait sur la paille croupie de leurs étables, ce sursaut d'exubérance et d'agitation un peu folle qu'on voit aux rescapés. Les équipes des travaux dangereux refusaient à l'envi des volontaires qui se souvenaient brusquement des mâtures, et certains jours on eût dit qu'une troupe de singes grimpait à l'assaut de ces ruines sourcilleuses, car Fabrizio, craignant l'arrivée maintenant imminente des pluies qui accompagnent l'hivernage des Syrtes, se hâtait d'achever la remise en état des terrasses supérieures et des chemins de ronde, où les eaux s'engouffraient en cascades par des fissures béantes pour venir inonder les casemates, réservant les réparations intérieures pour la claustration forcée des interminables journées de mauvais temps. En quelques jours, la forteresse fut débroussaillée, et tout à coup il n'y eut plus qu'elle. Jour après jour, elle jaillissait de ses haillons rejetés dans l'évidence d'une musculature parfaite, dans la simplicité d'un geste immobile, d'un signal, comme un dur hérissement tragique et nu au bord des eaux plates. Ses arêtes aiguës mordaient de partout l'horizon vide. A la voir ainsi jaillir par degrés de sa gangue, comme autour d'une statue qu'on tire de la terre, il nous semblait tout à coup que l'air à l'Amirauté circulait plus librement, et que ces hautes murailles vierges et cuirassées appelaient à les laver comme un vent du large ; du matin au soir, l'œil enfiévré revenait s'agacer sur leur silhouette coupante comme la langue sur le tranchant d'une dent fraîchement cassée. Il était difficile de comprendre que des changements si insignifiants pussent entraîner avec eux un tel trouble, en venir jusqu'à changer le goût même et la saveur de l'air que nous respirions, et à faire battre notre sang plus vite, et pourtant, je le sentais, c'était ainsi : la forteresse poussait maintenant au milieu de nous, lancinante en effet comme une dent neuve, et c'en était fini du repos ; elle était là, l'image même de la gêne, — installée, régnante, dérangeante, incompréhensible, — la morsure légère et continue d'une pointe fine, élançant jusqu'aux extrêmes terminaisons nerveuses l'inquiétude d'un subtil aiguillon.

Bien que la gestion même de l'Amirauté et le service intérieur ne dussent pas me concerner directement, j'étais pris moi-même dans ce tourbillon d'activité neuve, et j'allais moins souvent à la chambre des cartes. Elle n'était plus ce réceptacle de silence dont le souffle froid et moisi m'avait saisi à la gorge comme celui d'un hypogée. Les fenêtres débroussaillées laissaient miroiter sur les tables noircies une clarté plus vive, et parfois un rayon de soleil, qui tournait lentement avec les heures sa colonne de poussière, promenait comme un doigt de lumière sur le fouillis des cartes, tirait de l'ombre dans un tâtonnement ensommeillé un nom étranger ou le contour d'une côte inconnue. L'écho profond des cours intérieures s'éveillait longuement aux appels des terrassiers qui sautaient de créneau en créneau, et se découpaient parfois brusquement sur les vitraux en ombres chinoises. Ces cris et ces appels, ce remue-ménage enfiévré pénétrant jusqu'au fond de cette retraite close et profondément endormie sous sa housse de poussière dépouillaient leur imprévu et leur pittoresque : comme un paysage qui se peint sur le fond d'une chambre noire perd son chatoiement de vie, mais acquiert en revanche pour l'œil une stabilité minérale, et semble trier subtilement parmi les choses ce par quoi se traduit le plus profondément leur rêverie obscure du repos et de la quiétude dans la pesanteur, — on eût dit que les sons et les bruits s'y décantaient, comme filtrés par un manteau de neige, y perdaient leur signification familière pour venir grossir une rumeur profonde et indistincte qui devenait pour l'oreille celle même de la vie revenue, — ainsi ce bruit familier des outils et des voix résonnait-il, au fond de cette pénombre recueillie, plutôt comme la prise de possession, volubile et pleine de présages, de ces ruines par une colonie d'oiseaux de passage, — comme si les temps étaient venus, — comme si sa saison secrète, une saison qui démentait les tristes approches de l'hivernage, longtemps couvée sous la poussière des âges était revenue éclore sur la forteresse qu'elle ranimait comme un dégel.

Fabrizio parlait maintenant de « sa » forteresse comme s'il l'eût faite. A vrai dire, il ne consentait plus guère à parler d'autre chose. Elle était comme un jouet géant entre les mains d'un grand enfant, et les fantaisies qui lui passaient à ce sujet par la tête ne laissaient pas d'être parfois inquiétantes, car c'était vraiment avec lui « aussitôt dit, aussitôt fait » ; il avait le don de communiquer sur-le-champ ses engouements les plus saugrenus à son équipe, charmée par l'improvisation baroque de ses plans, et qui ne goûtait rien tant que d'ignorer si parfaitement la veille ce qu'on entreprendrait le lendemain. Il était à croire aussi que ces travaux à bâtons rompus lui rappelaient l'imprévu de la vie de mer ; une espèce d'esprit de corps était né dans sa troupe, qui de plus en plus affectait de mépriser la vie casanière des équipages réguliers, et il ne se passait pas de jour que des demandes d'affectation à l'équipe des travaux ne parvinssent au capitaine. Ces lettres, qui agaçaient particulièrement Marino, allaient l'une après l'autre au panier, et l'accueil fait aux pétitionnaires les plus audacieux n'était pas tendre.

— Le diable emporte cette bâtisse ! marmonnait parfois le capitaine excédé. On l'a voulu. Fabrizio débauchera tous mes équipages. Il me démoralise l'Amirauté...

Et l'œil était si désolé et si sombre, que je me gardais d'ironiser. Les choses d'ailleurs n'allaient pas plus loin, et Marino mettait à tenir sa promesse un scrupule que je trouvais à la longue bizarre. Fabrizio avait les mains libres, et sur les travaux le capitaine ne se permettait aucune observation.

Un soir, comme nous rentrions après le dîner de notre promenade, devenue maintenant rituelle, au long des chemins de ronde, d'où Fabrizio, plein de son sujet, nous exposait comme un capitaine sur le champ de bataille les travaux du lendemain, il me tira à l'écart. Son œil pétillait plus que de coutume.

— Marino m'a donné carte blanche. Il ne croit pas si bien dire. Il s'en va à Orsenna pour quelques jours. A son retour, je lui réserve une surprise.

— Nous marchons tous de surprise en surprise, Fabrizio. Tu te surpasses.

— Tu te moques de moi. Mais, cette fois, Marino n'en reviendra pas, de ma forteresse.

— C'est intriguant. Tu la plantes en jardins suspendus ? Ou tu la lances sur la lagune ?

Fabrizio me posa la main sur l'épaule et fixa la forteresse en la jaugeant de ses yeux clignés, d'un air possessif et compétent.

— Comme ça, elle n'est pas mal, je le reconnais, commença-t-il d'un ton modeste. Mais il manque la touche de l'artiste. Toi, tu vas me comprendre. Elle est à peu près débarbouillée, soit, mais c'est tout de même encore un vieux rocher noir. Maintenant, regarde ceci.

Il ramassait au pied du mur une pierre éboulée sous sa patine noire où une cassure fraîche mettait une tache d'un blanc éclatant, cristallin.

— Une pierre magnifique, d'un éclat !... Tu vois, on dirait la tranche d'un pain de sucre. Il y a là-dessus trois siècles de patine, une vraie crasse de siècles. Je la gratte, je l'étrille. J'enlève la patine. Dans quinze jours je fais cadeau à Marino d'une forteresse flambant neuve. Mon triomphe !

Il ajouta d'une voix qui le savourait déjà :

— Crois-tu qu'il sera étonné ?...

L'absence de Marino qui se prolongeait facilita les choses. On eût dit qu'une digue avait sauté. Emportée pour la première fois par une vague de jeunesse trop longtemps réfrénée, l'Amirauté prenait le mors aux dents. Pour ce travail de contrebande, Fabrizio n'avait plus que des complices, et puisait à son gré dans la main-d'œuvre de réserve. L'Amirauté tout entière se hissait le long des murailles, comme les termites sur leur termitière ; la forteresse bourdonnait tout le long du jour, et jusqu'après la tombée de ces nuits claires, d'une fièvre un peu folle, comme dans les préparatifs d'une fête.

A l'heure tardive où le courrier d'Orsenna ramena Marino, l'obscurité s'était déjà faite. Le capitaine semblait préoccupé, et il me parut que le nuage d'indifférence et de noire songerie qui le défendait depuis quelques semaines contre une approche trop intime s'était encore assombri. Les questions presque rituelles qui l'assaillaient familièrement au sujet d'Orsenna se heurtaient à des réponses de plus en plus brèves et distraites, et je commençai à craindre très sérieusement que Fabrizio ne soulevât pas tout l'enthousiasme qu'il avait espéré. La lune s'était levée avant que le dîner prît fin, et Fabrizio, qui surveillait sournoisement la fenêtre, dès que Marino eut allumé sa pipe, d'un air de fausse indifférence prit la tête du petit groupe pour la promenade du soir.

Bien que les feux fussent déjà éteints, un bruit confus de voix mêlées arrivait encore du campement à travers la nuit calme, qui se fondait peu à peu, à mesure que nous traversions la lande endormie, dans la respiration assoupie et plus ample de la lagune ; nous tournâmes l'angle du pavillon de commandement, et un brusque étourdissement nous figea sur place. Quelque chose de jamais vu, et pourtant de longuement attendu, comme une bête monstrueuse et immobile surgie de son attente même à sa place marquée après d'interminables heures d'affût vaines, quelque chose au bord de la lagune.

longuement couvé dans le noir, avait jailli à la fin sans bruit de sa coque rongée comme d'un énorme œuf nocturne : la forteresse était devant nous.

La lumière de la lune tombant d'aplomb sur les terrasses et les parties hautes laissait plonger les fossés et le pied des murs dans une ombre transparente, décollait l'édifice du sol, semblait l'alléger, l'aspirer doucement vers les hauteurs ; et, ainsi ancrée au bord de la lagune ourlée de bavures de lumière, la forteresse semblait soudain *mise à flot*, portée sur un élément fluide qui la faisait vivre sur le fond inerte du paysage du léger et profond tressaillement d'aise d'un vaisseau au mouillage. Ainsi surprise dans son immobilité de songe, on eût dit pourtant qu'elle s'ébrouait dans une aise sans bornes, comme ces jeux silencieux qu'on surprend la nuit dans les clairières. Comme la première neige qui touche d'un doigt plus solennel la cime la plus haute, sa blancheur irréelle la consacrait mystérieusement, l'enveloppait d'une légère vapeur tremblée qui fumait vers la nuit lunaire, la marquait de l'incandescence d'un charbon ardent.

— C'est une apparition, finit par dire Roberto, rompant le silence qui se prolongeait. Un fantôme sous son suaire.

— Tu n'es pas aimable pour Fabrizio. Sa robe de noces, plutôt, reprit Giovanni, mais le silence se referma soudainement, et il nous sembla sentir tomber sur nous tout le froid de cette nuit claire.

L'ILE DE VEZZANO

J'AI du courrier pour toi, me dit Marino d'un ton brusque lorsque j'entrai chez lui le lendemain matin. Il paraît qu'on s'occupe de nous dans les bureaux.

Malgré le détachement bourru qu'il affectait, il y avait dans sa voix une interrogation inquiète. Il me tendit deux enveloppes cachetées. Je reconnus le timbre du Conseil de Surveillance, dont dépend à Orsenna la conduite des affaire de haute police — il faisait pressentir quelque grave affaire ; j'en donnai décharge à Marino sans mot dire, et j'attendis pour les ouvrir un moment où je serais seul.

J'étais peu habitué au style administratif en usage dans les bureaux de la Seigneurie, et, quand j'eus terminé la lecture du premier document, qui était une sorte d'instruction assez longue et particulièrement verbeuse, ma première impression fut d'avoir eu sous les yeux un de ces documents d'archives dépareillés dont le tour énigmatique et constamment allusif vient pour nous de ce qu'ils s'insèrent dans un jeu de références familières, dont on ne possède pas la clef. Pris dans leur isolement, tous les mots de ce texte m'étaient clairement compréhensibles, et pourtant la signification de l'ensemble me demeurait brouillée. A certains tours mal explicables de la phrase, à l'accumulation superflue de précautions de langage là où on les attendait le moins, je pressentais que, pour le rédacteur, la charge exacte de signification impliquée çà et là dans quelque terme d'apparence banale n'avait pu être exactement la même que celle que j'y attachais. Le souvenir me revenait maintenant des propos que m'avait tenus autrefois Orlando, lorsque nous fréquentions ensemble l'école de Droit diplomatique, propos que je jugeais alors exagérément romantiques, et qui concernaient le « secret » particulier à Orsenna. Selon Orlando, des siècles d'une stabilité politique totale avaient permis à Orsenna de bénéficier d'une expérience presque unique, qui était celle d'une subtile et longue *décantation*. La mainmise continue et héréditaire sur les grandes affaires de quelques familles choisies avait à la longue laissé s'accumuler au sommet du corps social en stagnation, comme par l'effet d'une opération chimique patiente, les principes volatils élaborés dans les profondeurs de ce marécage sans âge qu'était devenue la ville. Toutefois ce qui m'avait surpris dans le langage assez obscur d'Orlando était que, bien loin de considérer cette incarnation lente des principes vivants comme le supplément de conscience et de force qui semble légitimer le droit d'une aristocratie, il s'y référait plutôt comme à une opération suspecte et hautement dangereuse, comme si la conscience plus aiguë que prenait ainsi Orsenna dans les sommets de ses exigences profondes avait accumulé, avec cette quintessence de haute sagesse politique, une menace latente de dislocation. Selon Orlando, l'idée que se faisaient d'Orsenna, des éléments profonds de sa vie, et de son avenir, un certain nombre de têtes pensantes appartenant aux plus anciennes familles de la Seigneurie — et qu'on retrouvait toutes, non pas dans les hautes fonctions honorifiques, mais dans certains postes d'apparence subalterne d'où l'on contrôlait vraiment sa lourde machinerie politique — était devenue à la longue aussi radicalement incompréhensible au commun peuple que le monde des grandes profondeurs peut l'être pour les habitants des eaux translucides. Il prétendait encore que les organes de la vie à Orsenna, pour un esprit suffisamment prévu, s'étaient à la longue aussi profondément différenciés que peut l'être dans un arbre la racine de la feuille. « La feuille est la beauté de l'arbre, me répétait-il, et la dépense profuse et éclatante de sa vie — elle respire dans le jour et connaît les moindres souffles du vent, elle oriente la croissance du tronc selon les impressions subtiles qu'elle reçoit à chaque instant de la lumière et de l'air. Et pourtant la vérité de l'arbre repose peut-être plus profondément dans la succion aveugle de sa racine et sa nuit nourrissante. Orsenna est un arbre très grand et très vieux, et il a poussé de longues racines. Sais-tu pourquoi les arbres ne peuvent grandir dans nos Syrtes ? Le printemps s'y déchaîne comme une bourrasque dès mars, et le dégel est d'une brutalité sans exemple. La verdure se déploie comme les drapeaux sur une émeute, et tire la sève comme un nourrisson qui prend le sein — mais le dégel n'a pas touché la terre dans ses profondeurs, la racine dort encore dans la glace, les fibres du cœur se rompent et l'arbre meurt au milieu de la prairie qui fleurit. Je n'aime pas cette vieillesse trop verte d'Orsenna, qui lui vient quand il est prudent de ne pas trop vivre, et tout ce qui conspire en elle à l'empêcher d'assez sommeiller. » Il avait fait allusion avec insistance, dans une de nos dernières conversations, à cette mainmise sur Orsenna d'un clan d'esprits aventureux et dangereusement lucides, et m'avait laissé à entendre que celle-ci, à la suite des dernières nominations au Sénat, s'était resserrée à l'insu du public d'une manière pour lui nettement inquiétante — comme si, avait-il ajouté, « une ombre s'allongeait sur la ville ». Cependant, le retour en grâce du vieil Aldobrandi, qui marquait pour Orsenna aux yeux des bons observateurs une modification profonde de son équilibre, m'avait rendu plus attentif aux vues ténébreuses d'Orlando — et singulièrement par l'absence des remous politiques qu'on pouvait s'attendre à le voir provoquer, absence qui révélait une préparation de longue main et un doigté remarquable dans le maniement des complicités que ce rappel supposait à tous les échelons du pouvoir. Ainsi les suggestions d'Orlando avaient cheminé en moi silencieusement, et j'interrogeais maintenant ce document avec la fièvre du chasseur qui tombe sur un entrecroisement de pistes embrouillées : je cherchais moins à me préciser la conduite pratique qu'on m'invitait à suivre qu'à laisser jouer, comme un miroitement trouble, les complaisances qu'on souhaitait peut-être d'éveiller en moi.

Selon un usage qui remontait à Orsenna dans la nuit des âges — vraisemblablement à une époque où la précaution de conserver pour les archives des doubles de chaque pièce de correspondance n'était pas encore en pratique — le document débutait par un rappel minutieux des points établis par mon rapport. Les instructions qui m'étaient communiquées s'articulaient ensuite autour de trois points, qu'il m'était enjoint de tenir pour entièrement distincts.

En ce qui concernait l'origine même des bruits, les instructions, particulièrement fertiles ici en formules creuses, restaient dans un vague qui, à la réflexion, ne laissa pas de me surprendre. Il était déclaré « hautement souhaitable », certes, que cette origine fût éclaircie, mais peut-être aussi peu compatible avec les fonctions que je remplissais à l'Amirauté — ici la rédaction se perdait comme dans des sables en d'extraordinaires circonlocutions et retouches de politesse — que j'eusse à entrer dans le détail d'une enquête de police fastidieuse, dont les résultats promettaient par avance d'être décevants, et l'objet de se révéler en définitive subalterne. L'impression qui se dégageait de cette prose comme à dessein bourbeuse, et qui tenait moins à son sens général mal appréciable qu'à l'ennui poli et compact qu'elle exprimait éloquemment, était qu'il s'agissait moins de m'aiguiller sur ce sujet précis que de se couvrir, par une allusion de pure forme, contre le risque encouru d'une omission. Pour une raison ou pour une autre, on me donnait courtoisement à entendre que, de ce côté, il était sage de laisser jouer le frein à toute épreuve de la

« procédure ordinaire », et prudent de se hâter lentement.

Le degré exact de réalité des bruits semblait préoccuper d'une tout autre manière le rédacteur de la note, et ici, pour la première fois, je commençai à m'aviser, entre le rapport que j'avais établi et ce document ambigu, d'une subtile différence de perspective. L'idée que des fables si extravagantes pussent avoir un degré de réalité quelconque ne m'était pas même sérieusement venue — ou peut-être l'avais-je dès le début instinctivement refrénée comme un *manquement aux convenances* qui m'eût disqualifié auprès de la Seigneurie. Or il m'apparaissait, jusqu'à me déconcerter tout à fait, que c'était dans mon rapport précisément ce scepticisme, que je croyais de commande, qui avait déplu. On pouvait discerner, dans l'empressement qu'on montrait à traiter ces bruits comme une donnée solide sur laquelle on pouvait s'appuyer, à leur accorder sans autre vérification un fondement et un avenir, comme une volonté de déboucher à travers eux sur une perspective longtemps interdite, de leur prêter un lointain, un au-delà dont la possibilité m'était subtilement et attentivement suggérée, comme si l'on eût craint surtout que je refermasse trop vite une porte soudain battante, une porte que l'on avait secrètement attendu de voir s'entr'ouvrir.« La Seigneurie, concluaient sur ce point les instructions, attache un intérêt très vif aux efforts que vous ne pouvez manquer de faire pour éclaircir ce point essentiel. La réglementation extrêmement stricte en vigueur en ce qui concerne la navigation dans la mer des Syrtes — réglementation inspirée, en d'autres circonstances, plus peut-être par le souci immédiat d'éviter en mer des rencontres périlleuses que par les exigences d'une information exacte dont le prix est apparu avec le temps et a fait quelquefois souhaiter de la voir assouplir — peut rendre sans doute ces vérifications délicates et incomplètes, mais il appartient à votre intelligence et à votre zèle de leur donner toute la précision et l'ampleur compatibles avec les pouvoirs dont vous avez reçu notification.

« En ce qui concerne la remise en état de défense de
la forterteresse (ici, j'écarquillai les yeux : outre qu'il
n'avait jamais été question même une seconde de travaux
militaires à l'Amirauté, mon rapport, rédigé avant la
proposition de Roberto, ne pouvait avoir été que muet
au sujet de la forteresse ; mais je vis qu'ici on me renvoyait pour éclaircissement aux pièces jointes), la Seigneurie s'étonne de n'avoir été avisée qu'indirectement
d'une initiative sur laquelle il est fâcheux qu'on ne l'ait
pas consultée, et sur laquelle il serait plus grave encore
de revenir, pour des raisons qui ressortent de la lecture
du document ci-annexé. La Seigneurie, tout en recon-
naissant que cette décision a pu être dictée sur place par
un souci légitime de sécurité, et qu'elle correspond en définitive aux exigences de la situation, souhaite qu'à l'avenir
des décisions d'une telle portée, susceptibles d'engager sa
politique générale, ne puissent être prises sans qu'il lui
en soit rendu compte dans le plus bref délai. »
   Les instructions officielles s'arrêtaient là. Elles me
prêtaient longuement à réfléchir et à m'étonner. Mais
maintenant *quelqu'un* en son propre nom prenait la
parole, — celui dont la signature indéchiffrable sabrait
le bas de la feuille, — une voix me tirait à l'écart, singulièrement reconnaissable, me semblait-il, sans que je
l'eusse jamais entendue, à sa plénitude de sonorité et
comme à un velouté ancien de puissance. Cette voix
perçait maintenant le bredouillement officiel et s'élevait
seule, comme si, plus qu'au flot des paroles décevantes,
il eût été de toute importance de disposer maintenant
mon oreille aux suggestions profondes, presque hypno-
tiques, d'un certain *timbre*.
   « Il m'est agréable, disait la note, de pouvoir rendre
justice à la clarté de votre rapport, et au discernement
dont vous avez su faire preuve en n'hésitant pas à porter
à la connaissance du Conseil une affaire dont l'importance
exacte vous était difficile à apprécier, et cependant il
m'appartient maintenant de vous prévenir contre une
certaine légèreté, dont j'ai dû à regret relever les marques,

et que votre jeune âge n'excuse pas entièrement. Il est temps de vous rappeler confidentiellement que les fonctions d'Observateur, impliquant une communion de pensée complète avec le gouvernement de la Seigneurie, vous imposent de voir à tout moment par ses yeux et de vous tenir particulièrement en garde contre les suggestions de l'opinion courante. A tous il est permis — dans certaines limites — de parler ; à quelques-uns il est réservé de savoir. L'état officiel d'hostilité, qui est celui de la Seigneurie vis-à-vis d'une certaine puissance étrangère, a pu avec les années s'évanouir dans la conscience de son peuple jusqu'à devenir un sujet de plaisanterie et de dérision ; il vous appartient de vous rappeler, au besoin contre lui, une vérité *redoutable* qui n'a jamais cessé d'être, et de vous maintenir en toutes circonstances à la hauteur de ce qu'elle peut proposer. Cette vérité vit par vous, et par quelques-uns, qui en demeurent les seuls dépositaires ; il dépend de vous, et d'eux, que l'Etat, qu'ils peuvent prétendre à incarner seuls dans des circonstances décevantes, continue à être servi lucidement. Je vous engage à méditer la devise d'Orsenna. C'était l'opinion professée des hommes qui ont fait la grandeur de la Seigneurie, qu'un Etat vit dans la mesure même de son contact invétéré avec certaines vérités cachées, dont la continuité seule de ses générations est dépositaire, difficiles à rappeler et dangereuses à vivre, et par là d'autant plus sujettes à l'oubli du peuple. Ils nommaient ces vérités le Pacte d'alliance, et se réjouissaient, fût-ce dans le danger et les calamités passagères de la ville, de toute circonstance qui les faisait resplendir comme d'une manifestation visible de son élection et de son éternité. Les circonstances peuvent faire un jour que vous soyez commis à la garde de ce pacte que la ville ne saurait dénoncer sans périr. Orsenna attend de vous que vous sachiez être dans les Syrtes la conscience de son péril — faute de quoi, votre démission. »

La pièce jointe était un rapport de Belsenza, qui à son tour s'était apparemment décidé à sortir de son silence.

La « remise en état de défense » de la forteresse (je fis
réflexion en passant qu'il était au moins curieux qu'on eût
mis tant d'empressement à croire sur parole un témoin
si éloigné) sur laquelle, paraît-il, tout Maremma braquait
chaque jour ses lorgnettes (l'énorme masse de la forteresse
s'enlevant de très loin au-dessus de ces grèves plates)
semblait, par la confirmation qu'elle apportait aux bruits
alarmistes, avoir accru sensiblement la fièvre qui faisait
bourdonner la ville — au point que Belsenza avait pris
peur. Il s'était même décidé — du moins une périphrase
pudique tendait à le faire croire — à faire arrêter dis-
crètement dans les lieux publics quelques bavards qui
passaient la mesure. Tout ce rapport, rédigé avec une
prudence et une réticence extrêmes, traduisait d'ailleurs
l'hésitation de Belsenza au moment de prendre le vent :
soucieux, si l'on se décidait à juguler cette panique, de
se couvrir contre un reproche de négligence, inquiet de
paraître jouer à l'esprit fort si la « remise en état » de la
forteresse préludait vraiment à des événements sérieux.

Lorsque j'eus parcouru la note de Belsenza, je relus
de bout en bout, avec l'attention et la minutie qu'on
apporte à un texte qu'il s'agit de traduire, les instructions
du Conseil, et je reposai les papiers sur la table, profondément désorienté. Comme le premier tremblement imperceptible d'une coque qui glisse à la mer, il me semblait
que quelque chose, sous mes yeux que je ne voulais pas en
croire, avait bougé. Un regard derrière moi se levait, que
j'avais cru obstinément rivé à terre, se pointait vers
l'horizon, et changeait toute ma perspective. Comme à la
voix solennelle d'une vigie qui tombe du mât, un pressentiment en moi avec ce regard criait « terre », donnait
une consistance et une forme au fantôme qui me fascinait
déjà.

Un bruit de moteur s'éveilla dans l'après-midi ensommeillée, et le reflet de la vitre ouverte me montra la
voiture de Maremma qui s'arrêtait doucement devant
ma porte. Il y avait une lettre pour moi. Vanessa me
priait de venir le lendemain de bonne heure. On savait

beaucoup de choses, semblait-il, au palais Aldobrandi. Marino avait quitté l'Amirauté pour deux jours, avec le *Redoutable* qui visitait en cette saison les bancs d'éponges pour la relève des équipes de surveillance ; c'était me faciliter si ostensiblement les choses que j'en pris de l'humeur. Cette façon qu'affectait Vanessa de prendre les choses en main me déplaisait ; je ne pouvais m'empêcher de réfléchir qu'elle escamotait Marino comme un mari trompé, et d'en être humilié pour lui. Les *apartés* où elle m'entraînait me rejetaient d'instinct vers le capitaine : je ne sentais jamais plus vivement mon amitié pour lui qu'au moment où elle me témoignait cette désinvolture dans la préférence et l'exigence dont elle avait le secret.

Je retrouvais en roulant dans le petit matin froid vers Maremma quelque chose du charme de l'attente pure que j'avais goûté dans mon voyage vers les Syrtes. Je ne cherchais pas même à deviner où me menait cette équipée autour de laquelle Vanessa faisait tant de mystère. Le chant triste des oiseaux des Syrtes montait avec le jour, ouaté et monotone déjà comme chacune de leurs journées, s'égrenait comme du sable sur ces espaces sans bornes ; le calme des plaines grises, toujours moites de brume au matin, ressemblait à ces aubes d'été languides qui se traînent comme assommées sous une fin d'orage. Je me retournais parfois pour apercevoir derrière moi la forteresse, d'une livide couleur d'os sous son drapé de brouillard ; devant moi, dans le lointain, les reflets de mercure de la lagune venaient mordre sur l'horizon une mince ligne noire et dentelée et, dans cette matinée déjà pesante, il me semblait sentir ces deux pôles, autour desquels maintenant oscillait ma vie, se charger sous leur voile de brume d'une subtile électricité. Le rapport de Belsenza me revenait à l'esprit avec plus de force ; je fixais mes yeux sur ce liséré sombre qui s'allongeait sur la mer, déjà les exhalaisons puissantes et lourdes de sa lagune m'arrivaient par bouffées dans le vent endormi ; comme quand l'œil plonge d'une colline sur les fumées d'une cité lointaine, je prêtais malgré moi l'oreille au murmure bas et acharné que faisait dans mon souvenir cette ville tapie, comme un marécage dans une soirée orageuse ; il nourrissait cette atmosphère lourde, faisait palpiter mollement son cocon de brumes, battait faiblement derrière elle comme le battement emmitouflé d'un cœur.

Ses portes grandes ouvertes sur les reflets dansants de la lagune, le palais semblait tout à fait endormi. Mes appels n'éveillaient personne. Je m'avançais, incertain et hésitant, dans cette perspective insolite de pièces nues que je ne reconnaissais pas. Une indifférence glaciale tombait des voûtes, et je sentais brusquement refluer sur moi toute ma mauvaise humeur. Assez irrésolu, je me mis à circuler lentement de salle en salle, en levant un œil d'ennui vers la sarabande gelée des plafonds et des fresques, comme un visiteur de musée. Je pénétrai ainsi dans une galerie écartée qui me montrait en enfilade le pont et le jardin délabré attenant au palais au delà du bras d'eau morte, et, juste de l'autre côté de l'eau, debout dans une allée couverte, tout à coup j'aperçus Vanessa.

De toute évidence, elle se croyait seule. Elle sortait de son bain et n'avait passé qu'un large pantalon de marin et une courte veste échancrée qui laissait ses bras nus. Elle tordait maintenant ses cheveux humides : au creux de ses bras bougeait une touffe brune et au creux de ses seins un pli sombre. Elle tenait ses épingles dans sa bouche serrée, qui baignait tout le visage tendu d'une soudaine onde d'enfance ; dans son innocence ambiguë et son application maniaque d'écolière, on eût dit que cette bouche abandonnée, si crûment à son affaire, *tirait la langue*, vivait avec une intensité de fleur carnassière dans le seul geste aveugle de happer et de retenir.

Je restais tapi, le cœur battant, devant cette étrangère soudain livrée à la grâce trouble de son animalité pure. Les doigts s'attardaient, se ployaient dans les touffes souples, la tête renversée faisait de la gorge une averse pâle, tordait doucement les seins comme autour du manche d'un poignard. Elle ressemblait au tremblement

140

qu'on voit à l'air au-dessus d'une flamme chaude. Pour la première fois, Vanessa s'était faite chair. Elle surgissait du reflux de mes rêveries fiévreuses, ferme et élastique comme une grève, faite pour la plante et la paume, une douce terre ameublie sous le fouet de pluie de sa chevelure.

Je frappai à la vitre. Vanessa m'aperçut et vint à moi par le petit pont.

— J'ai congédié tout le monde. Le palais est vide. C'est une journée pour nous seuls. Je t'enlève.

— En mer, je vois.

— Oui, très loin. Il nous fallait la journée. Nous allons à Vezzano.

Le nom éveillait en moi des souvenirs tout proches, et je sentis un mouvement de curiosité. Dans mon esprit se levait l'image d'un point noir piqué isolément sur la nappe bleue où j'avais si souvent vogué en esprit dans la chambre des cartes. Vezzano n'était qu'un îlot minuscule, et les traités de navigation que j'avais feuilletés à l'Amirauté ne lui consacraient qu'une courte notice : on le mentionnait surtout pour la singularité de ses rivages accores et de leurs falaises dressées en face des flèches à demi submergées des lagunes, qui pouvaient offrir un abri aux navires surpris par les brusques coups de vent de l'hiver du Sud. Au temps où la piraterie battait son plein dans ces parages, Vezzano avait joué pour les écumeurs de mer le rôle d'un port d'attache et d'un entrepôt fortifié ; choisi sans doute pour ses criques abritées et ses grottes spacieuses qui, par endroits, éventraient l'île de part en part, la proximité du continent l'avait servi encore davantage en permettant d'acheminer de nuit sur de simples barques les marchandises jusqu'aux grèves d'échouage de la côte. Mais tout ce passé de sang versé et de richesses barbares ne me retenait guère. A ce point noir piqué sur la carte ne s'accrochait pas davantage pour moi un souvenir ou un paysage qu'au clou de lumière d'une étoile. Il était une de mes étoiles à moi, le point brillant d'une de mes constellations fixes. Si l'on piquait la pointe d'un compas à l'emplacement de Rhages, Vezzano était, de tous les points du territoire d'Orsenna, celui qui s'inscrivait dans le cercle de rayon le plus court.

Le soleil brillait sur la lagune lorsque nous quittâmes le palais : c'était une journée de beau temps promise. Le vent pénétrait comme une main, voluptueusement, dans mes vêtements libres ; avant de quitter le palais, Vanessa m'avait obligé de passer comme elle une veste et un pantalon de marin.

— Il vaut mieux qu'on ne te reconnaisse pas sur le bateau. Tu verras pourquoi. D'ailleurs, c'est plus commode, ajouta-t-elle en détournant les yeux de mes pieds nus, d'une voix de gorge un peu contractée.

De sentir dans ces habits mes membres libres comme ceux de Vanessa me fiançait à elle, nous rapprochait comme un vêtement de nuit. Je sentais le vent glisser sur sa peau et sur la mienne, nous unir comme son souffle même sur ma bouche. Assis sagement l'un près de l'autre, nous nous regardions en souriant, sans rien dire, heureux de cette escapade d'écoliers, des bourrades de ce vent qui la décoiffait. Mon nouvel accoutrement était prétexte à de petites privautés qui me laissaient oppressé et glaçaient mes paroles sur mes lèvres, tant j'avais peur soudain de me trahir à ma gorge contractée ; je sentais la caresse légère de ses doigts sur mon cou comme une brûlure, et, à un coup de roulis brusque, son pied se posa sur le mien, et elle me ceintura de ses bras tièdes, en riant d'un rire un peu précipité ; j'étais hors d'état de rien dire, mais je pressai ce pied nu, tout glacé sur les planches humides, son bras s'attarda une seconde autour de moi, et je sentis l'odeur d'enfance et de forêt de ses cheveux. En cet instant, je ne la désirais même plus, je ne sentais plus rien que le vent fortifiant qui nous giflait de claquements d'ailes rudes, et qu'une tendresse ouvrant ses mille bras dans une nuit confiante, sûre de les refermer sur leur mesure même de douce chaleur.

La barque se glissait maintenant dans la passe des

142

lagunes et nous conduisait vers la pleine mer. En cet instant, rien ne pouvait plus m'étonner — fût-ce d'entreprendre la traversée de Vezzano sur cette barque minuscule —, je me tournai vers Vanessa et je lui adressai une mimique si résolue et en même temps si comiquement interrogative qu'elle éclata de rire — ce même rire qu'elle avait eu, la première nuit, au bord du quai.

— Vezzano est un peu loin, tu sais, Aldo. Notre vaisseau de haut bord est avancé.

Elle ajouta d'une voix inquiète, que l'incertitude rendait un peu dure :

— ... Tu le reconnais ?

Je le reconnaissais bien. Ancré au large de la flèche de sable, une très mince silhouette parce qu'il se présentait par la proue, rapetissé dans l'étincellement du soleil et de la mer, c'était le mystérieux bateau de Sagra.

— Il faut que je te prévienne, Aldo, j'ai oublié de le faire immatriculer. C'est très répréhensible, n'est-ce pas ? Tu n'auras pas trop de scrupules à t'embarquer sur un bateau de contrebande ?

Dans sa voix posée passait un accent de hauteur involontaire, et les yeux pitoyables se détournèrent, mais je comprenais leur mise en demeure et son attaque brutale. Je ne monterais sur le bateau qu'en prisonnier. Dans cet instant, je sentis que quelque chose allait se décider pour toujours, et je cherchai les yeux de Vanessa. Ils brillaient maintenant sur moi, étoilés et fixes ; ils me traversaient vers un lointain dont je ne savais rien — en cet instant, Vanessa ne me regardait même pas. Elle était contre moi, muette, bandée, comme une pesée lourde et nocturne, ses seins durs et nus sous la blouse tendus par la fraîcheur comme une voile étarquée. Mes yeux glissèrent vers la naissance de ces seins que soulevait un souffle sans loi, un nuage les brouilla ; je baissai le front sans mot dire, la bouche sèche, et il me sembla que mes paumes se mouillaient.

— Viens, me dit-elle d'une voix brève, et je me levai pour la suivre.

Le souvenir que je garde de cette traversée est celui de ces jours de plénitude où la flamme chaude de joie qui brûle en nous dévore et résume en elle paisiblement toutes choses, semble s'allumer, comme au foyer d'une immense lentille, à la seule transparence du ciel et de la mer. Le soleil avait dissipé les brumes : la chaleur ambrée et plus recueillie de l'arrière-automne, comme une exsudation délicieuse de la terre, était à celle de l'été comme à sa peau brûlante la chair tiède d'un fruit où l'on mord. La mer des Syrtes, avec ses vagues rêches et dansantes crevait partout ses courtes volutes d'écume ; autour de nous, des oiseaux de mer par bandes s'ébattaient et s'envolaient sans cesse sur les plaines variées des étendues changeantes, comme dans le soir paisible des terres labourées. Tout autour de nous s'envolait, se gonflait doucement vers un paradis d'efflorescence plumeuse : longs battements ouatés des mouettes piquetés de cris rauques, douces plumes arrachées à l'écume, pennes battantes du vent sur le visage, glissement fuyant comme le dos d'un cygne de la houle soulevant le bateau.

L'avant de l'embarcation, abrité par une cloison basse qui masquait les panneaux et par des rouleaux de bâches et de cordages, formait un réduit étroit qui s'ouvrait de toutes parts sur la mer. Nous y avions transporté des coussins ; couché de tout mon long au côté de Vanessa, mes doigts s'attardaient à la saignée de son bras où battait une pulsation douce, et je suivais de l'œil les grandes croisières de nuages oscillant au-dessus de ma tête au rythme égal d'un roulis silencieux. La courte, la grande angoisse qui m'avait saisi à l'instant d'embarquer s'était envolée ; il me semblait que les choses s'accomplissaient et que tout s'ordonnait et se mettait en marche sans hâte au battement de ce sang fraternel. Vanessa maintenant paraissait dénouée et heureuse, et quand j'appuyais mes lèvres à sa paume fraîche, sa main pesait de tout son poids endormi sur ma bouche, et les doigts fléchis et morts de cette main coupée venaient refermer mes paupières et m'ouvrir à son jour. Le nom troublant de Vezzano bruissait en moi comme un bruit de cloche qui passe dans le vent sur un désert ou sur la neige ; il était notre rendez-vous et notre alliance, il me semblait qu'à son appel les planches légères où nous étions couchés volaient sur les vagues, et que l'horizon devant notre étrave s'orientait et se creusait mystérieusement.

Lorsque ses falaises très blanches sortirent du miroitement des lointains de mer, Vezzano parut soudain curieusement proche. C'était une sorte d'iceberg rocheux, rongé de toutes parts et coupé en grands pans effondrés avivés par les vagues. Le rocher jaillissait à pic de la mer, presque irréel dans l'étincellement de sa cuirasse blanche, léger sur l'horizon comme un voilier sous ses tours de toile, n'eût été la mince lisière gazonnée qui couvrait la plate-forme, et coulait çà et là dans l'étroite coupure zigzaguante des ravins. La réflexion neigeuse de ses falaises blanches tantôt l'argentait, tantôt le dissolvait dans la gaze légère du brouillard de beau temps, et nous voguâmes longtemps encore avant de ne plus voir se lever, sur la mer calme, qu'une sorte de donjon ébréché et ébouleux, d'un gris sale, qui portait ses corniches sourcilleuses au-dessus des vagues à une énorme hauteur. Des nuées compactes d'oiseaux de mer, jaillissant en flèche, puis se rabattant en volutes molles sur la roche, lui faisaient comme la respiration empanachée d'un geyser ; leurs cris pareils à ceux d'une gorge coupée, aiguisant le vent comme un rasoir et se répercutant longuement dans l'écho dur des falaises, rendaient l'île à une solitude malveillante et hargneuse, la muraient plus encore que ses falaises sans accès.

Le bateau vint mouiller sous le vent de ces falaises raides, qui faisaient planer sur la mer une accalmie et une fraîcheur de cave ; on mit un canot à la mer ; Vanessa me fit signe de descendre avec elle seule.

— Tu voulais y aller en barque, n'est-ce pas ? souffla-t-elle à mon oreille comme une excuse, avec un sourire ambigu. D'ailleurs, mon capitaine n'en est pas fâché : personne ne vient ici, et on ne connaît plus guère les atterrages. Tâche au moins de ne pas nous noyer.

Tout en faisant voler la barque de mes rames, je ne pouvais m'empêcher, à mesure que nous entrions dans son ombre qui me glaçait le dos, de me laisser pénétrer de la solitude et de l'hostilité de cette Cythère morne vers laquelle je l'entraînais. Ces cris sauvages et désolés des oiseaux de mer qui couvraient l'île et froidissaient cette ombre spectrale, ces roches nues d'un blanc gris d'ossements, et le souvenir de ce passé funèbre, jetaient un nuage inattendu sur cette mer de fête. Le long de ces parois lisses, effarouchant des colonies d'oiseaux nichés très haut dans les creux de la roche, nous glissâmes assez longtemps silencieusement, comme sous une voûte de cathédrale : aucune fissure ne semblait s'ouvrir dans cette enceinte formidable, lorsqu'au léger clapotis des vagues contre la falaise tout à coup se mêla un bruit d'eaux vives, et presque aussitôt nous nous glissâmes dans une calanque, large à peine de quelques mètres et si profonde qu'elle paraissait un trait de scie dans la masse du plateau. Un ravin s'élargissait à partir du fond de la calanque, et un ruisselet s'y jetait en tintant sur son lit de cailloux.

Nous sautâmes à terre sur une grève de galets. Il faisait très sombre dans cette coupure ouverte dans les entrailles mêmes de la roche, un crépuscule transparent et liquide que filtrait le bruit du ruisseau. La rumeur des vagues n'y parvenait plus que comme un froissement étouffé. A travers la coupure ouverte au-dessus de nous, le ciel très pur virait au bleu sombre ; dans l'enfilade du ravin où s'engouffrait le jour, un arbre isolé, très haut au-dessus de nos têtes, découpait sa silhouette toute trempée de soleil et semblait nous faire signe vers les hauteurs. L'intimité silencieuse et la pénombre de cette gorge étaient si inattendues que nous demeurâmes un moment sans rien dire, embarrassés et souriant l'un à l'autre comme des enfants qui se glissent dans une cave défendue. Et si brusquement complice était le secret renfermé de cette crypte close que Vanessa, saisie d'une

146

angoisse involontaire devant le déclic de ce piège qui se refermait, fit en trébuchant sur les galets quelques pas incertains comme pour fuir ; je percevais son souffle défait et trop rapide, mais, surgissant derrière elle, et tout battant d'un sang brutal à l'aveu de cette faiblesse qui me transperçait délicieusement, je passai mon bras sous le sien et renversai durement sa tête sur mon épaule, et en une seconde elle sembla s'éparpiller et s'alourdir, ne fut plus qu'une pesanteur brûlante et molle, dénouée et toute renversée sur ma bouche.

Nous dûmes passer de longues heures dans ce puits d'oubli et de sommeil. La coupure du rocher au-dessus de nos têtes jointes était si étroite, et le ciel qui s'y enchâssait si lointain et si calme, que les variations du jour, dans l'absence du jeu plus allongé des ombres, ne parvenaient plus jusqu'à nous ; nous reposions de tout notre poids dans la sécurité même des gisants sous ce faux jour de crypte où l'ombre venait se diluer comme dans une eau profonde ; les légers bruits autour de nous : un bruit d'eau vive sur les galets, le lapement insensible et le minuscule gargouillis dans les creux de roche de la marée montante, donnaient à l'écoulement du temps, par leurs longs intervalles suspendus et leurs soudaines reprises, une incertitude flottante coupée de rapides sommeils, comme si la conscience légère qui venait affleurer en nous par instants eût puisé dans cette émersion même le minime surcroît de poids qui la replongeait aussitôt dans un court évanouissement. J'avais porté Vanessa au bord du ruisseau, qui laissait entre lui et la roche l'espace d'une étroite banquette où poussait une herbe profonde et noire ; la main posée sur un de ses seins, je la sentais auprès de moi paisible et toute rassemblée dans une obscure croissance de forces ; ce sein doucement soulevé sur cette profonde odeur de terre m'apportait comme la nouvelle fortifiante de ce *bon sommeil* qui est le présage des profondes guérisons ; alors l'excès de ma tendresse pour elle se réveillait : mes baisers emportés pleuvaient de toutes parts sur ce corps défait, comme une grêle ;

je mordais ses cheveux mêlés à l'herbe à même le sol. Vanessa s'éveillait à demi, et, les yeux fermés dans l'excès de sa lassitude, souriait seulement de sa bouche entr'ouverte ; sa main tâtonnait vers moi, et à peine m'avait-elle trouvé qu'engourdie de certitude confiante, avec un soupir d'aise, elle sombrait de nouveau dans le sommeil.

Le soleil cependant avait dû s'abaisser sensiblement, car les parois de la gorge étaient devenues grises, et seule une des lèvres de la roche qui nous surplombait flambait encore à son sommet d'un étroit liséré de lumière ; le bruit des vagues paraissait s'assoupir, et quelques étoiles à peine réelles, pareilles à ce brasillement fugace qui s'éveille aux lumières dans certaines pierreries, clignèrent faiblement sur le bleu pâli du ciel. Le froid montait de l'herbe humide ; j'aidai Vanessa à se relever, je pressai contre moi ce poids fléchissant et tiède rendu à mes mains pleines, longuement, interminablement.

— Revenons-nous au bateau ? lui dis-je d'une voix ensommeillée. Il doit se faire tard, déjà.

— Non. Viens.

Toute ranimée maintenant, fiévreuse, tournant vers moi en une seconde ces yeux d'ailleurs que je reconnaissais si bien, elle me montrait le haut de la ravine.

— ... Le bateau ne nous attend qu'à la nuit tombée. Pourquoi penses-tu que je t'aie amené ici ? me lança-t-elle, avec cette hauteur coupante qui me blessait et m'exaltait à la fois, parce que j'avais l'impression d'être rudoyé par une reine, mais presque aussitôt elle baissa les yeux et posa sa main sur mon épaule doucement.

— Il faut au moins que nous explorions notre royaume. Pense, Aldo, nous sommes tout seuls sur une île. Et tu veux déjà t'en aller.

Nous escaladâmes non sans peine la cheminée de pierres croulantes qu'était le lit du petit ruisseau. Vanessa s'accrochait à moi sur ces galets glissants, et bientôt ses pieds nus s'ensanglantèrent. Je me sentais brusquement dégrisé ; le jour déjà sombre me paraissait d'un mauvais

148

présage, et cette île mal famée vaguement suspecte ; je proposai de nouveau à Vanessa de revenir, mais elle me répondit de sa voix brève :

— Nous nous reposerons là-haut.

Peu à peu le ravin s'élargissait et s'aplanissait ; nous sortions de la gorge, et nous marchions maintenant sans bruit sur un gazon ras, dans le creux d'un court vallon qui se raccordait insensiblement au haut plateau de l'île. A l'air libre, il faisait encore grand jour ; en émergeant à la lumière de ces hauteurs encore chaudes, nous respirions délicieusement. Le sommet de l'île n'était qu'une table rase, éventrée sur ses bords par les coupures rayonnantes des ravins. Des ondes rapides et brusques couraient sur les herbes sèches ; la sourde détonation des vagues invisibles déferlant dans les creux des falaises apportait dans le vent le bruit d'un orage lointain. Çà et là, avec la fraîcheur du soir, des bouchons de brume blanche commençaient à courir et à se bousculer au ras du sol, comme un troupeau pris de panique — l'île s'anuitait déjà, — on eut dit qu'avant l'heure les fantômes du soir se hâtaient de reprendre possession de la lande. Vanessa m'entraînait maintenant rapidement vers une colline assez raide — la seule saillie de ce plateau nivelé — qui se profilait devant nous en avant des falaises, dans la direction de l'est. De ce côté, l'île allait se rétrécissant, et pointait vers l'est comme une proue surélevée ; à droite et à gauche de nous, maintenant tout proches, les ravins ne laissaient plus entre eux qu'une étroite arête au tracé sinueux. Vanessa marchait devant moi sans mot dire, le souffle court, le pas hâté, et la pensée me vint un instant que l'île était peut-être encore habitée, et qu'une silhouette allait surgir de ces roches qui donnerait un corps à sa fièvre et à mon malaise.

Arrivée au sommet de la colline. elle s'arrêta. L'île finissait devant nous par des précipices abrupts ; le vent de ce côté la fouettait furieusement, et on entendait du bas des falaises monter les coups de bélier continus des vagues. Mais Vanessa ne s'en souciait guère, et sans doute ne se souvenait-elle même plus que je fusse là. Elle s'était assise sur une roche éclatée et fixait les yeux sur l'horizon : on eût dit que sur ce récif écarté soudain elle prenait une veille, pareille à ces silhouettes endeuillées qui, du haut d'un promontoire, guettent interminablement le retour d'une voile.

Mes yeux suivaient malgré moi la direction de son regard. Une clarté assez vive s'attardait sur le ressaut de colline qui crevait le manteau de brumes. En face de nous, l'horizon de mer bordait une bande plus pâle et étonnamment transparente dans le crépuscule avancé, pareille à une de ces échappées ensoleillées qui se creusent au ras de l'eau sous le dôme des vapeurs et annoncent la fin d'un orage. Mes yeux parcoururent cet horizon désert et s'arrêtèrent un instant aux contours d'un très petit nuage blanc en forme de cône, qui semblait flotter au ras de l'horizon dans la lumière diminuée, et dont l'isolement insolite dans cette soirée claire et la forme lourde s'associèrent aussitôt dans mon esprit de façon confuse à l'idée d'une menace lointaine et à l'appréhension d'un orage montant sur la mer. Un froid brusque maintenant s'abattait sur l'île, le vent fraîchissait, à l'approche de la nuit les oiseaux de mer avaient cessé de crier ; j'avais hâte soudain de quitter cette île chagrine et sauvage, évacuée comme un navire qui coule. Je touchai sèchement l'épaule de Vanessa.

— Il se fait tard. Viens. Rentrons.

— Non, pas encore. Tu as vu ? me dit-elle en tournant vers moi ses yeux grands ouverts dans le noir.

D'un seul coup, comme une eau lentement saturée, le ciel de jour avait viré au ciel lunaire ; l'horizon devenait une muraille laiteuse et opaque qui tournait au violet au-dessus de la mer encore faiblement miroitante. Traversé d'un pressentiment brusque, je reportai alors mes yeux vers le singulier nuage. Et, tout à coup, je vis.

Une montagne sortait de la mer, maintenant distinctement visible sur le fond assombri du ciel. Un cône blanc et neigeux, flottant comme un lever de lune au-dessus d'un léger voile mauve qui le décollait de l'horizon, pareil, dans son isolement et sa pureté de neige, et dans le jaillissement de sa symétrie parfaite, à ces phares diamantés qui se lèvent au seuil des mers glaciales. Son lever d'astre sur l'horizon ne parlait pas de la terre, mais plutôt d'un soleil de minuit, de la révolution d'une orbite calme qui l'eût ramené à l'heure dite des profondeurs lavées à l'affleurement fatidique de la mer. Il était là. Sa lumière froide rayonnait comme une source de silence, comme une virginité déserte et étoilée.

— C'est le Tängri, dit Vanessa sans tourner la tête. Elle parlait comme pour elle-même, et je doutai de nouveau qu'elle eût conscience que je fusse là.

Nous demeurâmes longtemps sans mot dire dans l'obscurité devenue profonde, les yeux fixés sur la mer. Le sentiment du temps s'envolait pour moi. La lumière de la lune tirait vaguement de l'ombre la cime énigmatique pour l'y replonger aussitôt, la faisait palpiter irréellement sur la mer effacée ; nos yeux fascinés s'épuisaient à suivre le déploiement de ces phases mourantes, comme aux dernières lueurs, plus louches et plus mystérieuses, d'une aurore boréale. Enfin il fit nuit tout à fait, le froid nous transperça. Je relevai Vanessa sans mot dire, elle s'appuya à mon bras toute lourde. Nous marchions la tête vide, les yeux douloureux de leur excès de fixité, les jambes molles. Je tenais Vanessa étroitement serrée contre moi sur le chemin périlleux et glissant que nous avions peine à suivre dans le noir, mais cet appui que je lui prêtais n'était plus en ce moment qu'un réflexe machinal et sans tendresse. Il me semblait que sur cette journée de douce et caressante chaleur avait passé comme un vent descendu des champs de neige, si lustral et si sauvage que jamais mes poumons qu'il avait mordus n'en pourraient épuiser la pureté mortelle, et, comme pour en garder encore l'étincellement dans mes yeux et la saveur froide sur ma bouche, sur le sentier ébouleux, malgré moi, je marchais la tête renversée vers le ciel plein d'étoiles.

NOËL

J'ALLAIS maintenant souvent à Maremma :
je profitais des allées et venues de la
voiture que le remue-ménage des travaux
de la forteresse appelait sans cesse à la
ville. Je quittais l'Amirauté après le déjeuner, impatient maintenant de la brève route. Quand nous arrivions aux premières maisons de Maremma, je remarquais que la seule vue, pourtant familière, du fanion
de l'Amirauté battant à l'aile de la voiture attrou-
pait aussitôt autour de nous quelques curieux, et que les
regards des passants au long de notre route se haussaient
une seconde plus brillants ; je sentais que le seul passage
de la voiture était une *nouvelle* dont leur journée s'éclairait, et notre présence un signe, une confirmation que
quelque chose était en train ; je voyais même parfois
s'ébaucher sur mon passage le geste rituel du bras levé
pour le salut qu'on réserve d'habitude à Orsenna pour les
circonstances solennelles, comme si chacun eût cherché à
se serrer instinctivement contre celui qui paraissait
toucher de plus près au secret, et je savais qu'un bruit
aussitôt courait de rue en rue : « La voiture de l'Amirauté
est encore là. » Il fallait pour sortir écarter les badauds
comme des mouches, et des regards se collaient encore à
mon dos longtemps, avides, comme une bouche qui
cherche l'air.

Ce n'était pas le seul changement qu'on remarquait à

096.1

Reminder Notes:

_____

_____

_____

_____

_____

_____

_____

_____

_____

_____

_____

_____

Maremma. Quand je passais chez Belsenza aux nouvelles, dans le bureau lépreux à l'odeur assoiffante de papier surchauffé où il travaillait au milieu d'un des quartiers pauvres, je le trouvais chaque fois plus soucieux. Il me tendait les rapports sans mot dire, le sourcil encore froncé de sa lecture, la cigarette collée au coin de la bouche, en rejetant la tête en arrière et en m'inspectant rapidement de ses yeux mi-clos. La courbe ascendante de la fièvre qui minait la ville s'inscrivait impitoyable sur ces registres tachés de doigts sales, et, à en juger par les douteux indices qui s'empilaient sous mes yeux comme des papiers gras sous la pique d'un balayeur, on eût dit que cette fièvre maintenant suppurait. Les statistiques de police portaient de jour en jour le témoignage d'un relâchement bizarre de la moralité, et tout particulièrement les cas d'exhibitionnisme et de provocation à la débauche, souvent difficiles à déceler pour la police tellement ils paraissaient bénéficier de la part des témoins d'une complicité tacite, paraissaient se multiplier. Belsenza partait parfois d'un rire épais d'homme blasé en me soumettant quelque détail piquant, mais il y avait là pour moi plus un signe clinique qu'une maladie, et ce que j'avais entrevu au palais Aldobrandi me laissait à penser. La police donnait à ces affaires une publicité soigneuse.

— Cela les empêche de penser à autre chose, me confiait Belsenza en clignant un œil amusé. La police le sait de tout temps, et je ne serais pas étonné que mes sbires aient quelquefois la main là-dedans.

Mais il était clair que Maremma ne cessait pas pour autant de penser à autre chose. La gaîté de Belsenza tombait quand on lui amenait — et c'était souvent — une cartomancienne aux prédictions apocalyptiques, ou un de ces « missionnés » chevelus (c'était le nom que leur donnait le peuple) à l'œil fuyant et à la tournure subalterne, qui prophétisaient maintenant sur les quais à la tombée de la nuit et attroupaient le menu peuple des bateliers.

— Ceux-là, ce sont des oiseaux de mauvais augure. Il
y a quelque chose, ou quelqu'un, derrière. Si je tenais
celui qui les paie ! murmurait Belsenza entre ses dents
serrées, avec un sifflement de colère et d'impuissance.

Leur attitude était infailliblement la même et se carac-
térisait par un respect exagéré, et qui ne paraissait pas
feint, des insignes et des représentants du pouvoir. Lorsqu'on les poussait dans le bureau de police, ils saluaient
chacun à la ronde avec une sorte d'emphase cérémoniale
et exaltée, selon le degré exact de considération que méri-
tait sa fonction ou son grade, puis s'adossaient au mur
et se tenaient cois, les yeux fixés à terre. Après quoi, il
n'était plus question d'en rien tirer. Belsenza avait beau
les rudoyer, les menacer des verges, ils ne sortaient plus de
leur mutisme que pour prononcer sans conviction quelques bribes de phrases toutes faites, qui constituaient
comme le leit-motiv inepte de leur prédication grossière,
et tendaient toutes à assigner au Farghestan un rôle
vaguement apocalyptique, une bizarre mission de providence à rebours.

— Les temps sont venus... Nous sommes tous promis
à Là-bas... Les paroles sont dites... Ils nous ont comptés
du premier jusqu'au dernier...

Leur voix psalmodiante et aiguë du grand air et des
places vides détonait soudain de façon si dépaysante
dans l'indifférence sceptique de ces murs nus qu'ils
s'arrêtaient presque aussitôt d'eux-mêmes et se rencoi-
gnaient, la tête dans les épaules, comme des oiseaux de
nuit, apeurés et chagrins, affolés par le son de leur propre
voix, tremblants comme un gibier pris au piège. Belsenza
haussait les épaules, et, selon son humeur du moment,
les renvoyait d'un coup de pied ou les expédiait pour
quelques jours à la prison de la ville ; on les fouillait
avant de partir, mais, chose étrange et qui semblait
apporter un démenti à Belsenza, on ne trouvait presque
jamais d'or dans leurs poches.

De tels interrogatoires me mettaient mal à l'aise. Ces
bouches noires, béantes tout à coup malgré elles sur leur

cauchemar enfantin, laissaient je ne sais quelle impression sinistre. L'abandon, le relâchement de ces lippes tremblantes et presque obscènes me frappait surtout — comme si les défenses dernières de la vie eussent fléchi en elles, comme si quelque *chose* eût profité insidieusement pour prendre la parole d'une débâcle profonde de l'homme. Cette voix naufragée qui semblait venir de plus bas qu'une autre, qui saisissait à la nuque et qui faisait passer une brusque onde de silence parmi les policiers attablés, était panique. Dans ce bureau de crasse et de sommeil, dans ce décombre de ville momifiée et recuite dans son immobilité ruineuse, c'était comme une lézarde de ténèbres entr'ouverte en plein midi, comme le cauchemar pourri de ce sommeil séculaire qui crevait, qui se levait devant nous, qui *descendait les marches*.

Il y avait dans ce grouillement de larves des silhouettes plus fières. On amena un jour, pendant une de mes visites, une fille, — d'aspect très pauvre, mais de traits fins et presque nobles — qui lisait l'avenir dans les cendres à un coin du marché aux légumes. L'interrogatoire s'engagea mal ; son mutisme obstiné devint d'une telle insolence, et son regard lointain et dédaigneux si provocant, que, sur le visage de Belsenza, plus nerveux que d'habitude, ou peut-être effleuré par une arrière-pensée plus trouble, je vis monter peu à peu une colère froide.

— Tu ne veux pas parler. Nous allons voir. Tu l'auras voulu ! lança-t-il d'une voix rauque et basse. Fouettez-la.

Dans la pénombre de la pièce, il me sembla voir les yeux de la jeune fille noircir. Les mains liées au dos, on lui serra le cou dans un collier scellé assez bas dans le mur, puis un policier releva haut ses jupes par derrière et l'en encapuchonna. Il y eut une mouvement de fébrilité friande et de joyeuse humeur dans le poste. Belsenza ne prodiguait guère de tels passe-temps, banals pourtant à Orsenna où l'autorité avait la main lourde, et où une longue intimité avec les coups faisait qu'on les traitait avec une familiarité goguenarde. Mais quelque chose d'insolite, dans ce silence de tombe, arrêtait les plaisanteries habituelles.

— Tu te décides ? siffla Belsenza entre ses dents.

On entendait sangloter à petits coups sous le retroussis de linge, et je savais que maintenant elle ne parlerait pas. Le pire pour elle était passé : c'était ce licol de bête à l'encan, cette croupe jaillie des linges, rebondie de santé et à l'épanouissement obscène, qui bafouait maintenant le visage comme un rire gras.

La croupe se zébrait de marbrures rouges, rebondissait sous les lanières avec un tremblement monotone. Un ennui gêné descendait maintenant dans la pièce ; il y avait erreur sur la personne : on eût dit qu'on fouettait une morte.

— Assez ! fit Belsenza mal à l'aise, sentant vaguement que la scène me déplaisait. Va-t'en, et qu'on ne t'y reprenne plus.

Le visage encore tout enflammé, elle tapotait maintenant sa jupe à petits coups, arrangeait rapidement ses cheveux avec une provocation d'indifférence puérile que démentaient ses yeux brûlants et secs, qui sautillaient d'objet en objet comme sous une morsure insupportable, comme si la pièce tout entière eût été chauffée au rouge.

— Allons, n'en parlons plus, ce n'est pas grand'chose ! fit Belsenza en lui touchant l'épaule, soudain grossièrement cordial. Tâche à présent de voir l'avenir plus en rose, ou cette fois il t'en cuira.

Mais le regard se posa sur lui, noir et brûlant, brillant derrière ses larmes d'un soudain éclat victorieux.

— Vous avez peur !... peur !... peur !... Vous me battez parce que vous avez peur.

Belsenza la poussa dehors, elle détala, mais on entendait encore les pieds nus claquer sur les dalles entre les trop nerveux éclats de rire, et sa voix aiguë et acharnée de petite fille toujours dans l'air comme une guêpe: « Peur ! peur ! peur ! » Sur son passage, des fenêtres s'entre-bâillaient sans bruit, comme des coquillages aux rayons de soleil, humant les cris un à un dans le silence de ce quartier pauvre, et nous nous sentions de méchante humeur.

Il y avait des indices plus inquiétants. Bien que la saison pluvieuse fût déjà en vue, la petite colonie étrangère de la ville ne se hâtait pas de quitter Maremma, et il était clair déjà que beaucoup, à l'exemple de Vanessa, prenaient leurs dispositions pour y passer l'hiver, si inconfortables que pussent paraître les quelques palais lézardés de la ville, où le vent circulait trop familièrement. Déjà ce surcroît de population inattendu prélevait largement sur les maigres ressources de la contrée, et faisait présager des difficultés d'approvisionnement qui préoccupaient Belsenza et l'amenaient à s'interroger avec une humeur plus sombre sur les motifs qui pouvaient retenir ces errants désœuvrés jusqu'au cœur même de l'hivernage. De leurs occupations et de leurs projets, ses espions n'arrivaient pas à savoir grand'chose ; il était délicat pour la police de s'intéresser de trop près aux allées et venues de gens dont les noms étaient le bruit même d'Orsenna, et l'influence à la Seigneurie trop certaine. Ils n'avaient d'ailleurs que trop d'occasions de se rencontrer, de la manière la moins suspecte, au milieu de la vie de fêtes où brillaient seulement d'un éclat plus provocant les soirées du palais Aldobrandi, et, devant cette énigme qui prenait plaisir à s'offrir en pleine lumière, Belsenza se sentait irrésolu et bafoué.

— Comprenez-moi bien, me dit-il un jour en me parlant d'une de ces soirées, avec ce regard mi-clos qu'il avait dans ses moments de perplexité, et qui glissait chichement par la fente des paupières comme une pièce de monnaie, il y avait là hier soir le comte Ferzone, la femme du sénateur Monti, et le secrétaire du Conseil des Présides. Si on conspire là dedans, alors c'est Orsenna qui conspire contre elle-même. Je commence à me demander pour qui au juste la police travaille. Qui me dit que ces gens ne seront pas les premiers à lire mes rapports ?

Son regard embusqué cherchait le mien avec insistance. Je savais que mon intimité avec Vanessa avait mis entre nous une gêne : on eût dit que cet œil rusé amorçait un ralliement possible, faisait à travers moi comme une ouverture de paix. Il y avait dans ses épaules lourdes une lassitude, un affaissement.

— ... Ce qui m'inquiète, continua-t-il, c'est qu'Orsenna ne dit rien. Au surplus, ce que nous faisons ici ne sert pas à grand'chose. Cela ne m'amuse pas de faire fouetter des petites filles. Et d'ailleurs...

Il eut un geste désabusé et tourna les yeux vers la fenêtre.

— ... Peut-être que ce qu'ils disent est vrai. Que ça finira mal...

Il se fit un silence dans la pièce ; un pas traînant longeait le canal, perdu dans l'après-midi endormi. Il me semblait que quelque chose cédait doucement sous mon poids comme du sable mouvant, et, machinalement, je fis un pas vers la porte. Belsenza sursauta légèrement, en homme qui se réveille :

— ... Vous allez au palais, puisque la princesse est rentrée de voyage. Heureux homme ! Je n'y vais pas autant que je le voudrais.

Il me regarda d'un air fin, et reprit d'une voix sérieuse :

— ... Je crains parfois qu'on ne m'y invite que pour me rendre moins scabreuse ma présence en *service commandé*. Assurez la princesse qu'elle n'aura jamais d'ennuis de mon côté.

Ainsi le malaise gagnait du terrain, et, jour après jour, on pouvait voir céder de façon inattendue quelque nouvelle défense. Comme une troupe qui s'avance cachée sous un brouillard, une désorientation subtile de l'adversaire préparait et précipitait sa marche. Quand je songeais à l'instruction que j'avais reçue d'Orsenna, et aux échos complaisants qui me revenaient de là-bas aux bruits qui enfiévraient la ville, il me semblait parfois qu'Orsenna se lassait de sa santé endormie, et sans oser se l'avouer eût attendu avidement de se sentir *vivre* et s'éveiller tout entière dans l'angoisse sourde qui gagnait maintenant ses profondeurs. On eût dit que la cité heureuse, qui avait essaimé de toutes parts sur la mer et laissé rayonner si longtemps son cœur inépuisable dans tant de figures énergiques et d'esprits aventureux, au sein de son vieillissement avare appelait maintenant les mauvaises nouvelles comme une vibration plus exquise de toutes ses fibres.

Je quittais Belsenza et je m'enfonçais dans le dédale des rues pauvres du quartier des pêcheurs pour gagner le quai où m'attendait la barque. Si impatient que je fusse de rejoindre Vanessa, je trouvais parfois un charme à m'attarder dans ces ruelles qui zigzaguaient entre les façades aveugles et les tristes jardinets conquis sur les sables, et où tombaient dès le début de l'après-midi de grands pans de fraîcheur. Il y avait là toute une banlieue morne et houleuse, basculée au hasard sur les vagues du bourrelet de dunes qui marquait le contour de la terre ferme, et dont l'abandon lépreux et l'ancienneté croulante étaient rendus plus désolés encore par la remise en marche des sables que la végétation des jardins brûlés ne fixait plus, et dont on voyait parfois, sous la poussée du vent de mer, les fines aigrettes lumineuses pleuvoir intarissables par-dessus le mur d'un enclos comblé et venir feutrer le pavé étroit, comme autant de cascades de silence ; mais si j'élevais la tête au-dessus du mur, la rumeur acharnée du large et les claquements du vent de mer venaient brusquement me gifler le visage. J'aimais ce silence menacé et ses replis d'ombre, comme suspendus sur une clameur profonde et énorme ; je faisais glisser dans mes doigts ce sable qu'avaient vanné tant de tempêtes, et qui maintenant bâillonnait la ville dans le sommeil ; je regardais Maremma s'ensevelir, et en même temps, les yeux blessés, giflé par le vent furieux qui mitraillait le sable, il me semblait sentir la vie même battre plus sauvagement à mes tempes et quelque chose se lever derrière cet ensevelissement. Parfois, au détour d'une rue, une cruche ou un panier de poissons en équilibre sur la tête, apparaissait une femme de pêcheur sous

159

les éternels voiles noirs qui font des groupes à Maremma autant de cortèges de deuil, et dont on ramène un pan sur la bouche pour se protéger de la grêle du sable : elle passait près de moi silencieusement comme un fantôme errant de la ville morte, m'apportant à la fois une odeur de mer et de désert, et toute pareille, ainsi surgie de cette nécropole inhabitable, à ces flammes errantes et funèbres qui s'élèvent et palpitent faiblement sur une terre trop gorgée de mort. La vie s'aventurait sur ces confins extrêmes plus vulnérable et plus nue, dressée sur l'horizon de sel et de sable comme un signe exténué, elle voletait par les rues effacées comme un lambeau de ténèbres oublié dans le plein jour. La lumière baissait déjà sur le large, et il me semblait sentir en moi qu'un désir montait, d'une fixité terrible, pour écourter encore ces journées rapides : le désir que les jours de la fin se lèvent et que monte l'heure du dernier combat douteux : les yeux grands ouverts sur le mur épaissi du large, la ville respirait avec moi dans le noir comme un guetteur sur qui l'ombre déferle, retenant son souffle, les yeux rivés au point de la nuit la plus profonde.

Je trouvais Vanessa tantôt alanguie, tantôt nerveuse ; on eût dit que ces après-midi qu'elle me réservait à moi seul au milieu de l'agitation qu'elle entretenait à plaisir autour d'elle la désorientaient comme un *passage à vide*, et, si tendre et si enjouée qu'elle pût se montrer quelquefois, il me semblait que ce silence et cette tranquillité vide la laissaient déconcertée et incertaine, comme si elle eût craint de se retrouver trop longtemps en tête à tête moins avec moi qu'avec une image d'elle-même, à laquelle ma seule présence la réveillait. Lorsqu'il faisait beau temps, elle me faisait souvent signe par delà le canal du jardin abandonné où je l'avais trouvée le matin de Vezzano — les jours gris, que la saison maintenant multipliait, elle m'attendait dans le salon vide qui m'intimidait toujours. Une fraîcheur montait de l'eau calme et baignait le palais silencieux ; par la grande porte ouverte sur le canal venait par intervalles un bruit tran-

quille d'avirons plongeant dans l'eau morte : j'étais sûr
à cette heure de ne trouver personne que Vanessa, et je
m'attardais parfois un instant sous ces voûtes froides
que mon pas sur les dalles faisait résonner durement :
il me semblait que j'éveillais un château de sommeil ;
par les baies qui donnaient sur la cour intérieure, les
feuillages immobiles du jardin d'hiver paraissaient pris
dans un cristal transparent. Des siècles accumulés avaient
ici usé les angles l'un après l'autre, tamisé les lumières,
feutré toutes choses d'une poussière impalpable jusqu'à
la mise en place de ce chef-d'œuvre de quiétude et de
sommeil, et nulle part peut-être mieux que dans cette
demeure séculaire ne transparaissait le profond génie
neutralisateur de la ville, qui déchargeait les choses de
tout pouvoir de suggestion trop vive, et réussissait à la
longue à donner au décor même de la vie quotidienne
la vertu doucement balsamique et l'insignifiance profonde
d'un paysage. Je songeais alors à ma visite à Sagra et
aux propos que m'avait tenus autrefois Orlando — et à
m'attarder dans les salles de ce palais qui se révélait à
moi dans le silence, à plonger dans l'eau de ces glaces
mortes et de ces canaux engourdis, à respirer cette transparence liquide d'automne, à écouter les craquements
des boiseries s'engrener subtilement dans le silence
suspendu, il me semblait que quelque chose m'était
révélé de son charme et de son irrémédiable condamnation : c'était comme si tout l'effort séculaire d'Orsenna,
toutes les images qu'elle s'était complu à donner de la
vie, eussent visé à une chute de tension presque effrayante,
à une *égalisation* finale où se fussent déchargés toutes les
choses et tous les êtres de leur affirmation de présence
offensante et de leur dangereuse électricité : les formes
trop humanisées, trop longtemps usées par un frottement
trop continu au milieu desquelles s'y perpétuait la vie lui
faisaient comme un vêtement de plus en plus profonde
inconscience, au travers duquel nul contact ne le réveillait
plus. Orsenna chaque matin en s'éveillant endossait le
monde comme un *justaucorps* longtemps porté et fait à

elle, et dans cet excès de familiarité confortable la notion même de ses frontières se perdait ; la conscience faible qu'elle avait d'elle-même s'enracinait lentement dans une terre maintenant si profondément pétrie d'humanité qu'elle semblait à la longue l'avoir entièrement bue, et son âme passée dans l'empreinte qu'elle avait enfoncée au cœur des choses la laissait vacillante sur un vide, penchée jusqu'à la rejoindre sur l'image trop exactement ressemblante qui montait de ces canaux immobiles, comme un homme qui se sentirait glisser lentement de l'autre côté du miroir.

Quand je reviens en pensée sur ces journées unies et monotones, et pourtant pleines d'une attente et d'un éveil, pareilles à l'alanguissement nauséeux d'une femme grosse, je me rappelle avec étonnement combien Vanessa et moi nous semblions avoir peu à nous dire. L'ardeur qui me jetait vers elle se contentait et s'éteignait vite, comme la poussée de fièvre triste de l'après-midi des lagunes. Ce palais si peu fait pour y vivre, aux portes battantes, à la sonorité et à la pénombre d'église, et où les reflets de l'eau mouvante bougeaient éternellement le long des murs, nous était comme un campement instable, une forêt habitable et ouverte sous ses lourds ombrages immobiles, mais dans laquelle perpétuellement un œil eût rôdé. Je ne me sentais jamais tout à fait seul avec Vanessa ; au contraire, couché contre elle, il me semblait parfois de mes doigts pendants au bord du lit dans ma fatigue défaite sentir glisser avec nous l'épanchement ininterrompu d'un courant rapide : elle m'emportait comme à Vezzano, elle mettait doucement en mouvement sur les eaux mortes ce palais lourd — ces après-midi de tendresse rapide et fiévreuse passaient comme emportés au fil d'un fleuve, plus silencieux et plus égal de ce qu'on perçoit déjà dans le lointain l'écroulement empanaché et final d'une cataracte. Parfois, à mon côté, je la regardais s'endormir, décollée insensiblement de moi comme d'une berge, et d'une respiration plus ample soudain prenant le large, et comme roulée par un flot de fatigue heureuse ;

à ces instants elle n'était jamais nue, mais toujours, séparée de moi, ramenait le drap d'un geste frileux et rapide jusqu'à son cou — son épaule qui soulevait le drap, toute ruisselante de sa chevelure de noyée, semblait écarter d'elle l'imminence d'une masse énorme : la longue étendue solennelle du lit l'enfouissait, glissait avec elle de toute sa nappe silencieuse ; dressé sur un coude à côté d'elle, il me semblait que je regardais émerger de vague en vague entre deux eaux la dérive de cette tête alourdie, de plus en plus perdue et lointaine. Je jetais les yeux autour de moi, tout à coup frileux et seul sous ce jour cendreux de verrière triste qui flottait dans la pièce avec la réverbération du canal : il me semblait que le flux qui me portait venait de se retirer à sa laisse la plus basse, et que la pièce se vidait lentement par le trou noir de ce sommeil hanté de mauvais songes. Avec son impudeur hautaine et son insouciance princière, Vanessa laissait toujours battantes les hautes portes de sa chambre : dans le demi-jour qui retombait comme une cendre fine du rougeoiement de ces journées brèves, les membres défaits, le cœur lourd, je croyais sentir sur ma peau nue comme un souffle froid qui venait de cette enfilade de hautes pièces délabrées ; c'était comme si le tourbillon retombé d'un saccage nous eût oubliés là, terrés dans une encoignure, comme si mon oreille dressée malgré moi dans l'obscurité eût cherché à surprendre au loin, du fond de ce silence aux aguets de ville cernée, la rafale d'une chasse sauvage. Un malaise me dressait tout debout au milieu de la chambre ; il me semblait sentir entre les objets et moi comme un imperceptible surcroît de distance, et le mouvement de retrait léger d'une hostilité murée et chagrine ; je tâtonnais vers un appui familier qui manquait soudain à mon équilibre, comme un vide se creuse devant nous au milieu d'amis qui savent déjà une mauvaise nouvelle. Ma main serrait malgré elle l'épaule de Vanessa ; elle s'éveillait toute lourde ; sur son visage renversé je voyais flotter au-dessous de moi ses yeux d'un gris plus pâle, comme tapis au fond d'une curiosité sombre et endormie — ces yeux m'engluaient, me halaient comme un plongeur vers leurs reflets visqueux d'eaux profondes ; ses bras se dépliaient, se nouaient à moi en tâtonnant dans le noir ; je sombrais avec elle dans l'eau plombée d'un étang triste, une pierre au cou.

Je trouvais une délectation lugubre dans ces nuits de Maremma, passées parfois tout entières auprès d'elle, qui sombraient par le bout — comme les pilotis de la lagune dans le gonflement matinal de l'eau noire — au creux d'un déferlement de lassitude, comme si la perte de ma substance qui me laissait exténué et vide m'eût accordé à la défaite fiévreuse du paysage, à sa soumission et à son accablement. Au travers de l'atmosphère saturée de ce pays des eaux, le fourmillement des étoiles par la fenêtre ne scintillait plus ; il semblait que de la terre prostrée ne pût désormais se soulever même le faible souffle qui s'échappe d'un poumon crevé : la nuit pesait de tout son poids sur elle dans son gîte creusé de bête lourde et chaude. Quelquefois, derrière la barre de la lagune, un aviron par intervalles tâtait l'eau gluante, ou tout près s'étranglait le cri falot et obscène d'un rat ou de quelque bête menue comme il en rôde aux abords des charniers. Je me retournais sous cette nuit oppressante comme dans le suint d'une laine, bâillonné, isolé, cherchant l'air, roulé dans une moiteur suffocante ; Vanessa sous ma main reposait près de moi comme l'accroissement d'une nuit plus lourde et plus close : fermée, plombée, aveugle sous mes paumes, elle était cette nuit où je n'entrais pas, un ensevelissement vivace, une ténèbre ardente et plus lointaine, et toute étoilée de sa chevelure, une grande rose noire dénouée et offerte, et pourtant durement serrée sur son cœur lourd. On eût dit que ces nuits à la douceur trop moite couvaient interminablement un orage qui ne voulait pas mûrir — je me levais, je marchais nu dans les enfilades de pièces aussi abandonnées qu'au cœur d'une forêt, presque gémissantes de solitude, comme si quelque chose d'alourdi et de faiblement voletant m'eût fait signe à la fois et fui de porte en porte à travers l'air stagnant de ces hautes galeries moisies — le sommeil se refermait mal sur mon oreille tendue, comme quand nous a éveillé dans la nuit la rumeur et la lueur lointaine d'un incendie. Quelquefois, en revenant, je voyais de loin une ombre remuer sur le sol, et, à la lueur de la lampe, les mains de Vanessa, qui soulevait ses cheveux emmêlés sitôt qu'elle s'éveillait, faisaient voleter sur les murs de gros papillons de nuit ; les traits légèrement exténués aux lumières, elle paraissait lasse et pâle, sérieuse, toute recouverte encore d'un songe qui donnait trop à penser, et la lumière immobile de la lampe ne me rassurait pas. Une fois sa voix s'éleva, bizarrement impersonnelle, une voix de médium ou de somnambule, qui semblait en proie à l'évidence d'un délire calme.

— Tu me laisses seule, Aldo. Pourquoi me laisses-tu toute seule dans le noir ? Je sentais que tu m'avais quittée, je faisais un rêve triste...

Elle leva sur moi des yeux de sommeil :

— ... Il n'y a pas de fantôme dans le palais, tu sais. Viens, ne me laisse pas seule.

Je caressai le front et la douce naissance des cheveux, tout amolli de tendresse par cette voix d'enfance.

— Est-ce que tu as peur, Vanessa ? Peur la nuit, au cœur de ta forteresse... Et quelle forteresse ! grands dieux... Des panoplies jusque dans notre chambre. Et les quatorze Aldobrandi qui montent la garde en effigie.

Les yeux fermés, elle tendait ses bras tièdes et la moue de sa bouche gonflée de toute petite fille, et je l'embrassais avec emportement, comme on mord les bonnes joues d'une douce pomme offerte, mais le passage d'un seul souffle léger la rejetait sur le lit, claquant des dents, toute frissonnante.

— Ah ! j'ai froid.

Elle prenait ma main, nerveuse, sérieuse, son regard flottant par la galerie ouverte, comme sur un lointain de sous-bois.

165

— Que c'est triste ici, Aldo ! Pourquoi suis-je venue ici ? J'ai horreur de ces murs nus — toujours à regarder les vagues, les bancs de brouillard.

Sa voix était tout contre mon oreille.

— ... On est comme dans un port saccagé, les écluses rompues. On dirait qu'on dérive dans ces pièces trop grandes. On est comme dans un navire mal ancré.

— Mais c'est toi qui veux toutes ces portes ouvertes, Vanessa. Il me semble toujours un peu que nous sommes couchés dans la rue.

— Pauvre Aldo !

Elle caressait mes cheveux d'une main distraite.

— ... Comme tu es gentil et sage. Quel enfant obéissant !...

Une vague d'ombre passa sur elle et son visage se détourna.

— ... Et quand même nous serions dans la rue, quand bien même tout le monde passerait ici, dans cette chambre, qu'importe, Aldo.... Que veux-tu que cela fasse ? Qui veux-tu qui nous voie ?

La voix s'élevait comme une confession étouffée et triste.

— ... A qui veux-tu qu'on ait affaire ici, vraiment ? Quand je suis venue ici, j'étais à bout d'ennui, excédée, j'étais dure et serrée, je voulais me pétrir, me faire roide et dure entre mes mains comme une pierre, une pierre qu'on jette à la figure des gens. Je voulais me heurter enfin à quelque chose, fracasser quelque chose comme on casse une vitre, dans cet étouffement. Il y a eu ici, je t'en réponds, en fait de scandales et de provocations, des choses qui passaient la mesure, et non pas drôlement, Aldo, gravement, oui, gravement.

Elle haussa les épaules, lasse.

— ... C'était comme une pierre qu'on jette dans la lagune. Il y avait une petite onde de curiosité lassée, puis l'eau lourde qui se referme. Ce n'était pas que je visais mal. Mais il y a des bêtes qui digèrent jusqu'aux pierres qu'on leur jette, qui ne sont plus qu'une digestion énorme — une poche, un estomac. Et moi aussi je me sentais digérée. Inoffensive, tu comprends, — assimilée — c'est terrible, cette égalité dans la mangeaille, cet écroulement en vrac comme du grain dans un estomac — et s'il y a quelques grains de sable, il n'en digère que mieux. On contribue...

Elle secoua la tête avec désespoir.

— ... Et quand nous serions dans la rue, quand même tu me prendrais dans la rue, qu'est-ce que cela peut faire ? Que veux-tu que cela fasse ? Il y a des yeux ici qui se posent sur vous, Aldo, mais, tu comprends, cela ne va pas plus loin ; il n'y a pas de *regard*. Et moi, j'avais besoin de ce regard. Oh ! oui, regarder. Etre regardée. Mais de tous ses yeux. Mais pour de bon. Etre en présence...

Je me penchais sur elle ; j'écoutais s'échapper d'elle, incrédule, ce cri panique, ce flot véhément comme le sang répandu. Elle me paraissait soudain extraordinairement belle, — d'une beauté de perdition, — pareille, sous sa chevelure lourde et dans sa dureté chaste et cuirassée, à ces anges cruels et funèbres qui secouent leur épée de feu sur une ville foudroyée. Elle se dressa sur son coude lentement, et, fixant ses yeux dans les miens, parla d'une voix calme :

— Ce que je pense, tu le penses aussi, Aldo, n'est-ce pas ? Je suis sûre que tu m'as comprise.

Je la regardai dans les yeux à mon tour :

— Je crois te comprendre, Vanessa, mais tu ne l'ignores plus, ce regard. Maremma le nomme. Il n'est pas bienveillant, et tu sais de toujours, toi et les tiens, ce qu'il signifie.

Elle serra sur mon bras une main paisible, nocturne.

— Oui. Tu le sais aussi, et depuis que tu es venu ici, tu n'as pas vécu pour autre chose. C'est pourquoi je suis allée te voir dans la salle des cartes et pourquoi je t'ai conduit à Vezzano ; et ce qu'il t'est donné à présent de faire, toi aussi tu le sais maintenant.

Cette nuit-là, je ne me rendormis pas, et je la passai

tout entière dans le trouble et la terrible exaltation nerveuse d'une première nuit d'amour. Vanessa, auprès de moi, reposait comme vidée de son sang, la tête fauchée par un sommeil sans rêves ; écartelée comme une accouchée, elle fléchissait le lit appesanti. Elle était la floraison germée à la fin de cette pourriture et de cette fermentation stagnante — la bulle qui se rassemblait, qui se décollait, qui cherchait l'air dans un bâillement mortel, qui rendait son âme exaspérée et close dans un de ces éclatements gluants qui font à la surface des marécages comme un crépitement vénéneux de baisers.

Le jour filtra dans la pièce. Vanessa était déjà levée. Vêtue à la hâte, elle allait et venait dans la chambre, et j'observai à travers mes paupières à demi fermées qu'elle guettait mon réveil. Dans son long peignoir gris et onduleux, elle avait le piétinement incertain et le volètement gauche d'un oiseau de passage abrité dans une grotte qui cherche au réveil son sens et sa direction. Elle vint à moi, s'agenouilla au bord du lit d'un geste tendre, m'entoura de ses bras tout frais du vent de mer, et il me sembla que je prenais sur ses lèvres le goût du sel.

— Je vais te laisser seul pour quelques jours, Aldo. Tu sais qu'il faut que je retourne à Orsenna.

— Déjà, Vanessa ?

Elle ne répondit pas, mais posa sa tête sur ma poitrine, et je la serrai dans mes mains contre moi avec une passion encore inconnue.

— Ce sera si court. Tu te souviendras de cette nuit ?...

Elle ajouta en baissant sa tête confuse :

— ... C'était une grande nuit, tu sais, Aldo...

Et soudain, d'un geste emporté et gauche, elle baisa mes deux mains.

— ... Comme tu as des mains fortes, Aldo. Si puissantes, si fortes...

Elle frottait contre elles sa joue à petits coups, doucement.

— ... Des mains qui tiennent la joie et la perdition ; des mains où l'on voudrait se confier et se remettre, même si c'était pour tuer, pour détruire — même si c'était pour finir.

—Mais il n'est pas question de finir, Vanessa. Tu me rends si heureux. Est-ce que tu n'es pas heureuse ?

Elle me regarda de ses grands yeux fixes.

— Oh ! si, mon chéri, si. Mais je voulais te dire : je suis brave et je n'ai pas peur de ce qu'elles m'apportent. Même si c'était pour finir...

Elle s'ébroua, éparpilla sa chevelure comme un mauvais nuage ; je plongeai mes mains dans son abri tiède, pelotonné de toute ma tendresse dans une fausse sécurité, et mon cœur alourdi sentait couler les minutes, comme un écolier tapi qui grignote les secondes, qui recule encore l'arrachement glacial du réveil.

— ... Tu sais que j'emmène Marino à Orsenna. Il m'a demandé une place dans la voiture. On s'occupe beaucoup de lui à la Seigneurie, décidément, ajouta-t-elle d'une voix lourde de sous-entendus. De toutes façons, tu vas être seul à l'Amirauté pour quelques jours...

Elle ajouta, d'un ton bizarre, et qui ne me parut ironique qu'à demi :

— ... Le maître après Dieu, Aldo... C'est bien ainsi que vous dites, n'est-ce pas ?

Vanessa partie, je me sentis désœuvré et chagrin, et je décidai de passer à Maremma un jour encore. C'était la veille de Noël, et dans cette soirée la réclusion entre les murs humides de l'Amirauté me paraissait brusquement trop lourde. Il y aurait foule dans les rues, et un instinct me poussait à me mêler une dernière fois au plus profond de la foule. Dans ces journées douteuses où je sentais vaciller le génie de la ville, il était l'instinct qui nous pousse sur le pont, la joue contre les mille bonnes joues pleines et encore vivantes, quand le navire tremble sur sa quille et que le choc géant monte à nous dans la vibration de la profondeur.

A flâner au long des quelques rues commerçantes de Maremma, il me sembla qu'à la veille de cette solennité attendue le pouls de la petite ville battait plus fiévreusement. La tradition dans les territoires d'Orsenna, en cette veille de Noël, était de se costumer de couleurs vives et de manteaux de laine bariolés qui rappelaient le désert et replaçaient au bord de ces sables la commémoration de la Nativité dans son lointain d'Orient, mais il me parut que cette année le déguisement pieux prêtait, dans l'esprit de beaucoup, à un double sens et à une supercherie de signification particulière. Parmi les cortèges qui parcouraient les rues et rougeoyaient çà et là un instant aux illuminations pauvres, je remarquai que des silhouettes repassaient qui, beaucoup plus que l'Orient millénaire, rappelaient à l'œil les draperies grises et rouges et les amples vêtements de laine flottants à longues rayures des peuplades des sables, dont l'usage était resté populaire dans le Farghestan. Leur passage soulevait les clameurs des gamins, aux yeux de qui ces oripeaux font reconnaître de longtemps l'Ogre des légendes enfantines, mais il était douteux que ce fût aux enfants seulement que les masques eussent souhaité faire peur. Des regards soudain plus brillants venaient se coller de partout à ces silhouettes, et d'avance les guettaient ; il était visible que ce travesti équivoque, plus que tout autre chose, aiguisait l'atmosphère tendue, et que la foule s'y complaisait malsainement, comme on trouve un charme frileux, et peut-être le sentiment d'une *présence à soi* plus trouble, aux premiers frissons d'une fièvre légère. On eût dit que la foule se caressait à ce fantôme comme au seul miroir dont le reflet lui prêtât encore chaleur et consistance.

— Que dites-vous de ce lâcher de Bédouins, monsieur l'Observateur ? me lança abruptement Belsenza que je heurtais au coin d'une rue.

Il était de mauvaise humeur, et visiblement en veine de grossièreté.

— Je ne sais ce qui me retient de soulever un de ces voiles de tête crasseux. J'ai idée qu'il s'y frotte plus d'un nez morveux que j'ai mouché il n'y a guère longtemps.

Je répliquai un peu sèchement :

— Je ne vous le conseille guère. Les gens sont nerveux. Et ce n'est pas un jour pour une rafle de police.

— J'ai d'autres raisons, et des meilleures, pour n'en rien faire, rassurez-vous.

D'un air de mystère, Belsenza me tira brusquement par la manche dans une encoignure.

— ... Savez-vous ce qu'on dit ? On dit que notre mascarade bénite est un prétexte commode à certains pour ne plus se gêner, et qu'il y a à prendre le frais ce soir, derrière ces persiennes à mouches, quelques têtes qui ne sont aucunement de par ici.

— Bah !

De toute évidence, Belsenza ce soir sentait le vin.

— J'ai l'ordre d'agir avec prudence, bon. Entendre, c'est obéir — le métier a ses exigences. Mais je vous le jure, monsieur l'Observateur, ces têtes de carême ne viendront plus ici me faire la nique très longtemps. On croit tout de même pouvoir en prendre trop à son aise avec nous, *là-bas*...

Il me saisit le bras et s'écarta un peu d'un geste de théâtre, de seconde en seconde plus chaleureux.

— ... Nous avons, monsieur l'Observateur, assez avalé de couleuvres, vous en êtes témoin. Mais assez, c'est assez. J'y perdrai ma place, soit. Mais je le disais ce soir encore au syndic de la Consulta : il y a un temps pour la patience... Orsenna n'est pas une vieille paillasse, mûre pour la vermine du désert... On nous cherche ; on nous trouvera (le geste était tranchant et décidément noble)... Venez à Saint-Damase, ce soir, ajouta-t-il en clignant de l'œil, d'une voix filante et rapide.

Je le regardai s'éloigner. Je me demandais jusqu'à quel point il jouait un rôle, profitait de l'alcool pour ménager une transition. Mais le sens de ce langage grossier de bravache n'était plus douteux. Belsenza à la fin avait trouvé trop difficile de se sentir aussi seul. La dérive mécanique de cette âme vulgaire, qui dérapait soudain de sa berge, marquait que les eaux avaient atteint maintenant un certain étiage critique.

171

Je revins dîner avec ennui au palais : le contact électrisant de la foule m'avait rendu plus déprimante la solitude. Lorsque les premières cloches sonnèrent pour l'office de nuit, je me retrouvai presque involontairement au rendez-vous que m'avait fixé Belsenza, devant les hautes coupoles persanes de Saint-Damase. Mon désœuvrement n'était pas seul en cause ; le lieu par lui-même attirait ma curiosité.

Il n'était guère, dans les territoires du Sud, d'église plus célèbre, moins encore à cause des emprunts très frappants à l'architecture orientale qui se trahissaient dans ses coupoles dorées et vermiculées que par la suspicion opiniâtre attachée à la liturgie et aux rites qu'elle abritait. Beaucoup plus profondément que dans le Nord, l'Eglise officielle avait dû composer ici autrefois avec les hérésies et les querelles intérieures du christianisme oriental, et les coupoles de Saint-Damase figuraient depuis des siècles le signe de ralliement électif de tout ce qui surgissait dans la pensée religieuse d'Orsenna de turbulent et d'aventureux. Le centre, pendant longtemps, d'une petite communauté de marchands des Syrtes rattachés au hasard de leurs relations de voyage aux Eglises nestoriennes d'Orient, puis d'une secte initiatique dont les liens avec les groupes secrets des « frères intègres » en terre d'Islam paraissent avoir été moins que douteux, les légendes locales en savaient long sur les conciliabules qu'avaient abrités ces coupoles mauresques et ces hautes voûtes noires aux suintements de cave sous lesquelles avaient prié, aux pieds d'un Dieu inscrutable, Joachim de Flore et Cola di Rienzi. Finalement frappée d'interdit, la rebelle incorrigible était restée longtemps close, environnée d'ailleurs peu à peu d'un bizarre respect populaire, qui tenait sans doute à ses formes et à son ornementation exotique et mal comprise, et peut-être aussi, si l'on scrutait plus à fond cette réserve pleine de secrète faveur, au sentiment d'une *contre-assurance* et d'une sûreté obscurément prise vis-à-vis de la divinité régnante et officielle, qui faisait dire avec finesse à

172

Marino, bon connaisseur des Syrtes à ses heures, que
Maremma « avait épousé Saint-Vital (la cathédrale)
devant Dieu, et Saint-Damase de la main gauche ». Sans
doute le clergé avait-il jugé à la longue que le risque
d'hétérodoxie était à tout prendre moins grave que l'amas
de songe qui s'alourdissait sur cette châsse en déshérence,
trop attirante et trop ostensiblement dédiée à l'Obscur,
car depuis quelques années, après une cérémonie expia-
toire, l'église avait été rouverte au culte, et l'attirance
maligne officiellement exorcisée au prix de ce que l'intransigeance du clergé monastique n'hésitait pas à
nommer une capitulation déguisée. Le cours des choses
n'était pas sans lui donner raison ; il était patent — la
documentation réunie par Belsenza ne laissait là-dessus
aucun doute — que Saint-Damase s'était trouvé être
aussitôt, dans l'atmosphère très spéciale qu'on respirait
maintenant à Maremma, le point de rassemblement choisi
et difficile à surveiller des alarmistes et des propagateurs
de rumeurs, en même temps que le rendez-vous à la mode
des riches hivernants sceptiques dont le nombre se multipliait dans la ville. Vanessa, bien qu'incroyante, y fré-
quentait elle-même assidûment, et ne donnait là-dessus
que des justifications évasives ; elle passait pour protéger
son clergé, où les tendances illuministes avait repris
racine comme par enchantement, et, par son entremise
peut-être, j'avais l'impression que s'étendait sur ce
brasillement fumeux, et à partir des plus hautes sphères
d'Orsenna, l'effet de la *permission supérieure* qu'évoquaient intimement pour moi les instructions venues de
la Seigneurie. Saint-Damase était une des fissures par
lesquelles les vapeurs suspectes avaient envahi les rues.
Un coup d'œil sur cette crypte qui sentait le soufre
n'était pas de trop.

L'église s'élevait près de l'endroit où la langue de sable
s'enracinait à la côte, au milieu d'un misérable quartier
de pêcheurs que rappelaient, même dans ce jour solennel,
les éléments naïfs et à dessein pauvres de toute sa déco-
ration. Des filets rapiécés tapissaient les murs, et, selon

la très vieille coutume des marins des Syrtes, une barque
de pêche avec tous ses agrès, tirée jusque devant l'autel
sur des roues, remplaçait la crèche : sous son buisson
de lumières, le berceau creux et flottant transposait
étrangement cette scène si paysanne, en faisait une
nativité plus menacée, une naissance au péril de la mer.
Autour du brasier de lumières à l'aplomb de la coupole,
le reste de la nef était très sombre, mais il en venait
cette communication magnétique et presque tactile,
pareille à l'air aspiré tremblant au-dessus d'une route
chaude, qui monte d'une foule communiant dans l'extrême ferveur. Cette ferveur ne devait rien à la rumination
bovine des dimanches trop connus d'Orsenna, et qui n'exprimait que le bien-être du troupeau recompté, enfoncé
jusqu'aux narines dans la macération de sa propre odeur ;
ce qu'on pouvait flairer çà et là dans les rues à l'état de
traces, comme une de ces senteurs exotiques qui soudain
dilatent les narines, on le recevait ici tout à coup sur la
face comme un coup de poing. Un levain puissant brassait
cette foule et soufflait bien au-dessus d'elle les hautes
coupoles ; cette foule compacte de visages au ras desquels elle voguait épaulait la barque mystique ; elle
oscillait monotonement au rythme de son chant profond
et retrouvé ; dans cette nuit portée au plus creux de
l'hiver comme un œuf nocturne, il me semblait qu'à
l'haleine des voix chaudes et réveillées je sentais sous
mes pas la glace craquer et fondre, et que, le cœur battant, je sentais venir comme de dessous terre une mauvaise fièvre, — un dégel trop brusque, un printemps
condamné. Comme la bourrasque qui soulève les feuilles
mortes, le vieux chant manichéen s'élevait sur la foule,
pareil à un vent venu de la mer :

> Il vient dans l'ombre profonde,
> Celui dont mes yeux ont soif.
> Et sa Mort est la promesse,
> Et sa Croix soit mon appui.
> O Rançon épouvantable,

O Signe de ma terreur,
Le ventre est pareil à la tombe
Pour la Naissance de douleur.

Elle était poignante, cette voix qui reprenait l'étrange
et funèbre cantique venu du fond des temps, pareil au
claquement d'une voile noire sur cette fête de joie ; cette
voix d'entrailles qui se *posait* si naïvement dans la tonalité
lugubre de son passé profond. Et je ne pouvais l'écouter
sans tressaillement, pour tout ce qu'elle trahissait de
sourde panique. Comme un homme en péril de mort à
qui le nom de sa mère monte aux lèvres, à l'instant des
obscurs dangers Orsenna se retranchait dans ses Mères
les plus profondes. Pareille au vaisseau dans la bourrasque,
qui d'instinct se présente tout debout à la lame, elle
réinvestissait dans un cri toute sa longue histoire, se
l'incorporait ; confrontée avec le néant, elle assumait
d'un seul coup sa haute stature et son intime différence ;
et pour la première fois peut-être, roulé dans une terrible
véhémence, j'entendais monter de ses profondeurs le
timbre nu de ma propre voix.
    Cependant le chant cessa : un silence plus attentif
annonça que l'émotion de la foule attendait de se con-
sommer maintenant dans un signe intelligible, et que
l'officiant allait prendre la parole. Je le regardais maintenant avec une attention aiguë. Il portait la robe blanche
des couvents du Sud, et quelque chose en lui — son
regard myope et voilé, d'une douceur lointaine et en
même temps d'une concentration maniaque — parlait
de ces redoutables visionnaires, pareils à des charbons à
demi mangés par la flamme des mirages et le feu des
sables, qu'Orsenna avait vus surgir si souvent de la
frange du désert. Marchant vers la chaire, il ondulait
entre les rangs sans les toucher comme une flamme
blanche, puis, quand il eut gravi les marches, le buisson
de cierges l'éclaira par-dessous et fit jaillir des mâchoires
une dure ombre carnassière ; la face entière sembla
venir affleurer à la surface indécise de la nuit ; il se fit

175

dans l'assistance un resserrement imperceptible, aussi intime que des mains qui se touchent, et je compris que le temps des prophètes était revenu.

Il rappela d'abord d'un ton neutre, et où se traduisait comme une hésitation ou une lassitude, la place très insigne que la liturgie accordait à cette fête, et se félicita, comme d'une marque particulière de la faveur providentielle, qu'elle pût être célébrée en cette année avec tout son éclat habituel à Saint-Damase, « voix entre toutes les voix unies en cette nuit dans le chœur de l'Eglise militante à laquelle fut toujours accordée une résonance particulière, et dans le cœur de notre peuple une insigne efficacité ». Après cet exorde sans couleur, la voix marqua une pause et s'éleva peu à peu plus tranchante et plus claire, comme une lame qu'on tire lentement de son fourreau.

— Il y a quelque chose de profondément troublant, et pour certains d'entre vous il y a comme une dérision amère, à songer que cette fête de l'attente comblée et de l'exaltation divine de l'Espérance, il nous est donné de la célébrer cette année sur une terre sans sommeil et sans repos, sous un ciel dévoré de mauvais songes, et dans des cœurs étreints et angoissés comme par l'approche de ces Signes mêmes dont l'annonce redoutable est écrite au Livre. Et cependant, dans ce scandale de notre esprit auquel notre cœur n'a point de part, je vous invite à lire, frères et sœurs, une signification cachée, et à retrouver dans le tremblement ce qu'il nous est permis de pressentir du profond mystère de la Naissance. C'est au plus noir de l'hiver, et c'est au cœur même de la nuit que nous a été remis le gage de notre Espérance, et dans le désert qu'a fleuri la Rose de notre salut. En ce jour qu'il nous est donné maintenant de revivre, la création tout entière était prostrée et muette, la parole ne s'élevait plus, et le son même de la voix ne trouvait plus d'écho ; dans cette nuit où les astres s'inclinaient au plus bas de leur course, il semblait que l'esprit de Sommeil pénétrât toutes choses et que la terre, dans le cœur même de l'homme, se réjouît

176

de sa propre Pesanteur. Il semblait que la création même pesât à la fin de toute sa masse comme une pierre écrasante sur le souffle scellé de son Créateur, et que l'homme se fût couché de tout son long sur cette pierre, comme celui qui tâte dans l'ombre vers la place de son sommeil. Car il est doux à l'homme de tirer le drap sur sa tête ; et qui d'entre nous n'a pourchassé plus avant ses songes, et pensé qu'il pourrait mieux dormir s'il se faisait de son corps même une couche commode, et de sa tête un oreiller ? Il y a aussi des lits clos pour l'esprit. Ici, en cette nuit, je maudis en vous cet enlisement. Je maudis l'homme tout tissu aux choses qu'il a faites, je maudis sa complaisance et je maudis son consentement. Je maudis une terre trop lourde, une main qui s'est empêtrée dans ses œuvres, un bras tout engourdi dans la pâte qu'il a pétrie. En cette nuit d'attente et de tremblement, en cette nuit du monde la plus béante et la plus incertaine, je vous dénonce le Sommeil et je vous dénonce la Sécurité.

Il se fit dans l'assistance comme un frémissement d'attention, et des toussotements çà et là s'étouffèrent dans l'ombre.

— ... Reportons-nous en notre cœur, avec tremblement et espérance, — et ceci nous est plus facile qu'à bien d'autres, — à cette nuit profondément décevante qui est jour, à cette aube qui se roule encore comme un voile autour de la Lumière incréée. Déjà de cette naissance pressentie la terre est grosse, et pourtant, ce qu'elle a choisi pour s'y cacher, c'est la nuit du trouble conseil et des mauvais présages, et ce qui marche devant elle et l'annonce comme la poussière au-devant d'une armée, c'est une rumeur sinistre, le sang répandu, et les présages mêmes de la destruction et de la mort. En cette nuit même, il y a des siècles, des hommes veillaient, et l'angoisse les serrait aux tempes ; de porte en porte ils allaient, étouffant les nouveau-nés à peine sortis du sein de leur mère. Ils veillaient pour que l'attente ne s'accomplît point, ne laissant rien au hasard afin que le repos ne fût point troublé et que la pierre ne fût point descellée. Car

177

il est des hommes pour qui c'est chose toujours mal venue que la naissance ; chose ruineuse et dérangeante, sang et cris, douleur et appauvrissement, un terrible remue-ménage — l'heure qu'on n'a point fixée, les projets qu'elle traverse, la fin du repos, les nuits blanches, toute une tornade de hasards autour d'une boîte minuscule, comme si l'outre même de la fable venait de se rompre où l'on avait enfermé les vents. (Et il est vrai que la naissance aussi apporte la mort, et le présage de la mort. Mais elle est le Sens.) Je vous parle d'une espèce d'hommes qui n'est point morte, de la race de la porte close, de ceux qui tiennent que la terre a désormais son plein et sa suffisance ; je vous dénonce les sentinelles de l'éternel Repos.

» O frères et sœurs, dans cette incertitude épouvantable de la nuit, qu'ils sont rares ceux qui fêtent du fond de leur cœur la Naissance. Ils viennent du fond de l'Orient, et ils ne savent rien de ce qui leur est demandé ; ils n'ont pour guide que le signe de feu qui brille indifféremment dans le ciel quand va se répandre le sang des grappes ou le sang des désastres ; ils ont charge d'un royaume aux richesses fabuleuses, et il semble qu'il y ait sur leur vêtement au fond de cette nuit une lueur encore, comme quand on voit crouler faiblement au fond d'une cave l'amoncellement inestimable du trésor. Ils sont partis pourtant, laissant tout derrière eux, emportant de leurs coffres le joyau le plus rare, et ils ne savaient à qui il leur serait donné de l'offrir. Considérons maintenant, comme un symbole grand et terrible, au cœur du désert ce pèlerinage aveugle et cette offrande au pur Avènement. C'est la part royale en nous qui avec eux se met en marche sur cette route obscure, derrière cette étoile bougeante et muette, dans l'attente pure et dans le profond égarement. Dans le fond de cette nuit, déjà, ils sont en marche. Je vous invite à entrer dans leur Sens et à vouloir avec eux aveuglément ce qui va être. Dans ce moment indécis où il semble que tout se tienne en suspens et que l'heure même hésite, je vous invite à leur suprême Désertion. Heureux qui sait se réjouir au cœur de la nuit, de cela seulement qu'il sait qu'elle est grosse, car les ténèbres lui porteront fruit, car la lumière lui sera prodiguée. Heureux qui laisse tout derrière lui et se prête sans gage ; et qui entend au fond de son cœur et de son ventre l'appel de la délivrance obscure, car le monde séchera sous son regard, pour renaître. Heureux qui abandonne sa barque au fort du courant, car il abordera sur l'autre rive. Heureux qui se déserte et s'abdique lui-même, et dans le cœur même des ténèbres n'adore plus rien que le profond accomplissement...

De nouveau, le prédicateur marqua une pause ; sa voix s'éleva maintenant plus lente et voilée de gravité.

— ... Je vous parle de Celui qu'on n'attendait pas, de Celui qui est venu comme un voleur de nuit. Je vous parle de lui ici en une heure de ténèbres et sur une terre peut-être condamnée. Je vous parle d'une nuit où il ne faut pas dormir. Je vous apporte la nouvelle d'une ténébreuse naissance, et je vous annonce que l'heure maintenant nous est présente où la terre une fois encore sera tout entière soupesée dans Sa main ; et le moment proche où à vous aussi il vous sera donné de choisir. O puissions-nous ne pas refuser nos yeux à l'étoile qui brille dans la nuit profonde et comprendre que du fond même de l'angoisse, plus forte que l'angoisse s'élève dans le ténébreux passage la voix inextinguible du désir. Ma pensée se reporte avec vous, comme à un profond mystère, vers ceux qui venaient du fond du désert adorer dans sa crèche le Roi qui apportait non la paix, mais l'épée, et bercer le Fardeau si lourd que la terre a tressailli sous son poids. Je me prosterne avec eux, j'adore avec eux le Fils dans le sein de sa mère, j'adore l'heure de l'angoissant passage, j'adore la Voie ouverte et la Porte du matin.

La foule brusquement ondula en s'agenouillant de cet affaissement sans hâte et presque paresseux des blés sous un coup de faux, et toute la profondeur de l'église reflua pour me gifler le visage dans un puissant, un sauvage murmure de prières. Elle priait épaule contre épaule, dans une immobilité formidable, figeant l'espace de ces hautes voûtes en un bloc si compact qu'il serrait les tempes et que l'air semblait soudain manquer à mes poumons. La fumée des cierges, tout à coup, me piqua les yeux âcrement. Je ressentais entre les épaules comme une pesée lourde, et l'espèce de nausée éblouissante qu'on éprouve à fixer un homme qui perd son sang.

Je ne cherchai pas Belsenza dans cette foule. Dans l'émotion qui m'avait serré à la gorge, je me représentai avec dégoût — un dégoût inexprimable — le raclement sur moi de son œil lent et myope, comme une lame qui tâte vers le défaut de la cuirasse. Je sautai dans une barque de louage. La nuit pesante et humide m'attirait ; au lieu de rentrer au palais, je fis prendre par le travers de la lagune.

Il faisait bon dans cette nuit froide et salée. Devant moi le palais Aldobrandi, tous feux éteints, flottait comme une banquise sur l'eau calme ; à ma gauche les rares lumières de Maremma plongeaient jusque dans la mer une constellation amaigrie, comme si, la terre dévorée, l'horizon d'eau lui-même eût reculé devant la morsure de ce fourmillement d'astres. On eût dit que Maremma se fondait dans ce bloc nocturne, s'y diluait, une ville dissoute dans son Heure et sa Figure, engloutie sous le balisage de ces minuscules clous de feu.

Je me perdis longtemps dans cette nuit promise. Je me fuyais au sein de son vague et de son éloignement. L'humidité perlait sur mon manteau en gouttelettes froides ; dans le cercle de lumière faible que projetait le fanal de la barque, la lagune clapotait inépuisable contre le bordage. Je sombrais insensiblement dans le sommeil. L'image de Marino assis dans son bureau de l'Amirauté passait par instants devant mes yeux avec son étrange sourire de ruse et de connaissance ; il oscillait devant moi au rythme de la barque comme un homme qui marche sur les eaux, pareil à un pantin dérisoire, puis les oscillations se firent moins amples ; un instant le visage se tint devant moi dans une immobilité pesante, et je sentis plonger dans les miens ses yeux taciturnes et fixes, mais aussitôt je m'endormis.

Je retrouvai l'Amirauté moins somnolente qu'on eût pu le croire après les festivités de la veille. Le *Redoutable* était à quai, ses ponts débarrassés de leur habituel désordre ; des hommes s'affairaient auprès du tas de charbon. Fabrizio, qui sortait de la grande salle, y rentra précipitamment en m'apercevant, et tout à coup on entendit éclater à l'intérieur un concert assourdissant de sifflets réglementaires, comme quand l'amiral rejoint la flotte ancrée sous le grand pavois.

— Tout le monde sur le pont. Voilà le capitaine ! cria Fabrizio.

Je compris que la plaisanterie s'était concertée de longue main. Les trois acolytes m'attendaient sabre au clair, raidis dans un alignement perfide ; on entendit même quelques notes de l'hymne officiel. Salué par des hurrahs, je décrétai aussitôt une distribution de denrées liquides. Il y eut de grandes claques sur l'épaule. Je me replongeais, bizarrement ému, dans cette camaraderie sans arrière-pensées : nous étions jeunes tous les quatre, et si dispos, si pleins de force, si mêlés dans le soleil de cette claire matinée sèche, que j'avais envie de les embrasser.

— ... Et il va com-man-der-en-chef-à la mer... commenta Fabrizio avec un sifflement d'admiration révérencieuse... Entre nous, il était tout de même temps que tu arrives. Que je te remette d'abord le bref du Saint-Siège, ajouta-t-il en cessant de bouffonner et en me tendant une enveloppe. Pour sa lenteur de patriarche boucané et ses goûts décidément sédentaires, c'était le titre qu'entre nous nous donnions parfois plaisamment à Marino.

Le mot de Marino était court, et semblait avoir été écrit à la hâte. Dans son amitié délicate, il ne s'était point soucié avec moi des formes réglementaires, et, je ne sais pourquoi, à cette simple remarque, sa bonté et sa confiance me montèrent au visage comme une bouffée de chaleur, si brusques et si présentes qu'il me sembla que je rougissais. Je sentis une nouvelle fois vivement cette vertu si singulière qu'il avait d'imprégner les choses de son seul toucher, et, dans une simple phrase si pareille au son de sa voix, de faire affleurer au souvenir la musique même — oui, l'espèce de mélodie touchante et gauche qu'était en tout sa démarche naïve, comme si ses doigts sur toutes choses n'eussent su plaquer que les plus simples et les plus déconcertants accords. Il m'avertissait en me remettant la charge de l'Amirauté qu'il avait donné des ordres pour une patrouille de nuit, et qu'il ne doutait pas que je monterais bonne garde. « Ménage le *Redoutable*, ajoutait-il, je crains toujours ces damnés hauts-fonds, et notre flotte n'est plus toute jeune. Veille à ce qu'on fasse avec soin les relèvements avant d'embouquer la passe qui s'ensable ; Fabrizio m'y a échoué la dernière fois. Tous ces jeunes gens ne sont que des étourdis qui croient savoir naviguer, mais tu seras là et je vais dormir tranquille. N'oublie pas — sans te commander — qu'on ne distribue l'eau-de-vie qu'après la fin des quarts de nuit, et ne laisse pas Fabrizio te persuader le contraire. Sur ce, je prie que saint Vital (c'était la grande dévotion de Marino et, je pense, la providence des eaux côtières) t'ait en bonne garde sur la mer. »

— Et tu m'emmènes, Aldo, promets-moi, cria Fabrizio derrière mon dos, les mains en porte-voix sur le seuil... Sois un camarade. Nous avons tiré au sort tous les trois. Je te mène le *Redoutable* en long, en large... où tu voudras.

Toute la matinée se passa en allées et venues fébriles ; je me trouvai bientôt au milieu de mes tiroirs ouverts et de ma chambre bouleversée, comme si je me préparais pour un long voyage. Cette agitation me tenait à flot, comme le nageur les mouvements de sa nage ; attentif surtout à ne pas l'interrompre, je perdais de vue à demi ce qui se creusait par-dessous. Je songeai tout à coup avec un sentiment de timidité et de gêne que j'allais occuper la cabine de Marino ; cette agitation de somnambule et ces tiroirs saccagés n'avaient fait que tromper le besoin que j'avais de monter tout de suite à bord du bateau. J'étais comme le passager attardé qui entend mugir la sirène, j'avais peur de le voir partir sans moi ; je me voulais déjà embarqué. Je marchai d'un pas hâté jusqu'à l'appontement, soudain plein d'une merveilleuse certitude à le voir là, une bête éveillée, doucement vibrant sous le tremblé de sa fumée claire, chagriné pourtant, comme un enfant tiré de son rêve, de le retrouver si mesquin et si petit.

Le *Redoutable* était désert — un gros insecte de mauvais augure, habité seulement dans cet assoupissement de marécage par la trépidation insensible et rongeante qui venait de ses bas-fonds. Je connaissais à peine le navire — pendant ma première nuit de patrouille, je n'avais pas bougé de la passerelle — et j'errais indécis sur le pont lavé de soleil où le fer des rambardes était déjà chaud sous ma main, intimidé par cette machinerie exigeante, comme un engrenage où l'on craindrait de mettre le doigt. J'essayai la clé de Marino sur plusieurs portes ; le bruit grinçant de ferraille des tôles foulées au milieu de ce silence était agaçant ; l'atmosphère des boyaux obscurs étouffante ; j'allais renoncer, dépité, lorsqu'une petite porte de fer enfin céda et battit sur une pièce si minuscule que j'allai donner du nez sur la paroi d'en face contre une vieille casquette d'uniforme que je connaissais bien.

Une lumière assez vive pénétrait dans la cabine par le hublot d'arrière, mais, avant que j'eusse remarqué le moindre détail, la présence de Marino reflua jusqu'à me fermer les yeux dans cette odeur de tabac refroidi et de fleurs sèches qui bondit sur moi comme dans son bureau de l'Amirauté, aussi extraordinairement intime que celle de la momie dont on détache les bandelettes. Je jetais les yeux autour de moi, étourdi, une nouvelle fois saisi par ce sentiment d'une présence plus lourde que nature qui me semblait toujours me coller au sol en face de Marino. C'était peu de dire que la pièce était à son image, ou alors elle l'était en effet à la manière de ces hypogées d'Egypte aux murs fleuris de *doubles*, d'une guirlande hagarde de gestes suspendus autour du sarcophage vide. Il tenait peu de chose pourtant dans cette pièce étroite. Au râtelier d'armes réglementaire pendaient les pipes familières de Marino ; sur une tablette, un vase à col étroit, en faïence verte des Syrtes, gardait encore quelques fleurs fanées ; les gros volumes des *Instructions nautiques* lui servaient de cales contre le roulis, soudés à lui et tout verdis par une pellicule de mousse humide. Près d'une paire de lunettes de corne aux branches dressées, je jetai les yeux sur un registre ouvert : Marino emportait à la mer, pour les vérifier, les comptes de fermage. J'eus soudain la sensation si aiguë de cette tranquillité confinée, pareille à celle d'un herbier entr'ouvert dont le pollen séculaire vient encore agacer faiblement les narines, et qui amarrait le navire à la terre plus solidement que ses ancres, que j'ouvris le hublot d'un geste brusque, comme si je cherchais de l'air, et je m'attardai alors à détailler un moment le contenu d'un minuscule cadre vitré qui pendait à la paroi proche. Il y avait là un vieux diplôme jauni de l'Ecole de Navigation, avec sa date, et, tout autour, les décorations de Marino : la médaille des Syrtes (quinze ans de loyaux services au désert) bleue à filets rouges, le ruban des Sauvetages en mer et la grosse tache rouge et noble de la médaille de Saint-Jude, dont chacun à Orsenna sait qu'elle ne s'achète qu'au prix du sang. Je les examinai un moment, pensif — extraordinairement fanées, d'une consistance de feuille sèche dans leur reliquaire de verre. J'essayais de m'imaginer Marino lorgnant ses médailles sous la vitrine, avec ce pli naïf d'attention froncée qui n'était qu'à lui : un tel éloignement, une si vertigineuse *distance prise* par rapport à soi m'étourdissaient ; je m'allongeai un instant, mal à l'aise dans cette pièce songeuse, sur l'étroite couchette ; un léger mouvement au plafond me fit sursauter ; c'était l'aiguille du compas témoin, que Marino consultait de son lit, qui bougeait au-dessus de ma tête comme une bête réveillée. La pièce me chassait ; je me levai et feuilletai un instant, désœuvré, un volume des *Instruc-*

tions nautiques : des filaments de mousse collaient les pages humides, à la forte odeur moisie : de toute évidence, Marino ne naviguait plus qu'à l'estime depuis très longtemps ; une nouvelle fois il jaillissait devant moi jusqu'à l'hallucination de ce livre aux pages scellées — lourd, pesant, ensemençant la terre de calme, les yeux collés sur ce qui est tout près, avec pourtant la lueur presque étrangère de leur mystérieuse anxiété de malade. Un pas brusquement fit sonner les tôles au-dessus de ma tête : l'idée d'être surpris là me déplaisait, je m'approchai du miroir pour rajuster ma vareuse ; un moment, le regard englué, je plongeai mes yeux dans son eau grise, et il me sembla que des images toutes pareilles, une infinité d'images à la superposition exacte s'effeuillaient, glissaient indéfiniment l'une sur l'autre à toute vitesse sous mes yeux comme les pages d'un livre, comme la tranche des *Instructions nautiques* sous mon doigt. Je fermai les yeux, laissai retomber le volet du hublot sur une lumière trop crue, et, après un instant d'hésitation, je repoussai la porte sur l'odeur de fleurs fanées, du geste précautionneux dont on referme la chambre d'un mort.

Je passai au bureau de l'Amirauté donner quelques ordres. J'emmenais Fabrizio, c'était une chose dès longtemps décidée ; je fis vérifier que les approvisionnements et les munitions réglementaires étaient au complet. Beppo, devenu le surintendant du bord des suites du chômage agricole, haussa imperceptiblement le sourcil : c'étaient là des ordres inhabituels — et superflus, j'y songeai aussitôt en me mordant la lèvre : on ne touchait jamais à rien sur le *Redoutable* ; j'imaginai les caisses intactes, alignées sous la légère moisissure verdâtre : le revolver chargé, oublié derrière des paperasses, au fond du tiroir, dans la table de chevet.

— Tu comptes donc en découdre ? sourit Fabrizio qui hannetonait de côté et d'autre, toujours excité par les préparatifs, fussent-ils ceux d'une partie de cartes.

— Idiot !... et je lui lançai une bourrade. Tu serais trop

content de ne doubler la passe qu'une fois, ajoutai-je avec perfidie.

— Peuh ! la passe... Tu penses, avec ces amers...

Fabrizio haussa les épaules, vexé, en me montrant la forteresse toute blanche.

— Un jeu d'enfant, maintenant, même de nuit, voilà ce que Marino ne veut pas comprendre. Et on me refuse la médaille du Péril de la mer : il y a de ces injustices !... C'est égal, il fera joliment bon, ce soir, sur la mer calmée (la mer des Syrtes, dans le jargon de la casemate).

Fabrizio se frotta les mains en inspectant le ciel d'un œil oblique, avec le mouvement de tête célèbre de Marino. Il y avait dans ses manières une espèce de jubilation contenue, un peu anormale, comme on en voit aux très jeunes enfants à la veille d'une fête attendue.

A midi, tout se trouva prêt, les derniers préparatifs réglés jusque dans le détail ; le peu de travail qu'il y avait à faire m'avait fondu dans les mains, dévidé irrésistiblement de moi par une force étrangère : le peloton de corde entre les doigts du harponneur. Le départ était fixé très tard, la mer ne serait haute qu'à la nuit tombée : je me trouvai devant un vide insupportable. Je fis seller mon cheval ; mes nerfs me dévoraient, et c'était un prétexte commode à la solitude.

L'air était sec et très clair maintenant ; un soleil craquant comme du givre inondait les sables et les étendues d'ilve sèche. Je me souvins fort à propos qu'il nous restait à recouvrer à Ortello une petite somme : le reliquat de la solde de nos équipages récupérés : c'était me donner congé pour une longue course. La piste grise s'enfonçait dans les terres, étrangement nette sous le soleil dans ce paysage évacué, entre ses talus d'ilve où passait le vent de mer ; un crissement assourdissant d'insectes sortait de la terre réchauffée. Quand j'eus gravi le premier monticule de sable, je me retournai vers la mer : un demi-cercle d'un bleu d'encre qui, à chaque pas de mon cheval, cernait plus étroitement les grèves pâles. Je voyais au-dessous de moi l'Amirauté déjà minuscule, tapie dans sa

186

chaleur comme un œuf couvé, dissoute dans la réverbération cruelle d'un paysage de salines ; un immense miroitement blanc, effervescent, mangeait la forteresse, pareille à un banc de chaux vive au-dessus de son carré d'ombre noire. Le *Redoutable* s'allongeait contre le doigt de la jetée, collé à elle comme le chaton d'une bague, — tout reposait dans une immobilité pétrifiée, — déjà le paysage avait bu l'homme comme un sable altéré ; seule, la fumée alourdie du petit navire, dressée à sa cheminée comme une hampe plumeuse, mettait dans ce désert une note d'alerte imperceptible et l'odeur d'une mauvaise cuisine. Le paysage plongea derrière la ride de sable ; la fumée légère monta un instant sur l'horizon, toute seule dans l'air calme. Je mis mon cheval au trot sur le sol ferme. Dans cet air transparent, je me sentais flamber comme un bois sec ; tout mon corps en marche, intensément, dangereusement vivant.

Le domaine d'Ortello se découvrait de loin au flanc d'une colline raide, entouré d'olivettes et de broussailles, ses longs bâtiments de pierre escaladant la pente comme de grosses marches grises. L'aire poussiéreuse devant l'entrée était toute vide, et vide le hangar où l'on mettait sécher les lourdes laines terreuses, et où j'avais siégé dans plus d'un joyeux festin de battue. Il me sembla que la vue de mon uniforme, pourtant familière, faisait parmi les valets sommeillant dans l'ombre étroite de la grande cour un branle-bas à la fois respectueux et apeuré, comme si ce signe usé eût recouvré sa plénitude et son sens, comme si tout à coup lui aussi se fût nettoyé d'une patine invisible.

— Le maître sera heureux de vous voir, me dit l'intendant en prenant la bride. On sait si peu les nouvelles ici, depuis que...

Il s'arrêta, gêné, et pressa le pas pour m'annoncer.

Je trouvai le vieux Carlo dans la véranda qui regardait du côté de la mer. Un auvent treillissé l'abritait où grimpait la vigne ; par-dessus le mur bas, un rectangle de terre fauve et tachetée, éblouissant, meurtrissait

l'œil et cuisait dans le soleil ; au loin, dans un épaulement
des dunes, le bleu minéral de la mer affleurait comme une
ligne à peine plus épaisse, et pourtant d'un luisant, d'une
acuité insolite : l'étroit fil de regard d'un guetteur à son
créneau. Tout tassé sur lui-même, le vieux Carlo était
allongé sur son fauteuil d'osier dans un coin d'ombre ;
l'image même de l'extrême vieillesse — un souffle léger
et patient qui rougeoyait distraitement sur ce grand corps
inerte, comme une braise oubliée sur les cendres d'un feu
de forge. Près de lui, sur une table de sparterie basse
étaient posés un verre et une de ces cruches vernissées
et suantes du Sud qui gardent tout une après-midi leur
fraîcheur. De temps en temps, le cri des oiseaux de mer
passait en rafales rauques, plus perdu qu'ailleurs sur ces
plaines cendreuses.

— Venu tout seul, Aldo ?

Le vieillard plissa les yeux en signe de bienvenue.
Il était comme une planète refroidie, ne réagissant plus
que par quelques lézardes, quelques plissements courant
à fleur de peau.

Sans attendre ma réponse, il adressa du doigt derrière
moi un léger signe. L'intendant reparut presque aussitôt,
et sans mot dire posa sur la table un sac d'or. Je me
tournai vers le vieil homme, un peu interdit de ce manège,
et lui pris la main en essayant de sourire, mais le sourire
se figea en chemin comme s'il eût rencontré une glace :
ce visage renvoyait déjà le regard avec l'indifférence
insolente de la mort.

— Je ne suis pas venu en créancier, Carlo, prononçai-
je doucement.

— Bien sûr, Aldo, bien sûr !... Le vieillard tapotait le
dos de ma main amicalement. Mais, tu vois, tout était
préparé. Il est temps que les comptes soient en ordre,
ajouta-t-il d'un ton singulier en détournant un peu les
yeux, comme si la réverbération de ces plaines écorchées
les eût blessés.

Soudain, il se retourna, plongea ses yeux dans les miens
d'une façon extraordinairement inquisitrice, tout en

188

continuant à tapoter ma main en silence, comme s'il eût aplani le chemin à une nouvelle qui s'enlisait en route, guetté sur mon visage son arrivée.

— C'est mon heure qui vient, que veux-tu, prononça-t-il après un moment. Bah ! Aldo, le désert use son homme !

Il y eut dans son œil, à cette dernière phrase, un éclair de malice : il ne souhaitait pas d'être cru.

— ... C'est mon heure, reprit le vieillard d'une voix pensive et amère, et maintenant elle vient trop tôt.

— Tt ! Dans dix ans, Carlo ; nous en reparlerons dans dix ans. « Pas avant que les oliviers soient grands », vous savez que c'est le dicton des Syrtes. Et Beppo nous a dit que vous en plantiez.

La voix glaça d'un coup mon rire de commande.

— Non, Aldo, c'est maintenant, et c'est trop tôt.

Le vieillard but une gorgée d'eau en silence. On entendait les cris des oiseaux de mer qui remontaient les vallées de sable : la mer commençait à monter.

— Eh bien ! Carlo, quand cela serait... Je sentis ma voix changée, et je lui touchai l'épaule dans un mouvement d'amitié vraie... Est-ce que tout n'est pas en ordre, ici ?

Le visage se tourna vers l'horizon de sable.

— Tout est en ordre. Seulement je suis fatigué de l'ordre, Aldo, voilà ce qui est.

Il me serra la main d'un mouvement presque inconscient.

— Les choses ont abouti pour moi, tu vois, Aldo. Mon travail a été béni, comme on dit, et tout cela, tu vois, c'est de la terre bien acquise. Je m'en vais accablé de biens légitimes.

Il vrilla son œil dans le mien d'une façon perçante.

— ... Si tu savais comme on est ligoté là dedans ! — J'ai accroché mes fils partout, et me voilà roulé dans mon cocon, voilà ce qui est. Amarré, ligoté, empaqueté. Me voilà là, à ne plus pouvoir remuer bras ni jambes ; crois-tu que c'est la maladie, Aldo ? Il n'y a pas quinze jours que j'ai encore forcé un lièvre. Mais j'ai trop fait pour ce qui me reste à faire, voilà ce qui est. Une fois qu'on l'a compris, c'est fini, le ressort se casse. Voilà ce que c'est que vieillir, Aldo ; ce que j'ai fait retombe sur moi, je ne peux plus le soulever...

Il répéta d'un air pénétré :

— ... Quand on ne peut plus soulever ce qu'on a fait, voilà le couvercle de la tombe.

Une servante apporta des rafraîchissements, puis s'attarda autour du vieillard sous de menus prétextes. Ce manège muet et traînant, après celui de l'intendant, finissait par prendre un tour suspect. On eût dit qu'on ne voulait pas perdre de vue le vieillard trop longtemps, et je remarquai alors l'œil homicide que le vieux solitaire braquait sur la nuque de la fille.

La servante se retira. Carlo gardait maintenant le silence, très immobile, et il me sembla que le souffle de ce grand corps était devenu plus oppressé. Je me levai à demi, inquiet, la bouche tout près de son oreille.

— Vous ne vous sentez pas bien ?

— Ni bien, ni mal, Aldo, assez pour ce qui me reste à faire. On respire mal, ici, vois-tu ; il n'y a pas d'air.

— Vous ne pouvez guère être plus près de la mer.

Le vieillard haussa les épaules, amer, entêté, renonçant à se faire comprendre.

— Non, non, il n'y a pas d'air. Il n'y a jamais eu d'air. C'est Marino qui prétend le contraire.

— Pourquoi avez-vous renvoyé ses hommes ?

La question avait jailli de moi en flèche, avant que je songeasse à la retenir. Le vieillard me fixa d'un œil aigu où la vie revenait ; visiblement, je lui rappelais un bon souvenir.

— Il n'en a pas été très content, n'est-ce pas, Aldo ? Il est venu me voir tout de suite. Je puis dire que c'était un homme bouleversé.

— Pourquoi lui avoir fait cela ?

— Pourquoi ?...

Le visage, tout à coup, s'embrumait, semblait retomber dans une espèce d'hébétude.

190

— ... C'est dificile à faire comprendre.

Il essaya de réfléchir.

— ... Ne crois pas que je n'aime pas Marino ; c'est mon plus vieil ami. Je vais t'expliquer. Quand j'étais petit, notre vieux serviteur allait se coucher dans le grenier sans lumière. Il était si habitué qu'il marchait dans le noir sans tâter, aussi vite qu'en plein jour. Eh bien ! que veux-tu, à la fin la tentation a été trop forte : il y avait une trappe sur son chemin, je l'ai ouverte...

Le vieillard sembla réfléchir avec difficulté.

— ... Je pense que c'est énervant, les gens qui croient trop dur que les choses seront toujours comme elles sont.

Il ferma à demi les yeux, et se mit à hocher la tête, comme s'il allait s'endormir.

— ... Et peut-être ce n'est pas une bonne chose, que les choses restent toujours comme elles sont.

Depuis quelques instants, l'intendant avait repris sa faction muette au bout de la galerie. Je compris que j'excédais la durée permise. Je pris congé du vieillard, inexplicablement remué.

— ... Adieu, Aldo, nous ne nous reverrons pas, me dit-il en me posant longuement la main sur l'épaule. N'écoute pas trop Marino, ajouta-t-il en hochant la tête d'un air amusé. Marino est un homme qui n'a jamais su dire oui.

Il me suivit un moment du regard en hochant toujours la tête.

... Marino est un homme qui n'a jamais su dire oui.

L'intendant amenait mon cheval par la bride. Il me remercia de ma visite, et m'exprima avec insistance le plaisir que le vieillard y avait trouvé, comme on fait les politesses à la place d'un enfant ou d'un infirme. Je me sentis surpris et choqué : visiblement, Carlo n'était pas si bas.

— Je vois que vous vous occupez beaucoup de lui, lui dis-je un peu sèchement, en me hissant en selle.

— Nous sommes obligés de le surveiller. Il baisse beaucoup. Sa tête se perd...

Il approcha sa bouche de mon oreille, avec une voix assourdie et coupable.

— L'avant-dernière nuit, il a failli mettre le feu à la ferme.

Le soleil baissait déjà lorsque je repris le chemin de l'Amirauté. L'approche du soir faisait le silence sur la steppe. Sur cette horizontalité toute-puissante, les mouvements vite assoupis avaient l'agitation courte et incohérente, l'insignifiance des gestes du dormeur collé par le dos à la pesanteur du lit. De temps en temps, une gerboise des sables traversait la piste en sauts zigzaguants avant de plonger dans les ilves, en soulevant de fines palmes de poussière ; sous le ciel vide d'oiseaux, ce reste de vie sans bruit rasait l'herbe, rendait l'immobilité du soir presque orageuse, paraissait s'aplatir sous un invisible dôme de peur. Je revenais d'Ortello assombri ; je compris que j'avais cherché malgré moi dans cette campagne un signe, comme on lève les yeux instinctivement à une parole trop grave pour surprendre le démenti rassurant d'un nuage dans le soleil ou d'une fleur que le vent balance, et, tout à coup ouvert à ce que cette soirée comportait de confirmation pesante, il me semblait que je savais maintenant que le vieux Carlo allait mourir.

Le dîner fut très silencieux. Giovanni et Roberto étaient désœuvrés comme une barque à l'échouage. Fabrizio entrait et sortait en coup de vent, tout aux derniers préparatifs de l'appareillage. C'était un repas d'adieux ; j'aurais voulu retenir ces minutes de calme que Fabrizio déchirait en menus morceaux ; le cœur alourdi par l'amitié et l'habitude, je me sentais retranché de cette communauté banale et douce, je savais déjà que ce repas était le dernier. Sitôt le dîner fini, j'allumai ma lanterne et passai prendre à la chambre des cartes les papiers de bord et les documents de mer. Cette formalité m'emplissait de malaise : j'avais su dès le début que je ne l'accomplirais qu'au dernier moment.

Il faisait déjà très sombre dans la salle presque souterraine ; la porte refermée, tout le froid de l'hiver et de la

192

solitude reflua sur moi de ce cœur glacé et pourtant, malgré l'accueil hostile de cette réclusion grelottante et hargneuse, une fois encore tout s'abolissait dans le sentiment toujours écrasant et toujours neuf qu'elle était *là* — plus qu'aucune chose qui fût au monde — chargée jusqu'à la voûte de cette existence imminente qui distingue un piège aux mâchoires tendues d'un caillou. Le ricanement de ce bariolage de grotte me faisait peur ; je maintenais le faisceau de ma lanterne à terre — je faisais vite — les tempes serrées, les mains nerveuses, me retournant parfois malgré moi vers ce vide bâillant qui m'avalait, comme si quelque chose eût tout à coup grimacé sur le mur. Je rassemblai les cartes à la hâte — au cœur de ce silence inabordable que souillaient mes gestes furtifs comme un trotte-menu falot de souris, j'avais honte — honte comme jamais je n'ai eu honte devant un homme. J'appartenais maintenant à ce viol sans retour ; je sortis à reculons de la pièce condamnée, tout pâle, tenant le rouleau de cartes serré contre moi, comme un voleur de tombeau que pousse la faim nue, qui sent rouler sous ses doigts les pierreries de rêve, et déjà la force du sortilège faire cailler lentement son sang. Le vent du large s'était levé avec la nuit, et m'enveloppa, dès que je sortis sur le terre-plein, de sa grande nappe froide ; je me sanglai dans mon manteau de mer — au bout de la jetée, un va et vient de petites lumières s'affairait autour du *Redoutable* dont on poussait les feux : une rouge lueur de forge flambait par instants sous son panache de fumée et faisait courir des reflets noirs et glacés sur la colline de charbon comme une aube damnée. Je serrai à la hâte les mains de Roberto et de Giovanni dans le noir — les visages indistincts faisaient les voix plus brèves et plus graves — quelqu'un cria « bon retour ! » d'une voix que le vent fraîchissant de la mauvaise nuit souffla comme une torche. Tout était noir sur la passerelle ; je sentis sous mon pied la légère trépidation du navire et sa force aveugle qui trouait déjà l'obscurité. Le *Redoutable* évita doucement par l'arrière ; un reflet d'eau indécis et paisible

193

s'agrandit devant le quai, une chaîne tinta clair sur les dalles de la jetée — déjà, sur le quai, les voix désœuvrées se détachaient de nous. Un bloc plus noir se dressait devant moi vers l'avant et m'intriguait : je ne reconnaissais pas Fabrizio, figé dans l'attention tendue, et que son grand caban de mer engonçait et rivait au pont ; l'odeur froide et noire du charbon m'arriva dans une bouffée de vent, puis une averse brutale faucha les rares lumières comme on tire un rideau, et la nuit opaque nous enveloppa.

UNE CROISIÈRE

ON ne reconnaissait guère la mer des Syrtes dans cette soirée annonciatrice de tempête. A l'abri pourtant encore des flèches de sable, la houle se gonflait déjà d'une longue respiration noire, venue de très loin, menaçante de calme entre les roseaux échevelés. Un vent froid et vierge comme s'il avait passé sur les neiges fraîchissait de minute en minute, giflait d'une poigne rude le navire par le travers. Dans cette jungle de sifflements rauques, de déhanchements et de froissements rudes, son ombre noire glissait comme une clairière de silence. Une lumière diffuse et sous-marine baignait la passerelle ; les mouvements des hommes de quart s'endormaient ralentis par des épaisseurs d'eau. Fabrizio gardait près de moi un silence de statue, effleurait par instants d'un doigt de pianiste un instrument délicat ; sa gesticulation incompréhensible et précise rivait mon œil dans cette nuit brouillée, comme les arabesques d'une main de chirurgien errant au-dessus de son champ de linges. Soudain, il tourna la tête et me parla d'une voix où la grossièreté cordiale de la vie revenait comme le sang au visage, et je mis long-temps à comprendre que ce visage baigné de sueur en face de moi souriait.

— C'est la passe. Tu n'as pas eu peur, Aldo ? Si Marino ne m'avait emmené tout de même une fois, je dirais que je me suis jeté à l'eau sans savoir nager.

195

Je le fixai à mon tour, ahuri.

— Tu n'avais jamais reconnu le nouveau chenal ?

Il posa la main sur mon bras.

— Maintenant que c'est fait... Je ne voulais pas te le dire, ajouta-t-il à voix plus basse. Je voulais venir.

Je le regardai de nouveau curieusement, les yeux plissés dans le vent, pendant qu'il détournait la tête. Il me semblait que l'Amirauté reculait soudain très loin, se perdait à l'horizon derrière cette crasse de brouillard.

— Tu peux aller te reposer, maintenant, ajouta-t-il d'une voix contractée.

Il me serra le bras légèrement, et je devinai qu'il souriait dans le noir.

— ... Je m'en charge. Tout ira bien.

Il faisait froid et humide dans la cabine de Marino. J'allumai à tâtons la lampe qui commença à se balancer faiblement au plafond, faisant bouger les ombres à travers la petite pièce, d'une vie mécanique et ensommeillée. Je m'allongeai sur la couchette sans me dévêtir. Un bruit léger d'eaux froissées parvenait jusqu'à moi, qui semblait venir expirer de très loin dans cette intimité close et pourtant m'empêchait de dormir, comme un doigt qui gratte à une vitre. Le manteau de mer de Marino battait monotonement contre la cloison. Sur le compas du plafond, je suivais de l'œil, mécaniquement, le trajet sinueux du *Redoutable* à travers les passes ; les machines lointaines battaient faiblement, avec les arrêts interminables et les reprises lentes d'un train de nuit : on eût dit que le vide et l'ennui des steppes immobiles à l'entour s'annexaient cette mer vacante, cette cabine délabrée et poudreuse, pareille dans son confinement et sa douceâtre odeur de pétrole à une lampisterie abandonnée. Un instant, le souvenir du palais Aldobrandi, ses portes battantes sur la nuit humide, me revint comme une odeur de fleurs dans le noir, et je serrai les lèvres sur les cheveux sauvages de Vanessa que la nuit reprenait et gonflait dans le lit comme la marée une touffe d'algues. Puis je

196

me roulai dans mon manteau, et je commençai une sombre veille.

Je repoussai sur la tablette le bouquet de fleurs sèches et les volumes des *Instructions nautiques* et je déroulai le paquet de cartes. A voir revenir sous la lumière jaune et sale de la cabine ces contours qui m'étaient si familiers, j'éprouvais un sentiment d'irréalité, si étrange il me paraissait que ces symboles armés, que j'avais si long-temps interrogés au fond de leur châsse souterraine, fussent là maintenant déployés *pour servir*. Fabrizio suivait les chenaux de la côte ; je consultai ma montre, et estimant la vitesse du navire, je posai le doigt sur le point de la carte où nous devions être parvenus : presque exactement par le travers de Maremma. Je poussai le hublot de la cabine, tout plein du plaisir incrédule avec lequel un enfant essaie le mécanisme d'un jouet : une bouffée de vent de mer échevelée me sauta au visage et aux épaules, comme une meute qui se bouscule derrière la porte ; tout au bout de l'horizon, au ras de l'immense labour d'encre qui déversait ses mottes luisantes à ma hauteur, un demi-cercle inégal de lumières calmes cernait l'eau gardée, comme la rangée de flotteurs d'une senne : les douces, les pacifiantes lumières d'Orsenna, pareilles aux yeux ouverts d'un mort montant leur garde endormie sur la mer apprivoisée. L'hélice battit plus faiblement, la sirène du *Redoutable* éclata au-dessus de moi, terrifiante et risible au milieu de ce vide noir, comme un éléphant qui barrit tout seul, trompe levée, dans une clairière ; le navire obliqua doucement, les lumières de Maremma basculèrent sur la droite, de plus en plus vite ; il n'y eut plus que la mer et le ciel, imperceptiblement plus clair maintenant sur les eaux noires.

Je regardais ce ciel imperceptiblement dilué d'aube, comme effleuré sous l'horizon à sa lisière extrême par la palpitation d'un faible éventail de lumière. La nuit qui s'était levée pour la première fois sur les Syrtes revenait à mon souvenir. Comme un brouillard qui égalise les monts et les vallées, ses plis indistincts cachaient la terre

197

accidentelle. Orsenna transmigrait, se vaporisait dans cette poussière d'étoiles où Fabrizio lisait notre chemin. Elles brillaient inépuisables et égales. Pour une nouvelle nuit après tant de nuits, Orsenna se vautrait au lit de ses astres, se dissolvait à l'aise dans la figure de ses étoiles, confiée tout entière comme une planète morte à l'intimité et à l'inertie sidérale. Je me rappelais une parole étrange que m'avait dite Orlando, dans un de ces soirs prostrés de la canicule où nous cherchions de l'air sur le chemin de ronde des remparts : que dans les nuits étrangères les plus paisibles, on entendait passer le souffle chaud d'une bête et peser le battement singulier d'un cœur, mais que dans les nuits claires d'Orsenna il semblait que la conscience nous fût donnée du miracle d'un enfant rentrant dans le sein de sa mère, et que l'on surprît le bourdonnement des mondes. Un coup de roulis plus accentué fit glisser près de moi à terre le manteau de Marino, et je me mis à sourire : je sentais combien souverainement en cette nuit le capitaine devait dormir.

Le *Redoutable* avait repris sa marche régulière et endormie ; au bas de mon hublot, qui s'ouvrait tout près de l'arrière, l'eau maintenant creusait un sillon profond au long de la coque, décollée d'elle comme du soc d'une charrue. L'obscurité dérobait la terre plate, si proche pourtant encore que l'aboiement d'un chien monta dans la nuit claire : les bergers égaraient parfois de longues semaines dans les ilves hautes ces bêtes que la solitude ramenait à une demi-sauvagerie, et qu'on retrouvait toujours errantes le long des grèves de mer. L'aboiement désolé montait très haut dans la nuit calme, entre-coupé de silences inégaux, comme s'il eût guetté déses-pérément du fond de ces solitudes une réponse, un écho qui n'arrivait pas. Je reconnaissais ce cri. Les murs du palais Aldobrandi me l'avaient renvoyé. Ce n'était pas un cri de peur. Ce n'était pas un appel à l'aide. Il passait bien au-dessus de toute tête, et les plaines de la mer ne l'assourdiraient pas. C'était la plainte haute de l'être qui défaille au bord du vide pur. C'était la *provocation* nué qui monte à la fin de tout désert, et celui d'Orsenna était habitable. Le sourire de Vanessa, ce sourire d'ange noir qui semblait flotter sur un vertige, se recomposait pour moi brusquement des accents de cette lamentation errante : ce qui me restait à faire, je l'accomplirais maintenant.

Je m'assis de nouveau devant la table, et, soigneusement, méticuleusement, je me mis à relever quelques distances sur les cartes marines. Si routinier, si automatique que je m'appliquasse à rendre ce travail, j'étais confondu pourtant de trouver les distances que je mesurais si médiocres, comme si les rivages de cette mer fermée fussent accourus en demi-cercle au-devant de notre proue, soudain presque à portée de la main, et il me sembla comprendre d'un coup, à me remémorer mes rêveries de la salle des cartes, comment le sommeil d'Orsenna et la prise détendue de sa main avaient fini par noyer ses frontières les plus proches dans des brumes lointaines : il y a une échelle des actes qui contracte brutalement devant l'œil résolu les espaces distendus par le songe. Le Farghestan avait dressé devant moi des brisants de rêve, *l'au-delà* fabuleux d'une mer interdite ; il était maintenant une frange accore de côte rocheuse, à deux journées de mer d'Orsenna. La dernière tentation, la tentation sans remède, prenait corps dans ce fantôme saisissable, dans cette proie endormie sous les doigts déjà ouverts.

Quand le souvenir me ramène — en soulevant pour un moment le voile de cauchemar qui monte pour moi du rougeoiement de ma patrie détruite — à cette veille où tant de choses ont tenu en suspens, la fascination s'exerce encore de l'étonnante, de l'enivrante *vitesse mentale* qui semblait à ce moment pour moi brûler les secondes et les minutes, et la conviction toujours singulière pour un moment m'est rendue que la grâce m'a été dispensée — ou plutôt sa caricature grimaçante — de pénétrer le secret des instants qui révèlent à eux-mêmes les grands inspirés. Encore aujourd'hui, lorsque je cherche dans ma détestable histoire, à défaut d'une justification que tout me refuse, au moins un prétexte à ennoblir un malheur exemplaire, l'idée m'effleure parfois que l'histoire d'un peuple est jalonnée çà et là comme de pierres noires par quelques figures d'ombre, vouées à une exécration particulière moins pour un excès dans la perfidie ou la trahison que par la faculté que le recul du temps semble leur donner, au contraire, de se *fondre* jusqu'à faire corps avec le malheur public ou l'acte irréparable qu'ils ont, semble-t-il, au delà de ce qu'il est donné d'ordinaire à l'homme, dans l'imagination de tous entièrement et pleinement assumé. Envers ces figures vêtues d'ombre, dont le temps plus vite que pour d'autres érode puissamment les contours et les singularités personnelles, la violence universelle du reniement nous avertit qu'il participe — bien plus que du blâme civique incolore que dispensent sans chaleur les manuels d'histoire — du caractère lancinant du remords, et qu'il ravive la plaie ouverte d'une complicité intimement ressentie ; c'est que la force qui repousse vers les marges de l'histoire, où la lumière tombe plus obliquement, ces figures hantées, est celle d'un malade assiégé de mauvais songes qui ressent, non comme une froide obligation morale, mais comme la morsure d'une fièvre qui mange son sang, le besoin de se *délivrer du mal*. De tels hommes n'ont peut-être été coupables que d'une docilité particulière à ce que tout un peuple, blême après coup d'avoir abandonné en eux sur le terrain l'*arme du crime*, refuse de s'avouer qu'il a pourtant un instant voulu à travers eux ; le recul spontané qui les isole dénonce moins leur infamie personnelle que la source multiforme de l'énergie qui les a transmués un instant en projectiles. Plus étroitement tissus à la substance même de tout un peuple que s'ils en étaient l'ombre projetée, ils sont vraiment ses *âmes damnées* ; la terreur à demi religieuse qui les fait plus grands que nature tient à la révélation, dont ils sont le véhicule, qu'à chaque instant un condensateur peut intervenir à travers lequel des millions de

200

désirs épars et inavoués s'objectivent monstrueusement en volonté. Le regard qui traverse ces silhouettes se perd dans une profondeur où l'on craint de lire ; la fascination qu'elles exercent tient au soupçon qui nous vient que la communication privilégiée — fût-ce pour le pire — qui leur a été consentie les a haussés, pour quelques secondes qu'il valait la peine d'*être*, à une instance suprême de la vie : nous dansons comme un bouchon sur un océan de vagues folles qui à chaque instant nous dépassent, mais un instant du monde dans la pleine lumière de la conscience a *abouti* à eux — un instant en eux l'angoisse éteinte du possible a fait la nuit — le monde orageux de millions de charges éparses s'est déchargé en eux dans un immense éclair — leur univers, refluant de toutes parts sur eux autour d'un passage où nous imaginons que la sécurité profonde se mêle inextricablement à l'angoisse, a été une seconde celui de la balle dans le canon de fusil.

Le hublot resté ouvert vint battre soudain contre la paroi, comme si le navire eût viré brusquement ; et, en me retournant pour l'assujettir, je vis que le ciel avait pâli légèrement au ras de la mer. Le vent était presque complètement tombé, la mer se calmait, çà et là de gros cormorans noirs se berçaient tout près du navire sur les vagues. Des bandes compactes d'oiseaux de mer débordaient la paroi du navire au-dessus de ma tête comme des volées de pierres, en criant, et en me penchant je vis se découper faiblement sur l'horizon une haute dent noire : nous étions en vue de Vezzano. C'était la limite assignée par Marino au parcours des patrouilles : il était temps de rejoindre Fabrizio sur la passerelle. A cette heure de l'extrême matin — comme dans une cité de la terre — le dédale des coursives restait étonnamment vide ; une pâleur de limbes, qui paraissait suinter des parois de métal, raccourcissait le halo faible des lampes en veilleuse : il me semblait flotter comme une ombre au milieu du navire gris, du jour gris, de l'eau grise, le cœur défait dans cette étale morne du petit jour.

Fabrizio était seul sur la passerelle. Sa tête petite, au visage enfantin, semblait ballotter dans le grand capuchon rabattu de son manteau de mer ; ses traits tirés par une nuit de veille le rajeunissaient. Il se retourna vers moi au grincement de l'escalier et me regarda émerger du capot sans rien dire, le front plissé dans une expression de surprise mal jouée ; je devinai qu'il m'avait attendu.

— Il y a du café chaud dans le coffre sous la banquette, me dit-il lorsque je fus près de lui, sans se retourner. Tu ferais aussi bien de t'en servir, ajouta-t-il, comme je ne bougeais pas. Le petit matin des Syrtes est frisquet... Tu as passé une bonne nuit ?

Il fixait très intentionnellement l'horizon à l'avant du navire, la voix rapide, pressé de meubler le silence. Il ressemblait à une jeune fille qui appréhende et espère une *déclaration*, et je me sentais soudain plus à l'aise.

Je buvais mon café à petits coups, sans me presser, en jetant sur lui des regards à la dérobée. Il fixait l'horizon sans trop sourciller, mais une boule se contractait à sa gorge et la nervosité de ses mains le trahissait.

— ... Vezzano !... me dit-il de sa voix de gorge, en désignant l'île d'un geste rapide.

Le sommet de l'île émergeait d'un léger banc de brouillard qui flottait sur la mer — une dentelure aiguë maintenant sur le ciel qui s'éclaircissait.

— Mauvaise réputation !...

Je pris mon temps et bus encore posément une gorgée de café.

— ... Mais on dit que de là-haut on a une jolie vue.

Je regardai de nouveau Fabrizio du coin de l'œil, et il me sembla qu'il rougissait faiblement. Le navire roulait dans une houle légère et comme huilée ; les cris des oiseaux de mer, volant toujours en nuées épaisses autour de Vezzano, creusaient l'aube, reprenaient possession de la mer avec le jour.

— Possible. Pas ce matin, en tout cas, avec cette crasse volante.

Fabrizio désigna d'un geste du menton le brouillard qui s'effilochait dans la brise levée.

— ... Tu y es allé voir ? ajouta-t-il d'un ton d'indifférence mal joué.

— Tu en serais peut-être informé. Je n'ai pas de canonnière personnelle. Mais je me disais que toi, peut-être...

— Jamais.

— Je croyais que tu avais du penchant pour le vagabondage en mer ?

— Jamais vu les Syrtes de plus haut que la passerelle. Marino n'a pas de goût pour les points de vue, ajouta-t-il en me jetant pour la première fois un coup d'œil de connivence que je reconnaissais bien : c'était celui qui préludait à nos apartés, par-dessus la table de la casemate, quand Marino commençait à somnoler.

— Tout le monde ne pense pas forcément comme lui à Orsenna, prononçai-je d'un ton que j'essayai de charger de signification cachée. Personne à l'Amirauté, je le savais, n'ignorait plus l'arrivée des plis secrets.

De nouveau, Fabrizio me jeta un coup d'œil rapide. Le silence se reforma. Fabrizio respirait plus vite : je devinai qu'il soupesait en lui cette grave nouvelle. Les cris des oiseaux de mer peuplaient le matin, montaient comme la senteur sauvage de la mer libre.

— Il va falloir virer de bord, marmonna Fabrizio entre ses dents très vite, avec l'accentuation patoisante de Marino, comme s'il se fût hâté d'exorciser, de décharger le rite de son efficace.

La phrase s'étira paresseusement dans le silence, insignifiante comme une bouffée de fumée ; les mains de Fabrizio l'ignorèrent si complètement qu'elles quittèrent la roue du gouvernail et allumèrent négligemment une cigarette.

— On est bien en mer, Aldo, par un petit matin frais comme celui-là...

Il s'étira les bras voluptueusement.

— L'Amirauté sent le renfermé, tout de même... Tu

as les cartes ? ajouta-t-il sans hâte en désignant le rouleau que je tenais sous le bras.

Je le lui tendis sans mot dire.

— ... La ligne des patrouilles... appuya-t-il d'un ton doctoral en laissant traîner son doigt le long de la ligne pointillée. C'est assez difficile à situer là dedans, Aldo, tu peux te faire une idée, ajouta-t-il en balayant d'une main emphatique la mer vide, car Vezzano fuyait déjà assez loin dans notre arrière. Marino le sent, lui, tu comprends, c'est de nature, moi j'ai besoin de prendre mes repères.

— Et il n'y en a pas beaucoup.

— Ah ! tu es d'accord... Au fond, tout cela est assez fictif, trancha-t-il avec une moue compétente, d'un mot si cocassement inhabituel dans sa bouche que mon trouble extrême faillit fondre en un éclat de rire.

Le silence se reforma.

— Il va tout de même falloir virer de bord, reprit Fabrizio avec un sursaut de commande, feignant tout à coup de s'apercevoir que Vezzano était si loin.

— Rien ne presse, dis-je d'un ton négligent en allumant à mon tour une cigarette.

Le navire filait toujours plein est ; le jour, devant nous, montait de la mer en fusées plus claires.

— Non, rien ne presse...

Fabrizio mit les mains dans les poches de son manteau et, s'accotant à la cloison, se mit à tirer des bouffées fébriles.

— Absolument rien, conclus-je après un silence, et je m'adossai à la cloison à côté de Fabrizio. Gauchement, sentant en nous s'engloutir les secondes, et le temps se précipiter sur une pente irrémédiable, nous souriions tous deux aux anges d'un air hébété, les yeux clignants dans le jour qui montait devant nous de la mer. Le bateau filait bon train sur une mer apaisée ; la brume s'enlevait en flocons et promettait une journée de beau temps. Il me semblait que nous venions de pousser une de ces portes qu'on franchit en rêve. Le sentiment suffocant

204

d'une allégresse perdue depuis l'enfance s'emparait de moi ; l'horizon, devant nous, se déchirait en gloire ; comme pris dans le fil d'un fleuve sans bords, il me semblait que maintenant tout entier j'étais *remis* — une liberté, une simplicité miraculeuse lavaient le monde ; je voyais le matin naître pour la première fois.

— J'étais sûr que tu allais faire une bêtise, dit Fabrizio en fermant sa main sur mon épaule quand — les minutes s'abîmant après les minutes comme les brasses d'une sonde — il n'y eut plus de doute que la Chose maintenant avait eu lieu... A Dieu vat ! ajouta-t-il avec une espèce d'enthousiasme. Je n'aurais pas voulu manquer ça.

Les heures de la matinée passèrent vite. Vers dix heures, la tête ensommeillée de Beppo pointa nonchalamment du panneau d'avant. Son regard ahuri parcourut longuement l'horizon vide, puis s'arrêta sur nous avec une expression enfantine de désarroi et de curiosité chagrine, et il me sembla qu'il allait parler, mais la tête eut soudain le rencoignement nocturne d'une bête de terrier éblouie par le jour et la nouvelle coula silencieusement dans les profondeurs. Fabrizio se replongea d'un air absorbé dans la lecture des cartes. La passerelle ensommeillée se réchauffait doucement dans le soleil. Une douzaine de têtes silencieuses ourlaient maintenant le panneau d'avant, les yeux écarquillés sur leur vision, dans une immobilité intense.

Les calculs de Fabrizio rejoignaient les miens : si le *Redoutable* soutenait son allure, nous devions être en vue du Tängri aux dernières heures de la soirée. L'excitation de Fabrizio croissait de minute en minute. Les ordres pleuvaient. Il hissa une vigie dans le mât d'avant. Sa lorgnette ne quittait plus le bord de l'horizon.

— Rien n'est trompeur comme une mer vide, répondait-il d'un ton suffisant à mes plaisanteries. Et ici, il vaut mieux voir avant d'être vu. Il faut tout de même penser aux conséquences.

— Tu y penses ? répondis-je en m'amusant à le provoquer du regard.

Il eut un rire de jeunesse à grandes dents blanches, un peu carnassier, un rire de veille d'armes, et nous descendîmes déjeuner.

Nous passâmes l'après-midi dans une espèce de demi-folie. La fébrilité anormale de Fabrizio était celle d'un Robinson dans son île démarrée, à la tête soudain d'une poignée de Vendredis. Marino, l'Amirauté, reculaient dans les brumes. Pour un peu, il eût hissé le drapeau noir ; ses galopades à travers le navire, les hennissements de sa voix jubilante qui à chaque instant balayaient le pont étaient ceux d'un jeune poulain qui s'ébroue dans un pré. Tout l'équipage, à cette voix, manœuvrait avec une célérité bizarre et presque inquiétante : du pont à la mâture se répondait en chœur la vibration de voix fortes et allègres, et fusaient des encouragements malicieux et des cris de bonne humeur ; il se faisait par tout le navire, chargé d'électricité, un crépitement d'énergie anarchique qui tenait de la mutinerie de pénitencier et de la manœuvre d'abordage, et ce pétillement montait à la tête comme celui d'un vin, faisait voler notre sillage sur les vagues, vibrer le navire jusqu'à la quille d'une jubilation sans contenu. Un chaudron bouillonnait soudain au-dessous de moi, sans qu'on eût besoin de le prévenir qu'on venait de soulever le couvercle.

Mais cette animation fiévreuse ne passait pas jusqu'à moi, ou plutôt elle bourdonnait à distance, comme une rumeur orageuse au-dessus de laquelle je me sentais flotter très haut, dans une extase calme. Il me semblait que soudain le pouvoir m'eût été donné de *passer outre*, de me glisser dans un monde rechargé d'ivresse et de tremblement. Ce monde était le même, et cette plaine d'eaux désertes où le regard se perdait la plus désespérément semblable qui fût partout à elle-même. Mais maintenant une grâce silencieuse resplendissait sur lui. Le sentiment intime qui retendait le fil de ma vie depuis l'enfance avait été celui d'un égarement de plus en plus profond ; à partir de la grande route d'enfance où la vie entière se serrait autour de moi comme un faisceau tiède,

206

il me semblait qu'insensiblement j'avais *perdu le contact*, bifurqué au fil des jours vers des routes de plus en plus solitaires, où parfois une seconde, désorienté, je suspendais mon pas pour ne surprendre plus que l'écho avare et délabré d'une rue nocturne qui se vide. J'avais cheminé en absence, fourvoyé dans une campagne de plus en plus morne, loin de la Rumeur essentielle dont la clameur ininterrompue de grand fleuve grondait en cataracte derrière l'horizon. Et maintenant le sentiment inexplicable de la *bonne route* faisait fleurir autour de moi le désert salé — comme aux approches d'une ville couchée encore dans la nuit derrière l'extrême horizon, de toutes parts des lueurs errantes croisaient leurs antennes — l'horizon tremblé de chaleur s'illuminait du clignement de signaux de reconnaissance — une route royale s'ouvrait sur la mer pavée de rayons comme un tapis de sacre — et, aussi inaccessible à notre sens intime qu'à l'œil l'autre face de la lune, il me semblait que la promesse et la révélation m'étaient faites d'un autre pôle où les chemins confluent au lieu de diverger, et d'un regard efficace de l'esprit affronté à notre regard sensible pour qui le globe même de la terre est comme un œil. La beauté fugace du visage de Vanessa se recomposait de la buée de chaleur qui montait des eaux calmes — le jour aveuglant de la mer s'embrasait au foyer retrouvé de milliers de regards où j'avais tenu — un rendez-vous m'était donné dans ce désert aventureux par chacune des voix d'*ailleurs* dont le timbre un jour avait fait le silence dans mon oreille, et dont le murmure se mêlait en moi maintenant comme celui d'une foule massée derrière une porte.

L'après-midi déclinait déjà ; la légère gaze blanche qui embue le ciel dans les journées chaudes des Syrtes retombait et se dissipait, rendant à l'air une transparence merveilleuse. La lumière plus frisante lustrait une mer de soie aux lentes ondulations molles ; une accalmie enchantée paraissait traîner sur les eaux comme une écharpe, paver notre route à travers les vagues. Le navire s'avançait dans le cœur du soir sur la mer pavoisée comme pour une de ses grandes fêtes, minuscule et dissous dans la réverbération immense de l'étendue, évanoui presque dans le signal insolite, le présage indéchiffrable de cette fumée qui montait de la mer après tant d'années — une longue plume flexible et molle qui défaisait paresseusement dans l'air ses volutes orageuses.

— Je vais faire réduire les feux, me dit Fabrizio soucieux : c'est une provocation que ce panache. Mieux vaut d'ailleurs rester à bonne distance de là-bas jusqu'à la nuit, si...

Son regard m'interrogea clairement. La solennité fantomatique de cette fin de jour agissait sur lui, le dégrisait, et, pour la première fois, je sentis dans sa voix une espèce de recueillement grave.

— Oui, lui répondis-je d'une voix ferme. J'y vais.

— Regarde ! me dit-il en me serrant le bras brusquement, d'une voix blanche et presque étouffée.

Une fumée montait devant nous sur l'horizon, distinctement visible sur le ciel qui s'assombrissait déjà vers l'est. Une fumée singulière et immobile, qui semblait collée sur le ciel d'Orient, pareille à sa base à un fil étiré et mince, très droit, qui s'épaississait en prenant de l'altitude et se cassait brusquement en une sorte de corolle plate et fuligineuse, palpitant mollement sur l'air et insensiblement rebordée par le vent. Cette fumée engluée et tenace ne parlait guère d'un navire ; elle ressemblait parfois au filet exténué qui monte très haut dans un soir calme au-dessus d'un feu expirant, et pourtant on la pressentait singulièrement vivace ; il émanait de sa forme je ne sais quelle impression maléfique, comme de l'ombelle retournée au-dessus d'un cône renversé qui s'effile, que l'on voit à certains champignons vénéneux. Et, comme eux, elle semblait avoir poussé, avoir pris possession de l'horizon avec une rapidité singulière ; soudain elle avait été *là* ; son immobilité même, décevante sur la grisaille du soir, avait dû longtemps la dérober au regard. Tout à coup, en fixant avec attention le point de l'horizon où s'enracinait la fumée, il me sembla discerner au-dessus du liséré de brume qui se reformait un double et imperceptible cil d'ombre, que je reconnus au soudain bondissement de mon cœur.

— C'est le Tängri... là !... criai-je presque à Fabrizio avec une émotion si brusque que j'enfonçai mes doigts dans son épaule.

Il jeta un coup d'œil fébrile sur la carte, puis fixa l'horizon à son tour avec une expression de curiosité incrédule.

— Oui, fit-il après un moment de silence, d'une voix qui revenait lentement de sa stupéfaction, comme s'il n'eût pas osé se rendre. C'est le Tängri. Mais qu'est-ce que c'est que cette fumée ?

Il y avait dans sa voix le même malaise que je sentais faire vibrer en moi sourdement une note d'alarme. Oui, pour tout ce qu'elle pouvait avoir de naturel et de banalement explicable, il était désorientant de voir, sur le volcan si longtemps éteint, monter en ce moment cette fumée inattendue. Son panache qui ondulait maintenant dans la brise fraîchissante en s'y diluant semblait assombrir plus que la nuit le ciel d'orage, maléficier cette mer inconnue ; plus qu'à quelque éruption nouvelle après tant d'autres, il faisait songer aux pluies de sang, à la sueur des statues, à un signal noir monté à cette hampe géante à la veille d'une peste ou d'un déluge.

— Il est éteint, pourtant, se murmurait Fabrizio à lui-même, comme devant une énigme qui le dépassait. Toute sa gaîté était tombée d'un coup. Le vent qui se levait avec le soir souffla jusqu'à nous une première bouffée faible ; soudain, sur la passerelle, il fit froid. Une dernière nuée d'oiseaux de mer fuyant vers l'ouest passa au-dessus de nous en criant ; le ciel déserté s'enténébrait déjà autour de la fumée mystérieuse.

— N'allons pas plus loin, me dit Fabrizio, en me saisissant le poignet d'un geste brusque. Je n'aime pas ce volcan qui se met en frais pour notre visite... Tu sais où nous sommes ? ajouta-t-il d'une voix apeurée en me tendant la carte. Le doigt qui se posa dessus était bien

209

au delà déjà de la ligne rouge ; derrière cette sinistre avant-garde, comme une vague silencieuse, de toutes parts les côtes du Farghestan accouraient à nous.

Je le regardai dans les yeux, et un instant je sentis mon cœur hésiter. A travers la voix de Fabrizio soudain pleine d'ombre, les présages dressés au seuil de cette mauvaise nuit résonnaient comme un avertissement plus grave ; la fièvre de l'après-midi retombée me laissait incertain, le cœur lourd. Il me semblait qu'un voile s'était déchiré ; la reculade de Fabrizio me laissait face à face avec la folie nue de cette aventure.

— ... Qu'est-ce que va dire ?

— ... Marino, n'est-ce pas ? achevai-je d'une voix trop douce.

Tout à coup je sentis monter en moi une colère froide. Fabrizio venait de *toucher à la hache*, et je compris soudain, avec quelle ruse acharnée, sans trêve, ce nom, je n'avais fait que le conjurer toute la nuit.

— ... C'est ennuyeux, mon petit, sifflai-je entre mes dents, qu'on s'abrite toujours derrière le nom de Marino quand on a peur.

Maintenant, je l'avais renié ; maintenant seulement tout était dit, la route libre, la nuit ouverte. Fabrizio comprit tout, et il se passa une chose singulière : il lâcha un instant la barre, et tout à coup, comme s'il eût été seul, il se signa, ainsi qu'on détourne un blasphème.

— Marino n'a pas peur... murmura-t-il d'une voix qui pâlissait.

— Route à l'est ! A toute vitesse, au contraire, hurlai-je à l'oreille de Fabrizio dans le vent qui se levait. La nuit nous couvre. Avant le jour, en forçant les feux, nous serons hors de vue... Mais on eût dit que ma voix se perdait en route ou que tous ses réflexes se fussent ralentis ; il ressemblait à un homme qui marche dans le demi-sommeil.

— Tu sais ce que tu fais, Aldo, me souffla-t-il d'une voix enfantine où se mêlaient l'effroi et la tendresse... Mais maintenant c'est une autre affaire, ajouta-t-il en se levant d'un air résolu. Il faut que j'aille donner quelques ordres.

Dans la nuit tombante, l'équipage prit les postes de combat. Les visages qui passaient devant moi dans la lueur vacillante d'une lanterne sourde s'efforçaient à une dignité gauche devant le cérémonial inhabituel. Fabrizio les appelait un à un et leur assignait leur tâche d'une voix posée ; un pareil exercice sur le *Redoutable* remontait dans la nuit des temps : pour la contenance à prendre, les souvenirs manquaient.

— Tu crois que c'est du sérieux, Beppo ? murmura au-dessous de moi une silhouette perplexe.

— Ne t'occupe pas, coupa une voix narquoise. Finie la garde aux écuries, on va voir en face.

— Et pas trop tôt qu'on s'en occupe. Paraît qu'on se remue trop, là-bas. La mer est à tout le monde, qu'ils ont dit à la Seigneurie. Le vieux *Redoutable* va aller aussi un peu prendre l'air.

Il y eut un murmure d'approbation pénétrée.

— Mais non, tu ouvres d'abord la culasse, paysan ! grommela distinctement quelqu'un sur l'avant au milieu des rires étouffés.

Le silence se reforma.

— Tu as vu comment ils ont allumé leur pipe, conclut une voix lointaine. Ça va chauffer.

Fabrizio reprit place auprès de moi sur la passerelle. Il sifflotait comme pour se donner du cœur dans le noir, mais chez cet être insouciant et si jeune je devinai une nouvelle saute de vent : il commandait le *Redoutable* devant un danger possible, et l'ardeur et la bonne humeur des hommes l'avaient ragaillardi.

— Je réponds d'eux, me dit-il, on va ouvrir l'œil. La nuit sera très noire, heureusement, reprit-il en se rassurant peu à peu : cela limite les risques. Et puis — c'est notre meilleure chance — ils ont dû perdre un peu l'habitude d'être curieux.

Depuis longtemps la fumée avait fondu dans le ciel noir. De gros nuages d'orage montaient sur l'horizon en volutes lourdes, fondus au ras de la mer dans un reste de faux jour livide.

— Et maintenant, dis-moi, Aldo, reprit-il d'une voix hésitante, ce n'est peut-être pas mon affaire, mais qu'est-ce que tu veux voir là-bas de si près ?

J'ouvris la bouche comme pour répondre, mais la voix s'arrêta en route et je me mis à sourire distraitement dans le noir. Si près de moi, mon frère, il n'y avait pas de mots pour lui dire ce que Marino, ou une femme amoureuse, eussent compris dans un regard. Ce que je voulais n'avait de nom dans aucune langue. Etre plus près. Ne pas rester séparé. Me consumer à cette lumière. Toucher.

— Rien, lui dis-je. Une simple reconnaissance.

Le bateau fonçait maintenant tous feux éteints dans la nuit épaisse. Les nuages qui gagnaient très haut dans le ciel cachaient la lune. Fabrizio ne s'était pas trompé ; la chance était pour nous. Ma pensée volait en avant du navire forcené qui trouait cette paroi d'encre ; il me semblait sentir la cime effacée maintenant grandir devant nous à toute vitesse derrière cette obscurité suspecte, et, par un mouvement dont je n'étais pas maître, mes mains nerveuses à chaque instant esquissaient le geste de se porter en avant, comme un homme qui tâte vers un mur dans l'obscurité.

— Deux heures de route, encore, me dit Fabrizio d'une voix ensommeillée... Dommage de manquer le coup d'œil, car il y a pleine lune...

Derrière son flegme de commande, je le devinais aussi tendu que moi. Au-dessous de nous, noyé dans l'ombre, l'équipage aux aguets gardait un profond silence, mais ces yeux grands ouverts aimantaient l'obscurité ; dans cette approche de nuit de la chose inconnue, tout le bateau se chargeait d'une électricité subtile.

Fabrizio se replongea dans ses cartes, l'air préoccupé : la dernière partie de notre expédition lui posait un problème difficile. Une ligne de brisants inégale, que les cartes localisaient mal, gardait les approches du Tängri à bonne distance, et on n'avait pas perdu le souvenir à

Orsenna des pertes éprouvées par ses escadres au retour
même de la grande expédition de représailles. J'allai
moi-même faire doubler les postes à l'avant, où un
homme se tint prêt à sonder. De longues minutes, je
demeurai penché au-dessus de l'étrave, fouetté dans le
vent froid qui sentait la neige et l'étoile, et semblait
tomber en nappes des glaciers de la cime inaccessible,
lui demandant de toutes mes narines les indices de la
terre prochaine, mais la nuit semblait devoir ne pas
finir ; il n'y avait rien que le bouillonnement inépuisable
de l'étrave et ce vent d'un autre monde, ce fleuve de
froid acide qui portait le crissement des champs de neige.
Le vague de cette navigation errante m'ensommeillait ;
je me berçais dans ces dernières minutes de calme et de
pure attente, l'esprit vacant soudain étrangement poreux
à un concert plus subtil et à d'indéchiffrables coïncidences.
Les indices familiers de la terre semblaient avoir reculé
très loin, mais de grands signes s'entrecroisaient dans
cette nuit claire. Toute ma vie depuis que j'avais quitté
Orsenna m'apparaissait guidée, se recomposait dans cette
fuite en avant nocturne en symboles qui me parlaient
du fond de l'obscurité. Je revoyais les chambres du palais
Aldobrandi, leur attente hautaine, leur vide moisi soudain
obscurément réveillé. Derrière moi, le torrent de fumée
vomi par la cheminée se déchirait dans la nuit comme une
voile plus noire. Je revoyais le geste de fantôme que notre
forteresse avait soudain refait sur les eaux. Je songeais
à ce volcan mystérieusement ranimé. Le visage lavé dans
cette pureté froide, au sein de cette nuit qui dissolvait
les contours, je me rassemblais, je m'identifiais de tout
mon être aveugle à mon Heure, je m'abandonnais à une
ineffable sécurité.

Vers une heure du matin, le calme se fit brusquement :
nous étions sous le vent du volcan. Une moiteur lourde et
stagnante nous enveloppa, le navire glissa sans bruit sur
une mer d'huile ; dans ce silence oppressant qui semblait
jeter une ombre au cœur de la nuit même, la masse
énorme venait à nous plus écrasante qu'en plein jour.

— Veille bien ! s'éleva la voix tendue de Fabrizio dans l'ombre trop calme.

Le navire réduisit sa vitesse, le bouillonnement plus clair de l'étrave s'apaisa ; tout à coup, une bouffée d'air tiède et très lente déplissa sur nous une odeur à la fois fauve et miellée, comme une senteur d'oasis diluée dans l'air calciné du désert. La nuit devenait insensiblement plus claire, — au-dessus de nous les masses de nuages semblaient se désagréger rapidement, — quelques étoiles brillèrent, infiniment lointaines et pures, dans leurs déchirures très noires que la lune frangeait maintenant d'un halo laiteux.

— Aldo ! appela Fabrizio à voix basse.

Je le rejoignis sur la passerelle.

— ... L'orage se dissipe, chuchota-t-il en me montrant le ciel déjà plus clair. Si la lune se dégage, d'un instant à l'autre, il va faire clair comme en plein jour. Tu as senti les orangers ? me dit-il en haussant la tête. Nous sommes presque à toucher la terre... Tu veux aller plus loin ?

Je coupai court d'un bref signe de tête. En ce moment, la gorge sèche, comme devant un corps désiré qui dépouille un à un ses voiles dans l'ombre, collé de tous mes nerfs à mon attente affamée, je ne pouvais même plus parler.

— Bien ! conclut Fabrizio d'une voix délivrée et où on eût dit que passait malgré lui une sorte d'allégresse. C'est une tentative de suicide, et je devais t'avertir. Que Dieu nous protège...

Il fit réduire encore la vitesse et, posément, méticuleusement, vérifia une dernière fois quelques calculs. Je le regardais de temps en temps de côté : le front plissé par l'attention et l'importance, il tirait la langue comme les très jeunes garçons. Une extraordinaire enfance semblait sourdre sur ses traits de toutes les meurtrissures creusées par la fatigue et l'insomnie, et un sentiment exalté de victoire m'envahit soudain ; ce visage que j'emportais dans mon songe vivait comme il n'avait jamais vécu.

— Tu voudrais retourner maintenant, Fabrizio ?

dis-je en fixant l'avant du navire et en posant doucement
la main sur son bras.

— Je ne sais plus, fit-il avec un rire de gorge où passait
un excès d'agitation nerveuse... Tu es le diable ! ajouta-
t-il en détournant les yeux, et, sans relever la tête je
savais comment il souriait. Le coup de fouet d'un grain
fit résonner les tôles, cingla soudain la passerelle et nous
aveugla, et pourtant, au cœur même de cette brutale
bourrasque, l'obscurité maintenant se diluait comme si,
très haut derrière elle, le réflecteur d'une lampe y eût
pulvérisé finement sa douche de lumière. La pluie cessa,
le navire s'ébroua dans l'accalmie, s'empluma d'une vapeur
légère ; tout à coup, la nuit parut s'entr'ouvrir sur une
lueur ; devant l'étrave, les nuages s'écartèrent à toute
vitesse comme un rideau de théâtre.

— Le volcan ! Le volcan ! hurlèrent d'une seule voix
trente gorges étranglées, dans le cri qui s'élève d'une
collision ou d'une embuscade.

Devant nous, à la toucher, semblait-il au mouvement
de recul de la tête qui se renversait vers sa cime effrayante,
une apparition montait de la mer comme un mur. La
lune brillait maintenant dans tout son éclat. Sur la droite,
la forêt de lumières de Rhages frangeait d'un scintillement immobile l'eau dormante. Devant nous, pareil au
paquebot illuminé qui mâte son arrière à la verticale
avant de sombrer, se suspendait au-dessus de la mer
vers des hauteurs de rêve un morceau de planète soulevé
comme un couvercle, une banlieue verticale, criblée,
étagée, piquetée jusqu'à une dispersion et une fixité
d'étoile de buissons de feux et de girandoles de lumière.
Comme les feux d'une façade qui se fût reflétée paisiblement, mais jusqu'à hauteur de nuage, sur la chaussée
luisante, et si près, semblait-il, si distinctes dans l'air
lavé qu'on croyait sentir l'odeur des jardins nocturnes
et la fraîcheur vernissée de leurs routes humides, les
lumières des avenues, des villas, des palais, des carrefours,
enfin, plus clairsemés, les feux des bourgades vertigi-
neuses accrochées à leur pentes de lave, montaient

dans la nuit criblée par paliers, par falaises, par balcons sur la mer doucement phosphorescente, jusqu'à une ligne horizontale de brumes flottantes qui jaunissait et brouillait les dernières lueurs, et parfois en laissait reparaître une, plus haute encore et presque improbable, comme reparaît dans le champ de la lunette un alpiniste un moment caché par un épaulement du glacier. Comme le piédestal, la pyramide brasillante et tronquée d'un autel qui laisse culminer dans la pénombre la figure du dieu, l'espalier de lumières finissait à cette lisière inégale. Et, très haut, très loin au-dessus de ce vide noir, dressé à une verticale qui plombait la nuque, collé au ciel d'une ventouse obscène et vorace, émergeait d'une écume de néant une espèce de signe de fin des temps, une corne bleuâtre, d'une matière laiteuse et faiblement effulgente, qui semblait flotter, immobile et à jamais étrangère, finale, comme une concrétion étrange de l'air. Le silence autour de cette apparition qui appelait le cri angoissait l'oreille, comme si l'air tout à coup se fût révélé opaque à la transmission du son, ou encore, en face de cette paroi constellée, il évoquait la chute nauséeuse et molle des mauvais rêves où le monde bascule, et où le cri au-dessus de nous d'une bouche intarissablement ouverte ne nous rejoint plus.

— Le Tängri ! dit doucement Fabrizio pâle comme la cire, en enfonçant ses ongles dans mon poignet, comme devant une de ces puissances très rares dont le nom est prière, et qu'il est permis seulement de reconnaître et de nommer.

— Droit dessus ! Plus près ! lui murmurai-je à l'oreille d'une voix qui résonna étrangement gutturale et dure.

Mais Fabrizio ne songeait pas à virer de bord. Il était trop tard maintenant — plus tard que tout. Un charme nous plaquait déjà à cette montagne aimantée. Une attente extraordinaire, illuminée, la certitude qu'allait tomber le *dernier voile* suspendait ces minutes hagardes. De tous nos nerfs tendus, la flèche noire du navire volait vers le géant illuminé.

— A toute vitesse ! hurla Fabrizio hors de lui.

Le navire vibra de toutes ses tôles — la proue qui montait sur l'horizon à chaque minute silhouettée en noir déjà sur les lumières proches, la côte accourait à nous, grandissait immobile comme un navire qu'on éperonne. Non, plus rien ne pouvait nous atteindre — la chance était pour nous, la mer vide ; pas une lumière ne bougeait devant Rhages qui paraissait endormie. Le rideau de lumière qui éblouissait le rivage nous protégeait, dissolvait dans la nuit notre ombre noire. Une minute, une minute encore où tiennent des siècles, voir et toucher sa faim, soudés à ce bondissement final de train rapide, se fondre dans cette approche éblouissante, se brûler à cette lumière sortie de la mer.

Soudain, à notre droite, du côté de Rhages, le rivage vibra du cillement précipité de plusieurs éclairs de chaleur. Un froissement lourd et musical déchira l'air au-dessus du navire, et, réveillant le tonnerre caverneux des vallées de montagne, on entendit se répercuter trois coups de canon.

L'ENVOYÉ

DEBOUT près de l'avant du navire pour respirer mieux la première fraîcheur, je regardais dans le petit matin grandir la côte des Syrtes. Ses grèves jaunes encore balayées de brumes traînantes, et tout aplatie sur l'horizon, elle me paraissait dans le petit jour maussade et chagrine, plus déshéritée que d'habitude et toute plombée de mon subit dégrisement. J'avais le cœur lourd ; il me semblait que le *Redoutable* s'appesantissait et se traînait sur cette mer plate, comme s'il eût embarqué dans sa cale des tonnes d'eau. Dieu merci, je le ramenais intact. D'une embardée instinctive, Fabrizio avait esquivé les salves, et le passage d'une nuée soudaine nous avait dérobés. Le sang-froid inattendu de nos canonniers, ou leur stupeur peut-être, en les empêchant de répondre avait évité le pire. Et pourtant, l'incohérence même de cet engagement rapide continuait à m'intriguer. Il y avait quelque chose de surprenant — si l'incurie d'Orsenna de ce côté-ci peut-être avait passé les bornes — à ce que sur la côte d'en face on eût si opiniâtrement et si attentivement veillé. Surprenant aussi il était que dans cette nuit noire on n'eût pas éprouvé le besoin de s'assurer de l'identité d'une silhouette suspecte, comme si dès l'abord on eût su à quoi s'en tenir. Aucun signal de reconnaissance n'avait précédé le feu, et, plus j'y songeais, plus il me paraissait bizarre qu'à cette distance rapprochée le tir qui nous avait encadrés tout de suite se fût montré si inefficace. La dextérité de Fabrizio ne pouvait à la réflexion me donner le change ; il y avait eu dans ce coup de *semonce* trop complaisamment souligné une nuance de dédain et de moquerie, et ce tir accommodant qui avait fini par soulever les rires soulagés de l'équipage ne me rassurait pas. Les bruits qui couraient à Maremma sur les agissements de Rhages se rapprochaient malgré moi de cette canonnade sans résultat. Sans résultat ? Je me surpris à hocher la tête ; il me manquait de savoir ce qu'au juste en face on avait cherché.

Je fouillais du regard avec inquiétude le petit groupe que notre retour signalé de loin avait déjà attroupé sur la jetée ; plus que tout en ce moment, je craignais de me retrouver face à face avec Marino. Il n'était pas là, et je me sentis brusquement soulagé.

— Faussé ton gouvernail sur un banc, le gamin ? cria Giovanni à Fabrizio avec bonne humeur, en ôtant sa pipe de la bouche, pendant qu'on jetait les aussières.

La plaisanterie était rituelle. De si bon matin, son fusil de chasse lui pendait déjà à l'épaule ; l'inexprimable monotonie de la vie à l'Amirauté reflua d'un coup sur moi.

— Il y a eu des ennuis, dit Fabrizio, penaud et gêné devant ses hommes. On t'expliquera.

Les groupes s'étirèrent, nonchalants et gourds, les hommes flânant le long de la jetée et lançant des cailloux dans l'eau. Notre petite troupe marchait en tête, et je tendais malgré moi l'oreille aux voix qui montaient des groupes où nos hommes d'équipage étaient mêlés ; réticents et gênés, guère pressés de dire les nouvelles, ils gardaient leur *quant à soi* : on eût dit que ce retour les dépaysait. Giovanni et Roberto se taisaient, surpris de notre mutisme ; le silence devenait lourd.

— Nous sommes allés là-bas, dis-je soudain d'un ton brusque. On a tiré sur nous.

Giovanni et Roberto s'arrêtèrent net, la bouche ouverte, et levèrent vers moi un œil mal réveillé.

— Là-bas ?... reprit enfin Giovanni d'une voix presque naturelle, se souvenant de son flegme célèbre des nuits d'affût — mais Fabrizio vint à mon secours.

— Aldo a eu ses raisons, ajouta-t-il sèchement, coupant court aux explications.

Une onde de discrétion diplomatique passa presque naïvement sur ces faces tannées. L'heure des Syrtes accusait soudain tout son retard sur ces visages : les raisons d'Etat de la Seigneurie y réchauffaient encore une vénération toute prête.

— Les maudits chiens ! grommela entre ses dents Giovanni en ôtant sa pipe de sa bouche.

Il y avait dans sa voix un accent de condoléance convenable, mais j'étais surpris et ragaillardi de voir combien la consternation était moins vive que je ne m'y fusse attendu.

— Vous êtes allés là-bas ?... reprit Roberto, incrédule. Raconte !... ajouta-t-il en me prenant le bras d'un air de conspirateur, et il poussa la porte de la salle commune avec une soudaine fébrilité.

Le récit et les questions furent infinis. Je me sentais singulièrement à l'aise. Il avait été évident tout de suite que les *raisons* n'intéressaient pas Giovanni et Roberto, et qu'ils ne songeaient guère à me demander des comptes. Je progressais avec eux dans un conte de fées dont, dans la hâte qu'on a de le vivre, on a mis tout de suite entre parenthèses le coup de pouce initial ; et, bien plus qu'à le désenchanter, on eût dit que Roberto et Giovanni souhaitaient plutôt s'y mêler, entrer dans le jeu, nous rejoindre. Toute allusion à Marino fut écartée comme *trouble-fête* : on eût dit qu'il n'avait jamais mis le pied à l'Amirauté. Doucement, de nos mains réunies, nous écartions les obstacles, les images gênantes, libérant la pente sur laquelle nous nous plaisions à glisser. A l'évocation du Tängri, je vis les yeux s'allumer d'une curiosité toute neuve. Roberto développa quelques considérations critiques sur les méthodes de tir. Surtout on s'accorda, avec des hochements de tête pénétrés, pour trouver

« sans exemple » qu'on eût tiré sur nous sans sommation. Fabrizio comprit qu'on pouvait tout se permettre, et mit le point final à la victoire par un coup de génie inattendu.

— Une fameuse idée que la tienne, Roberto, de faire réparer la forteresse. On dirait que tu avais prévu quelque chose.

— Je me suis toujours méfié de ces gens-là, concéda Roberto d'une voix augurale, et, tout en feignant de tirer sur sa pipe, il rougit de satisfaction modeste. Je compris que j'allais sortir de la salle blanchi, mieux même : exalté.

— Eh bien ! le vin est tiré, il faut le boire, dit Giovanni en levant son verre avec une espèce de gaîté. Ces gens-là ont eu ce qu'ils cherchaient. Je vous prédis sans risque qu'ils ne vont pas s'en tenir là !

La pipe de Roberto l'enveloppa d'un nuage jupitérien ; les yeux mi-clos, il observait l'horizon de mer à travers la fenêtre, luisant de divination lointaine et de pénétrante sagacité. En l'absence de Marino, le commandement militaire de l'Amirauté lui revenait.

— ... Je ne serais pas étonné outre mesure qu'ils nous rendent leur petite visite cette nuit, finit-il par concéder d'un ton gonflé d'information secrète. Le temps va se boucher : beau temps pour une surprise... Seulement, d'ici là, j'aurai pris quelques précautions.

— Cela s'impose, conclut Giovanni dans le silence approbatif. L'Amirauté est ouverte comme un moulin... et nous nous pénétrâmes de la conscience énergique que nous n'étions pas défendus.

Il s'ouvrit séance tenante un petit conseil de guerre que j'écoutai se dérouler sans mot dire, tout engourdi que je me sentais par une sensation d'irréalité croissante à voir ainsi les choses sournoisement prendre corps. Roberto proposait des mesures d'urgence. Fabrizio feuilletait des règlements. Tout seul, échappé maintenant à mes doigts, se dévidait le peloton dont j'avais lesté le bout du fil.

On décida de laisser le *Redoutable* sous pression pour

221

la nuit, prêt à l'appareillage. Un poste de guet de nuit serait établi en haut de la forteresse. Roberto, sans éveiller l'attention, dès l'après-midi devait inspecter la vieille batterie côtière — passablement délabrée — qui commandait l'entrée de la passe (depuis longtemps l'artillerie de la forteresse était inutilisable) et vérifier son approvisionnement. Enfin on devait mettre à flot une des pinasses qui pourrissaient sur les vasières, et l'utiliser pour surveiller la nuit les abords de la passe. Encore que l'envie n'en manquât pas, l'appréhension du retour de Marino, qui douchait vaguement les enthousiasmes, avait déconseillé des mesures plus voyantes : en cas de besoin — c'était la pensée inavouée de tous — le dispositif d'alerte se nierait aisément. Ainsi, de minute en minute, entre nous quatre une complicité se resserrait.

— Pour le reste, le capitaine avisera, conclut Roberto, jésuite. Je prendrai la patrouille de nuit — plutôt que de guetter les canards !...

Dans les allées et venues incessantes de la forteresse à la jetée et à la batterie, la journée passa vite. On ne s'ennuyait plus à l'Amirauté. L'excitation maintenant avait gagné nos troupes, et les bribes de réflexions qu'on pouvait surprendre çà et là — car on se taisait plus respectueusement que d'habitude, d'un air lourd de sous-entendus, sur le passage des officiers — donnaient à penser sur les bruits extravagants qui y trouvaient créance, comme si tout à coup un besoin d'imprévu et d'inouï, longuement couvé dans cette vie monotone, eût fait explosion dans les cervelles endormies. Deux ou trois fois même, des questions fusèrent sur notre passage, que Roberto éludait d'une paupière lourde de mystère ; sous ce ciel où soudain, avec un flair curieusement animal, on eût dit qu'ils sentaient monter un orage, bonnes ou mauvaises ces visages ranimés appelaient les *nouvelles*, comme la terre appelle la pluie dans les longues sécheresses.

Cependant la nuit puis les trois jours suivants, s'écoulèrent tranquilles. L'excitation retomba. Marino s'était annoncé pour la fin de la semaine, et, de chaque nouvelle garde inutile, je voyais Giovanni revenir plus désenchanté.

— C'était à prévoir, disait-il maintenant, vexé comme un soupirant qui voit revenir ses lettres non décachetées. On n'a pas seulement la peau noire, on l'a épaisse, en face. On peut tout se permettre avec ces gens-là, ajoutait-il d'un air dégoûté.

Son imagination n'allait pas plus loin que cette *politesse rendue*. Comme tout le monde à l'Amirauté, Giovanni vivait dans l'immédiat, à fleur de peau. L'assoupissement sans âge d'Orsenna, en décourageant avec une si longue patience le sens même de la responsabilité et le besoin de la prévision, avait modelé ces enfants vieillis dans une tutelle omnipotente et sénile, pour qui rien jamais ne pouvait arriver réellement, ni quoi que ce soit tirer à conséquence. Les occasions de se distraire étaient bonnes à prendre. Mais inévitablement, un jour ou l'autre, on en revenait à la chasse au canard.

Pendant ces journées agitées, une tout autre préoccupation m'avait tenu en haleine. Rentré dans le bureau de Marino, que j'occupais en son absence, à peine avais-je commencé à feuilleter la pile routinière des papiers de service, que tout à coup, dans le retombement de la fièvre qui avait dévoré ces journées, il me sembla — aussi nette, aussi distinctement perceptible que le visage même de Marino rentrant dans cette pièce accusatrice — que la folie de mon équipée se dressait devant moi, si aveuglante que mes yeux se brouillèrent et que je crus un moment que le cœur allait me manquer. Le silence feutré de cette pièce faisait tout à coup à mes oreilles comme un bruit de mer ; après cette nuit follement vécue, mon acte s'était séparé de moi à jamais ; quelque part, très loin, avec un léger et subtil ronflement d'aise, une machine s'était mise en route que personne ne pourrait plus arrêter : son bourdonnement lointain pénétrait dans la pièce close, éveillait comme un bruit d'abeille ce silence reclus.

— Le vin est tiré, il faut le boire, répétais-je en hochant

la tête, terriblement dégrisé. Mes yeux tombèrent sur la pile de courrier non décacheté qu'on avait déposé sur la table, et tout à coup je songeai que j'avais à prendre d'urgence une décision.

Rendre compte à la Seigneurie d'une violation aussi formelle des règlements était un suicide ; la passer sous silence, à supposer même que l'affaire n'eût pas de suites, une condamnation à terme plus certaine encore : toute l'Amirauté déjà savait. La situation un moment me parut à ce point sans issue que je m'accoudai à mon bureau, pris de vertige, et, la tête enfouie dans les mains, j'appelai comme un enfant le sommeil et l'oubli qui transformeraient cette nuit en mauvais rêve, je tâchai de me persuader que ce cauchemar allait s'évanouir. Tout à coup j'entrevis un recours, et l'espoir vague, à défaut d'une absolution, du moins d'une intelligence possible : je décidai de demander audience au Conseil de Surveillance pour une affaire grave sur laquelle je désirais lui fournir de vive voix des explications.

Je regagnai ce soir-là ma chambre sitôt après le dîner : il me fallait mettre au point avant le matin une rédaction assez difficile. Je jouais là une dernière carte, et je ne pouvais me dissimuler que j'allais la jouer dans la nuit. Je pouvais me perdre d'un mot malheureux, j'étais fort loin d'être à mon aise, et mon travail n'avançait guère. Depuis longtemps, autour de moi, l'Amirauté s'était endormie ; le grincement léger de la plume cousait seul les heures lentes de son bruit de taret, et le crissement des feuilles que je déchirais l'une après l'autre. Il pouvait être onze heures du soir lorsque ma porte battit doucement sur la nuit silencieuse, et j'avais à peine eu le temps de lever la tête que quelqu'un soudain fut devant moi.

— Il est très tard, monsieur l'Observateur — sans doute infiniment tard pour vous demander audience, prononça une voix étrangère et assez musicale.

Dans le contre-jour que faisait ma lampe, je distinguais mal ses traits. J'avais devant moi une silhouette vigoureuse et cependant assez gracile ; dans le mouvement

224

qu'elle fit pour s'approcher de la table passa cette légèreté élastique et silencieuse que donne l'habitude de la vie du désert. Le vêtement extrêmement simple et presque sordide était celui des bateliers qui chargent les promeneurs du dimanche au bord de la lagune ; il ajoutait quelque chose de dérisoire à l'extrême distinction de la voix.

— Il est *vraiment* très tard, reprit-il en consultant à l'envers la montre posée sur mon bureau, et, d'un mouvement plein de nonchalance, je compris qu'une seconde il attardait exprès contre la lumière son profil. Soudain, je me rappelai, et mon cœur se mit à battre : cette peau sombre, ces yeux aigus et fixes, c'était le gardien du bateau de Sagra.

— ... Ceci vous dira au nom de qui je suis venu, dit-il, lisant dans mes yeux et soudain changeant de ton, et sans autre invitation, avec une aisance noble qui n'était pas impolie, il s'assit, après un léger soupir de fatigue.

Je dépliai le papier qu'il me tendait, et soudain mes yeux devinrent fixes. A l'angle de droite, portant le serpent entrelacé à la chimère, et tel que je l'avais si souvent déchiffré à l'Académie diplomatique au bas de traités poussiéreux et centenaires, le sceau de la Chancellerie de Rhages étoilait la feuille. Le texte certifiait le caractère pacifique de la mission du porteur et, en l'accréditant, priait expressément qu'on lui accordât les égards et le traitement officiel réservés aux parlementaires de guerre. Les mots maintenant se brouillaient sous mes yeux, pendant que je feignais de relire le texte : un sentiment de joie inconnue et d'élection merveilleuse m'envahissait ; il me semblait que pour la première fois m'était révélé le sens de l'expression : donner signe de vie.

— Je vais donc devoir vous faire arrêter, prononçai-je d'une voix à dessein incertaine, en repliant le papier. La qualité toute neuve de parlementaire ne saurait couvrir, que je sache, votre activité d'espion.

Pris au dépourvu, dans mon désarroi, j'essayais maladroitement de m'assurer l'avantage.

225

— ... Ne le niez pas !

Je l'arrêtai du geste.

— Nous nous sommes déjà rencontrés ailleurs qu'ici. Je crois me souvenir que vous ne portiez pas d'uniforme, quoique armé.

— La livrée de la princesse Aldobrandi, corrigea-t-il d'une voix courtoise, avec une légère inclinaison de la tête.

Je fronçai les sourcils assez durement.

— ... Laissons cela, ajouta-t-il aussitôt, comme en s'excusant.

Visiblement il voulait éviter de m'indisposer.

— Voulez-vous que nous ouvrions une parenthèse ? dit-il avec un sourire de bonne humeur.

Et tandis que je le regardais sans comprendre il se leva, tira posément de sa poche un pistolet et le posa près de moi sur la table.

— Je suis votre prisonnier, si vous y tenez ; vous voici tranquille. Laissons donc cela jusqu'à tout à l'heure, et parlons sérieusement.

Soudain je ne me sentais plus de très bonne humeur. L'inconnu prenait sur moi le double avantage de son insolence mesurée et de mes réflexes sans élégance. Je jouai un instant avec le pistolet d'un air boudeur.

— Eh bien ? dis-je en lui jetant un regard de mauvaise grâce.

L'inconnu parut réfléchir un instant.

— Je puis dire, monsieur l'Observateur, commença-t-il avec une hésitation dans la voix qui ajoutait curieusement à son charme, que ma tâche n'est pas des plus aisées. Mon pays et le vôtre font la preuve qu'il peut se créer entre les Etats, comme entre les individus, de bien singulières *situations fausses*. Du fait de leur... longévité particulière, elles peuvent même durer infiniment plus longtemps.

Il poussa un discret soupir d'embarras.

— ... Il arrive, lorsqu'on se rencontre à nouveau après une... séparation prolongée, qu'on ne sache plus, même approximativement, *à quoi s'en tenir*.

— Je ne suis pas un diplomate, remarquai-je assez
sèchement. La Seigneurie dresse sans nul doute les bilans
de sa politique. Elle ne m'en fait pas confidence. Je ne
mets pas en doute votre mandat. Mais vous vous serez
trompé d'adresse.

Je ne tenais pas à lui faciliter les choses. Je prenais un
secret plaisir à ce ton incertain de réticence, à cette
approche tâtonnante. Plus peut-être qu'à ce qu'il
allait avoir à me dire, *je m'y retrouvais*.

— Il n'y a pas d'erreur sur la personne, reprit-il en
baissant un instant les yeux. Vous êtes bien notre homme,
ajouta-t-il en les relevant soudainement, et il me sembla
qu'il souriait comme souriait parfois Marino, de son
lointain sourire de connaissance.

— Voici pour le moins une singulière façon de parler.

Je me sentais moins en colère que je ne l'aurais voulu.
Il s'excusa du geste avec une insincérité marquée.

— Je n'ai pas sans doute une parfaite pratique de
votre langue. Je voulais dire : quel que soit le jugement
qu'on porte sur cette « situation fausse », il s'est produit
la semaine dernière un fait nouveau. Vous n'y êtes pas
étranger, moins étranger que quiconque.

Il guetta une réplique qui ne vint pas, puis, après un
instant de silence, il parut se décider.

— Je résumerai donc les faits qui motivent cet entretien. Orsenna et le Farghestan sont en état de guerre...

Il parut soupeser et manier le mot de ses doigts expres-
sifs, et me jeta de nouveau son regard voilé et imperceptiblement amusé.

— ... Il en est bien ainsi, n'est-ce pas, monsieur l'Observateur ? De l'état de guerre au fait de la guerre, dans
le cas qui nous occupe, il y a pourtant bien loin. La
querelle est fort ancienne. Le temps — comme on le dit
— est galant homme. La mer des Syrtes est large. Les
deux pays, vous le savez, ont depuis longtemps évité de
s'y rencontrer. La guerre s'est assoupie ; il n'est pas
excessif même de dire qu'elle semblait dormir tout à
fait.

Encore une fois, le regard resta sans réponse. Il prit un temps complaisant.

— Il y a un proverbe, n'est-ce pas, qui pour désigner le bon sommeil dit : « dormir sur ses deux oreilles ». S'il en est ainsi, il est à craindre qu'elle ne dorme plus très longtemps...

— Il vous plaît de le dire.

— Il vous plaît d'y aider. Dans la nuit de jeudi à vendredi, un navire suspect a été aperçu croisant tout près de nos côtes. Il venait d'Orsenna. C'était un navire de guerre. Vous le commandiez.

— Le renseignement est précis et rapide, répliquai-je vexé. La nuit était fort sombre. Disons que pour le moins la chose ne semble pas avoir été une surprise. Dois-je vous adresser des félicitations personnelles ? ajoutai-je du ton le plus blessant que je trouvai.

Il sourit de nouveau sans impatience.

— Nous discutons un fait ; je suis heureux que vous ne le contestiez pas. Il est impossible de ne pas le juger fort grave. Ce qui pourrait passer ailleurs pour une méprise, une... étourderie sans conséquence, ne peut prendre ici que le caractère d'une provocation calculée, et, dans la situation où nous sommes, le sens en est clair.

— La situation ! Il y a si longtemps... l'arrêtai-je d'un ton ironique.

— Il n'y a pas de prescription en histoire, monsieur l'Observateur. Votre... visite a réveillé de très anciens souvenirs. Ces souvenirs ne sont pas paisibles. Ils peuvent redevenir... brûlants.

Il me regarda avec insistance. Pour la première fois, je distinguai dans sa voix une note grave, une note inattendue d'exaltation.

— Où voulez-vous en venir ? lui dis-je d'une voix mal assurée.

— Au message que j'ai mission de vous transmettre, reprit-il d'un ton neutre, comme s'il eût tenu à souligner qu'il n'était plus ici qu'un *porte-parole*. Le gouvernement de Rhages considère qu'une période de paix de fait, si

228

continûment respectée de part et d'autre, a constitué à la longue une véritable promesse tacite de non-hostilité. Il n'a pas tenu à lui, je dois le souligner formellement en son nom, qu'elle ne fût scrupuleusement observée. Du fait d'Orsenna, cette période se trouve close par un véritable acte de guerre. Rhages se considère comme relevée en fait, de même qu'elle l'était déjà en droit, de son attitude d'abstention résolue...

Il se tut une seconde, et reprit en martelant plus nettement les mots :

— ... Cependant elle estime appartenir à la sagesse dont elle a administré les preuves si continûment de laisser place pour la réflexion avant le déclenchement d'événements incontrôlables. Elle tient à déclarer que ses intentions sont restées inébranlablement pacifiques. Elle consent même à admettre — aucun dommage matériel n'ayant été réellement causé par cette incursion — que la voie reste largement ouverte à un règlement raisonnable si...

La voix s'arrêta complaisamment sur le mot.

— ... Si la preuve peut être dûment faite qu'aucune intention réellement hostile n'a inspiré cette... incartade.

— Quelle forme envisage-t-elle pour cette « preuve » ?

— La longanimité du gouvernement de Rhages est extrême, laissa-t-il tomber avec un sourire barricadé (je commençais à être un peu intrigué par cette manière impersonnelle qu'il avait de faire allusion à l'autorité qu'il représentait). Rien qui puisse prendre pour vous une forme vexatoire, rien qui prétende à être une *satisfaction*. Son incertitude est grande, commenta-t-il avec une chaleur un peu forcée. Ou bien le fait est insignifiant — ou bien, s'il signifie quelque chose, il annule trois siècles de sécurité, sinon de paix. Il est compréhensible, monsieur l'Observateur, que devant cette situation un peu angoissante, il demande une bonne fois, ainsi que je le disais tout à l'heure, à quoi s'en tenir.

— C'est-à-dire, au juste ?

— Un désaveu, laissa-t-il tomber d'une voix précise.

L'assurance expresse que cette violation de nos eaux côtières a été involontaire, accidentelle, et comme telle dénuée de toute *signification*. La promesse que des faits aussi préjudiciables à la tranquillité commune ne se reproduiront pas. Il va de soi, ajouta-t-il négligemment, que le délai nécessaire pour que vous en référiez à la Seigneurie vous sera largement accordé. Je veux dire, se reprit-il d'une voix rapide, trente jours, à dater de ce soir.

Il se fit un moment de silence embarrassé. Je compris que la communication officielle avait pris fin.

— Il nous sera peut-être moins facile de vous faire parvenir une réponse qu'à vous de poser des questions, dis-je pour gagner du temps. Le Farghestan ne semble pas d'approche aisée.

— Votre imagination vous servira certainement, répliqua-t-il avec une ironie amusée. J'ai dû moi-même forcer un peu cavalièrement votre porte. Le choix vous est laissé quant à la forme et aux voies d'un apaisement que Rhages ne doute pas de recevoir.

Le silence reprit. Les yeux légèrement bridés, au regard lourd, attendaient avec gourmandise. On eût dit qu'il s'était déchargé d'une mission encombrante, que son ton détaché et rapide avait tendu à minimiser curieusement. Il s'animait maintenant sous mon regard ; son visage offert sans détour à ma curiosité semblait luire d'un éclat de vitalité soudaine ; le rôle du porte-parole était fini, et pourtant on eût dit qu'il n'avait cherché dans cette mission officielle qu'une singulière espèce d'*ouverture*, qu'un prétexte au tête-à-tête qui commençait maintenant.

Non, il n'avait pas à craindre. Je ne le laisserais pas partir maintenant. J'éprouvais un apaisement inexprimable, un *suspens* merveilleux, à ce que seulement il fût là, une apparition silencieuse ensorcelée et retenue un instant dans le cercle lumineux de ma lampe. Il me semblait que tout à coup je l'avais évoqué là, une silhouette glissée d'un autre monde, posée au bord de ma table dans l'intimité d'une visitation nocturne. Ces yeux

posés sur moi me parlaient bien au delà de toute parole ;
je me sentais confirmé et reconnu.

— Et sinon ? dis-je d'une voix qui s'éleva étrangement calme et comme ensommeillée.

— Sinon ?

— Si cette réponse que vous attendez ne vous parvient
pas ?

Le regard de l'étranger devint fixe ; on eût dit que ses
yeux se voilaient d'une taie légère. La silhouette cependant
restait parfaitement immobile.

— Les instructions que j'ai reçues ne comportent pas
d'éclaircissement à ce sujet, reprit-il après un instant
de silence.

Il leva les yeux sur moi et fronça légèrement le sourcil.

— Je me suis acquitté d'une communication officielle.
Une conversation entre nous de nature... privée ne serait
sans doute pas inutile. Elle ne saurait d'ailleurs engager
que mon opinion particulière. Mais j'ai peur qu'il ne soit
très tard, hésita-t-il d'un air d'excuse polie.

Je lui tendis un étui de cigares et je m'accoudai à mon
fauteuil avec une nonchalance étudiée.

— Les soirées de l'Amirauté sont longues, dis-je, et
je m'étonnai de lui adresser un regard presque amical.
Une visite... tri-séculaire ne peut guère être dite abusive.

Je remarquai combien son sourire un peu cruel était
séduisant. Cette hésitation de la voix que je lui emprun-
tais sans y songer nous donnait de l'air, nous mettait
soudain infiniment à l'aise. Tout à coup, dans les silences
qui coupaient cette conversation incohérente, il s'était
établi une singulière compréhension à demi-mot.

— Sinon ? répétai-je d'une voix posée, et je le regardai
dans les yeux.

— On parle beaucoup à Maremma, monsieur l'Observateur. Vous vous êtes certainement intéressé aux bruits
qui courent dans la ville.

La voix traîna sur la dernière phrase, et le sourire à
nouveau souligna ce qu'elle avait de délibérément *accro-
cheur*. Je devinai tout à coup — mais sans colère, plutôt

avec un sentiment de curiosité complice — pourquoi la police de Belsenza faisait si constamment buisson creux.

— La police aussi s'y intéresse, je ne crois pas inutile de vous en avertir. On aurait tort de s'exagérer sa naïveté. Un jour ou l'autre elle mettra la main sur ceux qui les sèment, et je vous jure bien que c'en sera fini.

— Vous vous faites tort en cela, monsieur l'Observateur, remarqua-t-il avec un toussotement gêné de la gorge. Je ne puis croire que vous raisonniez comme la *simple police*.

— Permettez-moi. La police ne raisonne pas mal, repris-je avec froideur, quand elle juge bon de remonter à une source qui me paraît de moins en moins douteuse, et de mettre à la raison des empoisonneurs publics. Je ne doute pas que les sentiments dont votre gouvernement fait étalage ne soient appréciés comme il se doit par la Seigneurie. Mais je me permettrai de l'éclairer un peu, et elle pourra discerner que, des intentions aux actes, il y a loin. Si l'on ne s'était employé de façon si tenace à donner la fièvre à l'opinion, nous n'aurions pas songé à cette *précaution nécessaire* qui paraît vous contrarier si vivement.

L'inconnu regarda distraitement vers la fenêtre, avec un geste courtois et découragé.

— Je vois qu'il est très difficile de nous entendre, reprit-il avec une patience résignée.

— Je ne puis en effet me sentir très à l'aise en face d'un provocateur.

Il y eut de sa part un instant de silence moins offensé que consterné, pareil au silence de *bienséance choquée* qui suit le bris excessivement sonore d'une importante pièce de vaisselle.

— Je suis heureux que le mot soit prononcé, reprit-il avec un flegme impitoyable. Dans sa crainte d'envenimer les choses, Rhages avait peut-être mis un zèle excessif à l'éviter.

De nouveau il eut un geste de la main qui coupait court,

s'excusait avec nonchalance. L'expression de son visage, qui m'intriguait de plus en plus, était celle d'un joueur qui retourne une à une, précautionneusement, les cartes d'une donne.

— Laissons cela, fit-il d'une voix contrariée. Je crains que nous ne glissions à une *mauvaise querelle.*

Il me regarda de nouveau avec un sourire ouvert et presque ingénu, comme on essaie de dérider un enfant boudeur.

— Il me semble que nous perdons de vue une particularité remarquable de la situation, reprit-il en détournant les yeux vers la fenêtre. Nous avons tout à gagner, si nous voulons nous entendre, à ne pas nous attacher outre mesure à ce que j'appellerai une malveillance de *commande.* Non, non, je vous en prie, ne parlez pas ! (Il y avait dans sa voix une hâte soudaine, comme s'il avait eu peur de me voir *rompre les chiens* une fois de plus.) Je voulais dire : si nous reprenons le langage de routine de la police et des chancelleries, nous n'aurons pas de mots pour nous expliquer sur ce que j'appellerai, si vous le voulez bien, le *fait nouveau.*

Il me consulta à nouveau du regard, et, comme je gardais le silence, son expression tout à coup s'éclaira d'un sourire fin et détendu, plein de charme. Un pli pourtant lui sabrait le coin de la bouche, que je remarquais maintenant, raide et austère comme une cicatrice, et qui nuançait ce sourire d'une pointe de cruauté.

— ... Voyez-vous, monsieur l'Observateur, reprit-il, il est difficile de parler, il est difficile de penser contre les mots officiels et les situations acquises. Ceux-ci parlent de « provocation » et d' « espionnage », et celle-ci s'appelle la guerre. Vous m'avez rappelé tout à l'heure avec un peu d'humeur qu'il pouvait y avoir loin des sentiments aux actes. Mais je vous écoute et je songe à mon tour qu'il y a parfois loin des mots aux... sentiments, conclut-il en me regardant dans les yeux avec une expression amusée.

— Puis-je vous demander de m'expliquer ?

— Vous m'avez accueilli ici ce soir.

Le regard de l'inconnu faisait lentement le tour de la pièce, s'attardant aux coins d'ombre que la lumière de la lampe faisait remuer vaguement. Le calme autour de nous s'était fait profond dans l'Amirauté endormie ; il me semblait que descendait dans la pièce cette intimité chaude et attardée, trouée de silences complices, qui rapproche sous la lampe, pour un dernier cigare, deux amis très intimes. Au loin, derrière la forteresse, un coq chanta, trompé comme ils l'étaient souvent par le clair de lune éblouissant des Syrtes. Il me sembla soudain qu'il était très tard et que le bruit des voix somnolentes s'enfonçait et se perdait dans une obscurité sans âge, rejoignait le bourdonnement de songe qui faisait vibrer faiblement les nuits du désert.

— N'en tirez pas vanité, dis-je en souriant malgré moi à mon tour. On ne trouve guère à qui parler, aux Syrtes.

J'écoutai tomber ma phrase dans le silence avec malaise, frappé soudain de l'ambiguïté qui s'y jouait au travers de ce « trouver à qui parler ». On eût dit qu'en présence de l'étranger les mots hésitaient d'eux-mêmes au bord d'une pente glissante, soudain prêts à trop dire.

— ... Que vouliez-vous dire en parlant de « fait nouveau » ?

— Le mot est peut-être excessif. Il serait très décevant, *à mon avis*, monsieur l'Observateur (la voix souligna le mot une fois de plus complaisamment), si l'on veut juger des changements survenus dans les rapports entre nos deux pays, de se placer sur le seul terrain des faits. En se plaçant sur ce terrain, il n'est pas impossible que le gouvernement de Rhages ait vu son attention attirée sur quelques mesures de protection que la situation ne justifie guère... Il me semble que l'on a beaucoup bâti à l'Amirauté ces derniers temps, commenta-t-il avec un sourire... Et pourtant, à en juger d'ici, comme il m'est donné de pouvoir le faire, je serais plutôt porté à croire que j'ai vu céder une à une certaines... défenses.

Le regard glissa vers moi entre les paupières comme une lame de couteau.

— Orsenna vous saura gré de votre diagnostic, ricanai-je d'un air gêné. Elle vous demandera pardon de ne s'en trouver pas moins en excellente santé.

Il ignora mon ironie.

— J'ai vécu dans votre pays, monsieur l'Observateur, dit-il d'une voix grave et triste qui ne cherchait plus à donner le change, et je l'ai aimé. Et parce que je l'ai aimé, j'ai souhaité à votre peuple une vieillesse heureuse, c'est-à-dire l'imagination courte. Il n'est pas bon que l'imagination vienne à un peuple quand il est trop vieux.

— Vous avez trop vécu à Maremma, dis-je en m'efforçant à nouveau de rire. Je sais que notre bonne ville a fait une petite poussée de fièvre. Personne moins que vous, je pense, ne peut être dupe de ces racontars.

— Ces racontars risquent de ne rester pas longtemps sans motif : voilà ce que je voulais répondre à votre « sinon ? ». Il arrive que la fièvre se gagne, dit-il en pesant ses mots et en relevant lentement les yeux sur moi. Un observateur désintéressé peut juger cette... obsession seulement curieuse, mais dans le fait on ne se sent jamais très longtemps à l'aise d'être l'objet d'un tel sentiment... d'élection.

— Voulez-vous tirer argument de bruits incontrôlables pour nous faire un procès d'intention ?

L'inconnu hocha lentement la tête.

— Je ne fais le procès de personne, prononça-t-il en détachant ses mots avec une diction nette et soignée. J'essaie de prévoir. J'essaie de deviner avec vous le développement possible, entre nos deux peuples, de rapports nouveaux que vous serez sans aucun doute d'accord pour nommer avec moi *passionnels*.

— Vous êtes fou ! lui jetai-je, et je sentis mes joues devenir très rouges.

— J'essaie de vous faciliter les choses, dit-il en baissant les yeux avec une nonchalance très sûre. J'ai beaucoup de sympathie pour vous. Je sais combien il peut être

embarrassant dans certains cas de faire, comment
dirai-je ?...

Le regard luisant coula vers moi une fois de plus par
la fente de l'œil bridé.

— ... une déclaration. Je sais combien le gouvernement de Rhages se trompe, ajouta-t-il en se hâtant de
me couper la parole, dans l'appréciation qu'il fait de
l'incident qui motive notre entrevue...

Son œil sagace et ironique était sur moi maintenant
comme une mouche qu'on n'arrive pas à chasser.

— ... Je suis persuadé quant à moi que cette incursion
n'était pas... hostile.

— Elle ne l'était pas, fis-je d'une voix qui s'étrangla
malgré moi.

Il baissa les yeux et sembla se recueillir. Le clair de
lune blanchissait la fenêtre et faisait pâlir la lueur de
la lampe. La nuit s'ouvrait comme une clairière, flottant
sur un temps exsangue comme celui qu'étire l'insomnie ;
à nouveau, du fond de ce faux jour d'aube trop calme,
les coqs chantaient.

— Vous le direz à Rhages ? fit l'étranger d'une voix
neutre.

— Et si cela était ?

— Si cela était ?

Il reprit la question machinalement.

— ... Si cela était... eh bien ! il n'y a pas à douter, je
pense, que les choses s'arrangent. Nous penserions seulement qu'Orsenna a souffert passagèrement d'une espèce...
d'insomnie, reprit-il d'une voix dont l'excessive et froide
politesse avait maintenant quelque chose d'insultant.
On ne peut trouver de *bonne raison*, en effet, qui s'oppose
à ce que les choses se rendorment. Il n'est pas donné à
tout le monde de finir tragiquement, ajouta-t-il avec un
sifflement désagréablement coupant dans la voix.

— Finir ? repris-je d'une voix hébétée. Le cerveau
engourdi, il me semblait que le mot heurtait avec un
choc mat, comme un doigt contre une porte, mon oreille
opaque.

— *Vous le savez bien*, fit-il dans un murmure, en se levant presque de son fauteuil et en approchant sa bouche de mon oreille. Je suis venu vous aider à le comprendre. Il ne faut pas que vous vous teniez quitte à si bon compte... J'apprécie beaucoup les prêches de Saint-Damase, fit-il en rivant sur moi ses yeux luisants et fixes tandis que je suivais à mesure, fasciné, le mouvement précis et délicat de ses lèvres comme on lit sur la bouche d'un muet... et je trouve qu'ici on manque un peu de *ferme propos*.

— Où voulez-vous en venir ? lui jetai-je en me levant à mon tour. J'étais très pâle.

— Où vous allez, répondit sans se troubler la voix légèrement musicale. Où nous vous attendons sans nous presser. Où vous avez rendez-vous avec nous depuis que vous êtes ici. Seulement vous me remercierez un jour de votre chance : vous y serez allé les yeux ouverts.

Il s'inclina légèrement, et je compris qu'il allait prendre congé.

— ... Souvenez-vous de ceci, monsieur l'Observateur, qui vous donnera matière à réfléchir sur les croisières au clair de lune : il n'y a pour les peuples qu'une seule espèce de... rapports intimes.

— Mais où vous adresser la réponse ? criai-je tout à coup comme réveillé, tandis qu'il glissait déjà de son long mouvement souple vers la porte.

Les yeux étroits se retournèrent une seconde vers moi du fond de l'ombre.

— Vous ne vous rendez pas justice. Il n'y en aura pas, dit-il d'une voix posée, et de nouveau la porte battit silencieusement sur la nuit.

Je demeurai longtemps assis sans bouger devant ma table. La lente, la silencieuse ondulation de reptile qu'il avait eue pour sortir de l'ombre et pour s'y évanouir, la fascination qu'avaient exercée sur moi ses yeux et sa voix, et l'heure très tardive, m'auraient donné à croire à une hallucination si le *laisser-passer* éclaboussé de rouge par le grand sceau de Rhages n'eût reposé sur ma table, pareil à ces pactes maléfiques qu'on signe de son sang. Une note sinistre résonnait avec les derniers mots de l'étranger dans mon esprit vide ; maintenant que s'était retirée de moi cette présence plus pleine qu'aucune que j'eusse sentie de ma vie, il me sembla que le froid noir des fins de nuit des Syrtes s'était glissé dans la pièce mal close, et d'un pas machinal je marchai vers la fenêtre entr'ouverte. Il n'y avait devant moi que la lande blanchissante de lune ; le pas d'un cheval s'éloignant sur la chaussée des lagunes parvenait jusqu'à moi dans la nuit claire. L'envie de rappeler l'étranger monta en moi de façon si brusque que je retins un cri ; les pas déjà se perdaient dans la nuit indistincte ; le tranchant de la voix qui m'avait donné congé glaça de nouveau mon oreille : cette silhouette si tôt replongée dans l'ombre était de celles après lesquelles il est inutile de courir. Je passai la main sur mon visage : il était couvert d'une sueur froide ; un étourdissement me coucha sur mon lit, la tête vide. Un reste de pensée en moi suivait les pas de l'inconnu dans cette nuit immobile ; le lendemain, à la première heure, je songeai que je devais rejoindre Vanessa.

Tandis que je descendais de la voiture dans le matin piquant pour héler un des bateliers du palais qui se tenaient à toute heure au long de l'embarcadère, je me fis la réflexion que Maremma ce jour-là semblait s'être éveillée plus tôt que de coutume. Je n'avais guère dormi ; la fraîcheur tonique de ce matin de mer et ma course rapide avaient secoué pour un moment de mon esprit le souvenir que me laissait l'entrevue de la nuit. Le besoin fiévreux que j'avais de Vanessa était devenu si exclusif et si aveugle qu'à l'instant où j'allais exiger d'elle de se laver du soupçon le plus infamant je ressentais moins d'angoisse peut-être devant mon incertitude que de joie à sentir qu'en ajoutant encore à tant de secrets suspects et partagés, j'allais lui devenir plus nécessaire. C'était jour de marché à Maremma ; bien des fois déjà, quittant le palais au petit jour, et bercé encore dans un demi-sommeil sur l'eau louche souillée de débris de légumes, j'avais respiré l'odeur juteuse et entêtante des pastèques des Syrtes que l'on débarquait au coin des quais en pyramides toutes fumantes encore de brouillard, et perçu le claquement paysan des pieds nus sur les dalles mouillées ; mais, bien plutôt que le brouhaha de la criée, la rumeur des voix ce matin, plus saccadée et plus basse, était celle d'une foule attroupée autour d'un accident grave. Il me sembla que la voiture de l'Amirauté arrêtée sur le quai provoquait plus de curiosité encore que de coutume ; les maigres éventaires en plein vent délaissés, un attroupement se forma même très vite à quelque distance. Un mélange de curiosité soucieuse et de respect paraissait figer les visages, et, à l'air de gravité qui soudain les vieillissait, je compris que la nouvelle déjà avait dû filtrer de notre équipée de la nuit.

— Quelque chose de nouveau, Beltran ? demandai-je au batelier, en lui désignant du menton les visages préoccupés qui frangeaient maintenant le bord du quai et nous suivaient des yeux avec insistance.

— C'est le *malheur*, votre Excellence, dit-il en baissant les yeux, avec cette inflexion résignée et paysanne qui remonte à la gorge du menu peuple dans les afflictions, et il baisa la croix que les pêcheurs des Syrtes portent sur la poitrine, suspendue à un cordon... Tout était prédit, ajouta-t-il en hochant la tête d'un geste sénile. Dieu l'a voulu. Depuis la semaine dernière, on prie à Saint-Damase nuit et jour.

Comme j'avais pu m'y attendre, il était clair que, de l'effervescence qui régnait en ville, le palais Aldobrandi prenait plus que sa part. Les couloirs et les enfilades de pièces que je traversais, emplis déjà d'un remue-ménage de portes claquées, de pas précipités et de conciliabules dans les encoignures, faisaient penser à la fois au quartier général d'une ville en état de siège et au hourvari du palais d'un souverain moribond, faisant osciller son affolement entre les remèdes de rebouteux et les combinaisons de régence. Je pressais le pas au travers des groupes ; une fois de plus, j'emplissais mes poumons de la sensation familière que la vie ici brûlait plus vite qu'ailleurs. Vanessa pourtant n'était pas sortie ; sa femme de chambre somnolait de fatigue devant la porte close.

— Je suis venu bien tôt, Viola, dis-je, et je lui posai en souriant la main sur l'épaule. La princesse me recevra-t-elle à pareille heure ?

— Dieu soit loué, dit-elle en me saisissant les mains d'un geste exalté. Elle vous attend depuis deux jours.

Vanessa achevait tout juste de s'habiller quand je pénétrai dans sa chambre. Je fus frappé de sa pâleur, une pâleur presque ostentatoire, qui n'était pas celle de la fatigue ou de la maladie, bien qu'il fût visible que depuis longtemps elle n'avait guère dormi ; cette pâleur descendait plutôt sur elle comme la grâce d'une heure plus solennelle : on eût dit qu'elle l'avait revêtue comme une *tenue de circonstance*. Elle portait une robe noire à longs plis, d'une simplicité austère : avec ses longs cheveux défaits, son cou et ses épaules qui jaillissaient très blancs de la robe, elle était belle à la fois de la beauté fugace d'une actrice et de la beauté souveraine de la catastrophe ; elle ressemblait à une reine au pied d'un échafaud.

— Voici le héros du jour, dit-elle en souriant d'excitation contenue et en traversant la pièce à ma rencontre, de sa longue démarche onduleuse. Tu as tellement tardé ! reprit-elle dans un souffle bas en prenant ma tête dans ses mains et en relevant mes yeux jusqu'aux siens — des yeux qui répondaient de moi, qui m'avouaient de tout... Je t'ai attendu nuit et jour.

Dans un mouvement d'humeur, je m'écartai d'elle légèrement. Vanessa n'était pas inconsciente de ses armes, et ce corps à corps trop brusque me hérissait.

— J'ai voyagé, dis-je d'une voix un peu sèche, et je m'assis sur le bord du lit. Vanessa s'assit près de moi sans mot dire. Mes yeux tombèrent sur le tableau qui m'avait tant frappé le premier soir.

— ... Il y a encore des canons chez tes amis de Rhages, le savais-tu ? dis-je en désignant le tableau des yeux avec une suffisance désinvolte. Je crois même que s'ils avaient tiré un peu mieux, il aurait pu se faire que tu m'attendes ici très longtemps.

Vanessa resta silencieuse.

— ... Je suis allé là-bas, tu as lieu d'être contente, repris-je avec une mauvaise humeur marquée. Il me semble que j'ai fourni à tes invités un passionnant sujet de conversation.

— Je ne suis pas contente, je suis heureuse, dit-elle — et tout à coup elle saisit mes mains et les baisa avec emportement.

— ... Orsenna s'est souvenue de ses armes. Je suis fière de toi, ajouta-t-elle avec une véhémence qui ne me persuadait pas entièrement. Il y avait là une pointe d'emphase qui ne lui était pas habituelle, ou peut-être étais-je seulement sensible à ce soupçon de gêne qui s'attache toujours aux manifestations du patriotisme féminin.

— Qui parle de relever les armes ? Il me semble qu'ici on vit un peu trop sur ton imagination, Vanessa, ajoutai-je d'un ton froid. Je te préviens que les salons du palais Aldobrandi ont pris des acomptes sur l'histoire. Il n'y a même pas eu une escarmouche. J'ai défendu de riposter.

Ce qui était un peu trop dire, mais j'étais un homme qui voit soudain son cheval prendre le mors aux dents.

Vanessa me regarda par deux fois avec une expression de surprise incrédule, comme si elle n'en croyait pas ses yeux.

— Naturellement, Aldo, tu as été si prudent dans cette affaire... Tu es la sagesse même, reprit-elle, accommodante, comme on panse l'amour-propre d'un enfant capricieux. Tout le monde ici t'admire, je dois le dire, d'avoir montré tant de sang-froid.

— Tout le monde ? repris-je d'une voix stupéfaite, si extraordinairement peu lui ressemblait cet appel inattendu aux idées reçues... Tout le monde ? mais, Vanessa, qu'est-ce que cela veut dire ? Il ne se prononce pas un mot à Maremma que tu n'aies soufflé.

241

Vanessa se leva avec humeur, et soudain *prit le vent*, comme je lui disais plaisamment dans nos moments d'intimité à cause de cet air qu'elle avait tout à coup de capter un souffle : c'est-à-dire qu'elle se mit à marcher de long en large de son grand pas élastique de lionne, et que la pièce sembla brusquement se rapetisser. De nouveau l'impression me revint, plus forte cette fois, qu'elle n'avait pas une seconde cessé d'être *en scène* depuis mon entrée.

— Tu te trompes, Aldo, dit-elle enfin. Je le pouvais hier, aujourd'hui je ne le peux plus. Tout ceci maintenant nous échappe, ajouta-t-elle avec une espèce de tranquillité.

— Il me semble que de tout cela rien jusqu'ici ne t'a beaucoup échappé. Tu as désiré que j'aille là-bas. Tu me l'as fait comprendre.

Vanessa s'arrêta près de la fenêtre et regarda un moment, pensive, vers le canal.

— Peut-être, dit-elle en haussant les épaules avec indifférence. Cela n'a plus d'importance, maintenant.

— Plus d'importance !... Le capitaine sera là dans deux jours. Il va falloir répondre des choses, repris-je d'une voix altérée. T'imagines-tu qu'il passera l'éponge si facilement ?

— Tu t'accordes beaucoup d'importance, Aldo, remarqua-t-elle d'une voix lointaine. Tu n'es pas humble. Ni toi ni moi ne comptons tellement dans cette affaire, ajouta-t-elle avec un ton d'évidence.

— Je suis allé là-bas, Vanessa, et tu l'as voulu, lui dis-je en me penchant vers elle, d'une voix basse et patiente, comme on rappelle l'attention de quelqu'un qui s'endort.

— Non, Aldo. *Quelqu'un* est allé là-bas. Parce qu'il n'y avait pas d'autre issue. Parce que c'était l'heure. Parce qu'il fallait que quelqu'un y aille...

» ... As tu remarqué, me dit-elle d'une voix plus basse en me saisissant au poignet, quand une chose va naître, comme tout change brusquement de sens ?... Marino ne t'a jamais raconté comment il avait fait naufrage ?

Elle me jeta un regard de côté, et de nouveau il y eut

dans sa voix le ton d'intimité et d'ironie qui lui revenait d'instinct lorsqu'elle parlait du capitaine.

— C'est une chose qu'on a peine à s'imaginer, Aldo, ne trouves-tu pas ? — avec une telle passion pour l'agriculture. Mais il paraît qu'il ne faut pas juger les gens sur la mine, et puis c'était peut-être dans une vie antérieure. Quand il montre la main qui a perdu deux doigts dans cette aventure, on pense malgré soi — comment te dire ? — à quelqu'un qui aurait reçu les stigmates.

Elle éclata de son rire perlé.

— Personne aux Syrtes ne peut comparer ses états de service à ceux de Marino, répliquai-je sèchement.

— Ne te fâche pas, Aldo... A nouveau le léger rire, un peu féroce, se moquait de moi. Tu sais combien je l'aime. C'est un vieil ami. Eh bien ! tout en coulant... Aldo ! je ne sais si tu parviens à t'imaginer Marino en homme des tempêtes, les bras croisés sur le pont d'un navire coulant bas, me jeta-t-elle, comme frappée malgré elle d'une impossibilité bouffonne.

— « Les femmes et les enfants d'abord... » Mais si, je vois cela assez bien ; et je souris à mon tour, trouvant moins gênant d'entrer dans le jeu. Il a une dignité naturelle que tu méconnais.

— Il n'y avait pas de femmes ni d'enfants, rien que l'équipage : c'était un bateau de guerre. La mer montait, les hommes se cramponnaient à l'épave en reculant devant l'eau pas à pas : on ne leur aurait pas fait lâcher prise à coups de hache, me disait le capitaine. L'eau montait très doucement, le navire ne se pressait pas de couler ; il avait donné sur un écueil mal reconnu, par une mer très calme. Il paraît qu'on n'entendait pas le moindre bruit, et Marino dit que ce n'était pas impressionnant du tout, que c'était un spectacle plutôt paisible, comme quand on saborde une vieille coque pourrie pour embouteiller un port. Tout à coup, il y a eu un « plouf » énorme. Marino s'est retourné brusquement : il n'y avait plus personne sur l'épave, l'équipage barbotait ou se noyait tout autour ; il s'était jeté à l'eau d'un seul coup, conclut-elle comme absorbée dans cette vision, une intensité avide dans la voix.

— Les rats aussi désertent le navire qui va couler, dis-je en haussant les épaules. Cela prouve seulement que l'homme n'a pas de nez pour les catastrophes.

— Tu en es si sûr.?... N'importe, d'ailleurs, ce n'est pas ce qui m'a paru étrange dans cette affaire. Ce qui m'a frappée, ajouta-t-elle en laissant son regard flotter distraitement vers la fenêtre, c'est qu'il doit y avoir un changement de signe. Un moment où on s'accroche encore, et un moment où on saute, en entraînant le troupeau de moutons à la mer. Oui, continua-t-elle, comme si elle contemplait en elle une évidence calme, il vient un moment où l'on saute — et ce n'est pas la peur, et ce n'est pas le calcul, et ce n'est pas même l'envie de survivre ; c'est qu'une voix plus intime que toute voix au monde nous parle — c'est qu'il n'est pas égal même pour mourir de *couler avec le bateau*, que tout vaut mieux que d'être ligoté vivant à un cadavre, tout soudain est préférable à se coller à cette chose condamnée qui sent la mort... Les eaux qui montent sont patientes, dit-elle rêveusement. Elles peuvent attendre. Leur proie leur raccourcira toujours le chemin.

— Voilà donc ce que tu es venue faire ici, dis-je en me levant d'un geste brusque. Je ne voyais plus clair en moi. Les mots qui tombaient de sa bouche, il me semblait que je les avais prononcés à mesure, et pourtant ils faisaient monter en moi dégoût et colère ; l'impudeur de Vanessa à travers eux se posait sur moi comme une main hardie, à nouveau elle durcissait en moi cette brutalité qui fondait finalement sur elle en tendresse comme une grêle.

— Il me semble que tu y es venu aussi. Tu as même fait plus de chemin que moi. Elle leva les yeux sur moi avec un sourire de fierté, et malgré moi je me sentis m'épanouir sous la douce averse de ce sourire mouillé.

— Dieu sait ce qui va sortir de tout cela, dis-je en la regardant pensivement. J'ai peur que nous n'ayons fait tous les deux une folie, ajoutai-je en lui prenant la main à mon tour, dans le besoin que j'avais de savoir qu'elle ne m'abandonnait pas.

Vanessa haussa les épaules et sembla chasser une pensée importune.

— Veux-tu me donner des remords ?

Elle se tourna vers moi et ses yeux étincelèrent calmement.

— ... Orsenna a pourtant appris à nous connaître, dit-elle entre ses dents serrées. Les miens ont été l'éperon dans sa chair, et elle entre leurs jambes comme une monture fourbue dont on tire un dernier galop. Rien pour eux ! rien jamais ! sinon son suprême coup de reins, sinon à chaque instant seulement sa possibilité la plus haute... Veux-tu que le cavalier s'excuse près d'elle, ajouta-t-elle avec une ironie féroce, d'avoir fait donner à la bête tout ce qu'elle *avait dans le ventre*.

— La comparaison n'est pas obligeante, remarquai-je froidement. Au surplus, il y a un proverbe qui déconseille de fouetter un cheval mort. Orsenna dort tranquille. Pourquoi se souvenir de ce qu'elle a oublié ?

— Va ! plonge-lui le nez dans sa mangeoire, dit-elle avec un sourire d'extrême mépris. Marino t'aidera.

Elle détourna de moi son visage d'ange furieux, et son long pas de guerrière, à nouveau, fit sonner le plancher.

— Une folie ?... prononça-t-elle en s'arrêtant soudain comme si elle se parlait à elle-même. Est-il fou, celui qui tâte dans le noir vers le mur au milieu de son cauchemar ? Crois-tu qu'on parlerait tant ici — puisqu'il paraît qu'on y parle — si l'oreille à la fin n'avait le vertige de n'entendre jamais revenir un écho.

— Voilà où peut-être tu te trompes, et c'est là justement que je voulais en venir. Il paraît que le mur n'est plus tout à fait sans écho. Il m'en est revenu un déjà, si tu veux le savoir.

Le regard de Vanessa devint fixe et ses paupières se contractèrent légèrement. Devant ce visage désarmé par

245

une curiosité intense, je me sentis brusquement plus à l'aise.

— Un écho ? dit-elle d'une voix incrédule.

— Continues-tu toujours tes promenades en mer ? lui demandai-je d'un ton d'indifférence.

— Que veux-tu dire ?

— Rien de bien particulier. J'aurais aimé savoir, par exemple, si ton équipage est toujours au complet.

Il y eut un instant de silence.

— Comment sais-tu ? dit enfin Vanessa d'une voix stupéfaite.

— Peut-être aimerais-tu savoir où il est parti ? Il se trouve que j'ai quelques lumières là-dessus.

Vanessa me regarda d'un air incertain et embarrassé.

— Parti ? reprit-elle incrédule. Tu ne veux pas dire ?

Elle sursauta soudain, comme frappée d'une idée subite.

— Là-bas. Si ! lui jetai-je, et je guettai son visage anxieusement, mais le haut-le-corps que j'attendais ne se produisit pas. Les yeux de Vanessa se plissèrent à nouveau légèrement, avec une dangereuse expression de ruse amusée et complice, puis s'éclairèrent d'une lueur.

— Vanessa ! m'écriai-je, et je lui saisis et secouai brusquement les mains comme à une folle. Vanessa ! comprends-tu ce que cela veut dire ? Comprends-tu qui tu as protégé, couvert ?

— Es-tu venu me demander des comptes ? dit-elle en me fixant avec un sang-froid dédaigneux... Je ne savais rien, naturellement, reprit-elle en haussant les épaules, ma parole doit te suffire.

— Tu ne savais pas, naturellement. Tu ne savais pas. Mais peut-être tu soupçonnais.

Vanessa éclata d'un rire offensant.

— « Tu soupçonnais !... » reprit-elle en contrefaisant ma voix avec insolence. « Tu soupçonnais... » Ma parole, Aldo, c'est une enquête. Tu ne peux savoir comme tu me plais dans le rôle de grand inquisiteur.

— Tu vas répondre, dis-je en me levant dans un mouvement de colère froide, et je saisis au vol son poignet d'un geste brutal. Je te jure, Vanessa, que je n'ai pas envie de rire. Tu le soupçonnais ?

Vanessa leva la tête vers moi.

— Et quand cela serait ? dit-elle d'une voix basse et nette... Oui, si tu veux le savoir.

Je lâchai brusquement la main crispée, et je sentis que je m'asseyais lourdement. La tête me tournait. Ce que je ressentais n'était pas du dégoût, ni de la colère, c'était plutôt un émerveillement apeuré et trouble, comme devant quelqu'un qui marcherait sur la mer.

— Il faudra que tu t'habitues, Aldo, dit Vanessa derrière moi d'une voix claire. Les choses ne nous tombent pas toutes faites dans les mains.

— Tu as pu faire cette besogne ? repris-je d'une voix incrédule.

Je me retournai brusquement, surpris de son silence. Vanessa ne m'écoutait même pas ; par-dessus ma tête, elle regardait le tableau pendu au mur.

— Tu l'as regardé souvent, n'est-ce pas, continuai-je d'une voix venimeuse. Je me levai et je fis un pas vers elle, mais je m'arrêtai soudain maladroitement. Vanessa ne me regardait pas, et j'étais repris malgré moi par le sortilège de ce portrait qui imposait le silence.

— Je me demande à quoi il pense, dit enfin Vanessa d'un ton de profonde distraction. Oui, je me le suis souvent demandé. Tu devines bien, Aldo, dit-elle en faisant un pas encore, comme fascinée — je me suis même quelquefois levée la nuit pour le voir. Je me demande si toi et moi nous avons jamais été aussi intimes, reprit-elle avec une voix qui me prenait à la gorge.

» Tu sais, ces nuits d'été qui sont plus chaudes que le jour, où on dirait que les Syrtes macèrent comme un corps dans sa sueur. Je me levais, pieds nus sur les dalles fraîches, dans ce peignoir blanc que tu aimes — elle se tourna vers moi avec une lueur de provocation dans les yeux — je t'ai trompé souvent, Aldo, c'était un rendez-vous d'amour. A cette heure-là, Maremma est comme morte ; ce n'est pas une ville qui dort, c'est une ville dont le cœur a cessé de battre, une ville saccagée — et si on regarde par la baie, la lagune est comme une croûte de sel, et on croit voir une mer de la lune. On dirait que la planète s'est refroidie pendant qu'on dormait, qu'on s'est levé au cœur d'une nuit d'au-delà des âges. On croit voir ce qui sera un jour, continua-t-elle dans une exaltation illuminée, quand il n'y aura plus de Maremma, plus d'Orsenna, plus même leurs ruines, plus rien que la lagune et le sable, et le vent du désert sous les étoiles. On dirait qu'on a traversé les siècles tout seul, et qu'on respire plus largement, plus solennellement, de ce que se sont éteintes des millions d'haleines pourries. Il n'y a jamais eu de nuits, Aldo, où tu as rêvé que la terre tournait soudain pour toi seul ? tournait plus vite, et que dans cette course enragée tu laissais sur place les bêtes aux poumons plus faibles ? Ce sont les bêtes qui n'aiment pas l'avenir — mais celui qui sent qu'il est en lui un cœur pour cette vitesse irrespirable, ce qui est crime et perdition à ses yeux et à son instinct, c'est ce qui l'empêche de bondir et rien d'autre. Pour penser que les hommes vivent ensemble parce qu'ils vivent côte à côte, il faut n'avoir jamais regardé à la *portée de leur œil*. Il y a des villes pour quelques-uns qui sont damnées, par cela seulement qu'elles semblent nées et bâties pour fermer ces lointains qui seuls leur permettraient d'y vivre. Ce sont des villes confortables ; on y voit le monde comme de nulle part, comme l'écureuil de sa roue. Je n'aime que celles où au creux des rues on sent souffler le vent du désert ; et il y a des jours, Aldo, dit Vanessa en se tournant vers moi et en me regardant d'un œil aigu, où j'ai fait à Orsenna une querelle grave : on n'y sent que le marécage, et j'ai pensé parfois qu'elle empêchait la terre de tourner.

» Il y a quelque chose de trouble à dévisager un portrait la nuit, à la lueur d'une bougie. On dirait qu'une figure lisible, du fond du chaos, du fond de l'ombre qui l'a dissoute, se hâte d'affluer, de se recomposer au contact de cette petite vie falote qui sépare une seconde fois la lumière des ténèbres, comme si elle appelait désespérément, comme si elle tentait une suprême fois de se faire reconnaître. Quiconque a vu une vision pareille a vu, comme on dit, au moins une fois l'ombre se peupler — la nuit prendre figure. Celui qui m'appelait là était de mon sang et de ma race, et je sentais qu'au delà de la honte, au delà du déshonneur que les hommes distribuent pour le *bon ordre* avec on ne peut moins de garanties, comme des décorations en temps de guerre, cette façon à lui qu'il avait de sourire m'appelait plus profond à un secret paisible, un secret pour lequel la bonne conscience béate de la ville était sans verdict et sans attendus.

— Je voudrais te faire comprendre ici quelque chose, Aldo. Il y a un récit que mon père me faisait quand j'étais encore petite, et qui m'a beaucoup frappée ; il le tenait de mon grand oncle Giacomo *le Profanateur*, celui qui avait dirigé le soulèvement de San Domenico, au temps de la grande insurrection des Métiers. Que veux-tu, hélas ! s'interrompit Vanessa en braquant vers moi un sourire d'insolence à demi amusé, la généalogie de la famille Aldobrandi, c'est le Gotha inavouable des *perfides* factions, comme disent nos livres d'histoire. Quand Giacomo s'empara avec ses bandes armées, comme tu te le rappelles peut-être, du bâtiment de la Consulta, où ils ne purent se maintenir que quelques heures, il réussit à mettre la main sur les archives de la police, et on découvrit la liste complète des espions que la Seigneurie entretenait à ses gages dans le parti populaire. On les rechercha aussitôt pour les fusiller séance tenante ; si tu t'en souviens, lors de cette chaude affaire, de part et d'autre on ne fit guère de quartier. Sais-tu où on les découvrit ? Je te le donne en mille... Sur les barricades, où ils faisaient le coup de feu bravement contre les troupes de la Seigneurie ; il y en avait déjà plusieurs de tués, il fallut tirer les autres à bas du parapet pour les fusiller contre les pavés. « Faute énorme ! » il paraît que se lamentait après coup mon grand-oncle, en se cachant la figure dans les mains (que veux-tu, il était moins délicat que toi),

« est-ce qu'un vigneron brise ses futailles sous le prétexte qu'elles ont déjà servi ? » J'espère que tu l'excuses, Aldo, continua Vanessa en me jetant de côté son regard aiguisé de jeune démon : c'était un cynique comme tu ne le vois que trop — enfin, je veux dire.... de pareils propos ne révèlent pas un enthousiaste de la *personnalité inviolable* ; il ne voyait que la force gaspillée, et de son point de vue peut-être il n'avait pas entièrement tort. Mais d'un point de vue plus... contemplatif, si tu veux, et abstraction faite, bien entendu, du sens extrêmement blâmable qui s'attache à de tels actes pour notre sentiment de la vertu (Vanessa glissa de nouveau vers moi un clin d'œil énigmatique), on pourrait considérer une espèce d'homme aussi singulière sous un jour un peu différent. C'est prononcer vite, Aldo, que de parler, comme on le fait en pareil cas, de gens qui ont « la trahison dans le sang ».

La voix de Vanessa se fit soudain plus grave.

— ... Il s'agit peut-être seulement de connaisseurs plus mûrs et plus sagaces de l'action, de gens qui aiment à faire au besoin périlleusement le *tour des choses*, d'esprits assez hardis pour avoir compris, plus vite que les autres, qu'au delà de l'excitation imbécile et aveugle qui s'acharne dans la nuit sans issue de ses petites volontés, il y a place, si l'on n'a pas peur de se sentir très seul, pour une jouissance presque divine : passer *aussi* de l'autre côté, éprouver à la fois la pesée et la résistance. Ceux qu'Orsenna dans la naïveté de son cœur (pas toujours si naïve) appelle inconsidérément transfuges et traîtres, je les ai quelquefois nommés en moi les poètes de l'événement. J'aimerais que tu saisisses bien ces choses, Aldo, si tu veux que nous continuions à nous entendre, et que tu comprennes jusqu'où, mais pas plus loin, viennent en considération tes petites délicatesses. Et je voulais aussi te dire, si tu t'obstinais à les faire entendre, — puisque je reviens d'Orsenna, ajouta-t-elle d'une voix sérieuse, — que toutes choses n'y vont pas exactement comme tu l'imagines, et qu'on pourrait là-bas désormais les prendre peut-être un peu impatiemment.

— Je sais que ton père est rentré en crédit, dis-je d'un ton circonspect. Je dois te dire que je n'ai pas jugé alors que ce fût là une nouvelle très rassurante.

Vanessa parut ignorer l'insinuation.

— Tu trouveras là-bas de grands changements, reprit-elle en plissant légèrement les yeux. Ce ne sont peut-être pas ceux auxquels tu penses... J'ai trouvé la ville plus réveillée que je ne m'y serais attendue, ajouta-t-elle après un silence. Elle paraissait chercher ses mots pour une chose difficile à dire.

— Vraiment ?

— Ce n'est pas que la chose soit tellement visible, et même il faut de bons yeux pour s'en rendre compte, continua Vanessa. Il y a des signes que lisent avant tous les autres les yeux seuls qui les ont longtemps guettés.

— On n'a jamais encore, de mémoire d'homme, lu dans les signes à Orsenna, dis-je d'un ton ironique. Chez nous, il n'y a pas de présages, tu le sais bien. Il n'y a que des anniversaires.

— Je serais surprise pourtant que tu ne les lises pas comme moi, reprit Vanessa, pensive. Ce n'est pas que ce soit rien de tellement précis...

Elle se remit à marcher de long en large, s'arrêtant parfois comme si elle cherchait à ressaisir une impression fugace.

— ... Les gens ne sont pas à ce qu'ils font, voilà ce qu'il y a. On croirait qu'ils sont *ailleurs*, comme on dit, qu'ils pensent perpétuellement à autre chose. Les visages qu'on croise dans les rues — et tu te rappelles, Aldo, c'était des vies si respirantes et si pleines, si présentes, comme si on marchait dans les allées d'un jardin matinal — me faisaient parfois l'effet de façades de maisons évacuées qu'on conserve pour le bon ordre de l'alignement. On se promène aujourd'hui à Orsenna comme dans un appartement qu'on va déménager.

» Ce n'était pas pour me déplaire, ajouta-t-elle en souriant. Il y avait des jours où il me semblait que ses ruelles s'étaient desserrées, et qu'il y passait un peu d'air du large.

— Je vois que tu es beaucoup sortie à Orsenna, coupai-je avec humeur.

— On dirait que les gens font en eux instinctivement de la place pour une chose qui n'est pas encore arrivée, continua-t-elle comme si elle n'avait pas entendu. Pour être sincère, les salons à Orsenna n'y gagnent pas. Je n'ai jamais encore trouvé les conversations si assommantes. Tu sais sur quoi elles roulent d'habitude. Eh bien ! le manque d'entrain à commenter le bal de novembre à la Consulta ou la prochaine promotion de croix de Saint-Jude m'a stupéfiée.

— Ce sera tout bénéfice pour Maremma. Tu leur as fait valoir, je suppose, combien ici les langues s'occupent.

Vanessa me regarda avec une moue ironique.

— Tu es de mauvaise humeur, Aldo. Je suis sûre qu'Orsenna n'aura bientôt plus rien à nous envier en fait de sujets de conversation. Tu ne saurais croire comme les nouvelles fraîches vont vite, par le temps qui court.

— Tu ne veux pas dire qu'on *sait*, dis-je en me levant... Je sentis que j'avais pâli brusquement... Je viens à peine d'expédier mon rapport.

— Tu es un enfant, Aldo. On l'a su à Maremma dès le lendemain, et moi à peine un jour plus tard. Il me semblait qu'il y avait quelque chose dans l'air, et je m'étais arrangée pour qu'on me prévienne. Que veux-tu, Aldo, j'aime à savoir les choses, reprit-elle en me fixant d'un œil aigu. Et je n'avais aucune raison là-bas de tenir secrète une nouvelle qui se répandrait tôt ou tard. Tu sais comme les femmes sont flattées de paraître renseignées, continua-t-elle en souriant avec une gaîté sinistre : c'est une innocente manie.

Je passai ma main sur mon front, mais il n'avait même pas de sueur. Il me semblait que j'étais cueilli, nu et glacé, dans le feu d'un projecteur éblouissant. Je ne songeais guère aux conséquences ; ce que je ressentais seulement, c'était l'horreur crue d'un attouchement presque physique : ces milliers d'yeux là-bas braqués sur moi maintenant *savaient*.

— C'est la fin ! prononçai-je stupidement d'une voix blanche, et je sentis que c'était un souhait plutôt qu'une constatation ; en cet instant de défaillance brutale, je désirais passionnément que la terre s'entr'ouvrît sous moi. A cette minute, et à cette minute seulement, je comprenais tout ; à la lueur qui étoilait soudain toutes ces prunelles lointaines je *voyais* enfin ce que j'avais fait.

— Tu ne me comprends pas, Aldo, reprit Vanessa d'une voix gourmande. J'ai pris les devants. J'ai présenté la chose sous le jour le meilleur pour toi. Naturellement, j'ai donné un petit coup de pouce. Tout le monde là-bas croit maintenant que tu as été attaqué traîtreusement en mer.

Je la regardai un instant d'un œil mal réveillé, incertain encore de sa traîtrise.

— J'ai reçu de là-bas une mise en demeure grave, repris-je d'une voix basse. Tu le savais, n'est-ce pas, ou tu le soupçonnais... Tu es si bien renseignée. Tu veux qu'Orsenna ne recule pas, c'est bien cela, Vanessa, dis-je en me levant hors de moi devant son silence, et je parlai tout près de son visage entre mes dents serrées. C'est pour cela que tu as ameuté l'opinion d'avance, pour cela que tu as fermé les portes derrière moi. Ne mens pas ! lui jetai-je dans un cri brusque ; tu l'as fait, tu l'as voulu, non pas moi, je le jure devant Dieu, et tu le sais, Vanessa, et tu sais aussi ce que cela signifie.

— La guerre ? dit-elle après un instant d'une voix neutre, et elle releva lentement sur moi des yeux sans regard. Elle n'a jamais cessé, que je sache. Pourquoi as-tu peur du mot ? laisse donc Dieu tranquille — comme tu es lâche, Aldo, reprit-elle avec un sourire d'extrême mépris.

— Tu l'as voulu ! non pas moi...

Je fis de la main un geste gauche, comme pour détourner la malédiction, et soudain malgré moi mes larmes coulèrent pressées et silencieuses. Je pleurais sans honte, tournant vers Vanessa mon visage nu ; toute droite dans l'angle obscur de la pièce, elle regardait silencieusement couler ces larmes.

— Toi... moi... dit-elle enfin en haussant les épaules d'un mouvement contraint, n'as-tu que ces mots à la bouche ?

Elle vint à moi et posa doucement la main sur mon épaule en baissant les yeux.

— ... Je tiens à Orsenna plus que toi, Aldo, je l'ai dans le sang, le comprends-tu ? et plus que toi je suis soumise et docile, plus que toi je suis prompte à toutes ses volontés. Si tu étais une femme, tu aurais moins d'orgueil, ajouta-t-elle avec une douceur persuasive dans la voix, comme si quelqu'un d'autre soudain — un esprit d'évidence et de ténèbres — eût parlé' par sa bouche : tu comprendrais mieux. Une femme qui a porté un enfant sait cela : qu'il peut arriver qu'on veuille — on ne sait qui, on ne sait vraiment pas qui — quelque chose à travers elle, et que c'est effrayant, et profondément reposant... si tu savais, de sentir ce qui va être vous passer sur le corps. Ecoute ! dit-elle tout à coup en levant la main dans un geste d'attention fascinée.

Un bruit maintenant filtrait dans la pièce, un bruit en même temps feutré et distinct, qui semblait sourdre de partout à la fois, comme la rumeur de la mer éloignée dans les nuits calmes : Maremma parlait derrière la porte, et dans le sommeil de cette matinée cotonneuse la rumeur du palais en proie à la fièvre faisait sur le silence un ron-ronnement malsain, comme une trombe éloignée ou comme une nuée de sauterelles, comme si les mandibules de millions d'insectes eussent rongé quelque chose, inter-minablement.

— Tu as entendu ? dit Vanessa en effleurant ma main de la sienne. Voilà à quoi passe maintenant leur vie... Ceux-là m'absolvent : ils n'ont plus, ils n'ont jamais eu besoin de moi. Quelque chose est venu, voilà ce qui est — qu'ai-je à y faire ? Quand un coup de vent par hasard a poussé le pollen sur une fleur, il y a dans le fruit qui grossit quelque chose qui se moque du coup de vent.

Il y a une certitude tranquille qu'il n'y a jamais eu de coup de vent au monde, puisqu'il est là. Ceux-là n'ont jamais eu besoin de moi, et moi je n'ai jamais eu besoin de toi, Aldo, et c'est bien ainsi, reprit-elle avec une espèce de sécurité profonde. Quand une fois une chose est vraiment mise au monde, ce n'est pas comme une chose qui « arrive » ; tout d'un coup il n'y a plus d'autre œil que le sien pour y *voir*, et il n'est plus question qu'il pût ne pas être : tout est bien.

DERNIÈRE INSPECTION

LE vieux Carlo est mort, me dit Fabrizio précipitamment comme j'entrais dans mon bureau de l'Amirauté. On l'enterre cette après-midi, à trois heures. Au cimetière militaire. Giovanni a pensé que tu en serais d'accord. Tu sais que c'est la coutume ici, ajouta-t-il d'une voix assombrie. D'ailleurs, Marino l'aimait beaucoup...

La phrase de Fabrizio tomba sur un silence plus grave que ne le voulait cette nouvelle attendue. J'étais revenu du palais plus calme, comme si, une fois de plus, un apaisement fût descendu en moi de la sécurité, de la certitude incompréhensible de Vanessa ; la nouvelle assombrissait pour moi cette matinée claire. Je me rappelais que j'avais songé quelquefois, dans ces derniers jours d'angoisse, à retourner en visite à Ortello ; il me semblait alors que la présence seule du vieillard eût calmé mon agitation et mon incertitude, et que quelque chose eût passé de moi à lui sans phrase et sans effort de ce qui faisait mon souci. Il était mort maintenant ; ses derniers mots me revenaient à l'oreille, émouvants comme une main qu'on n'a pas saisie ; tout à coup l'idée me traversa que peut-être, que sans doute il n'avait pas *su* avant de mourir. « C'est maintenant, et c'est trop tôt », m'avait-il dit ; malgré moi, à la lumière de ce qui avait suivi, les mots du vieux Carlo prenaient un accent, une résonance prophétique, comme si la nouvelle au dernier moment eût manqué malignement celui-là seul qui l'eût comprise, comme si, moins heureux que le vieillard Siméon, ses yeux à lui n'avaient pas vu le seul *signe* pour lequel ils se tinssent encore ouverts. Je revis tout à coup le sable égalisé sur l'anonymat misérable des tombes, et, à un élancement de pitié, à un pincement au cœur, je sentis que celui que nous allions enterrer, et dont poussait encore dans le cercueil la barbe courte et dure, était maintenant plus mort qu'aucun de ceux qui là, depuis des siècles, avaient fini de pourrir.

C'était la coutume aux Syrtes d'enterrer dans le cimetière militaire les maîtres des grands domaines du voisinage, à qui si longtemps la garnison de l'Amirauté avait semblé vouée plus qu'au service de guerre. Et c'était justice : plus d'un avait fait le coup de feu naguère encore contre les derniers pillards du désert, avant que la paix fatiguée d'Orsenna n'eût pesé définitivement sur ces terres. Une race forte de soldats laboureurs avait longtemps régenté cet extrême Sud, parlant haut et tranchant net avec ses officiers subalternes, plus militaire que les pâles comptables qui s'étaient succédé à l'Amirauté jusqu'à Marino, et pareille, sur ces confins excentriques, aux derniers surgeons verts qu'on voit sortir encore de terre à grande distance d'un tronc exténué. Cette race à son tour était morte, comme s'étaient éteintes à Orsenna depuis longtemps les familles de haute race ; nous savions qu'aujourd'hui nous enterrions le dernier, et, sur la route familière, notre petit groupe serré allait plus silencieusement que de coutume. Une après-midi grise et calme tombait sur les Syrtes du ciel laiteux, à peine troublée par le bruit assoupi des vaguelettes ; des journées entières, parfois, le courant froid qui longeait la côte condensait sur le large des brumes décevantes et molles qui promettaient la pluie sans jamais l'amener, et faisaient du rivage ce désert frileux et moite, à l'haleine humide de malade, qui mollissait les muscles et enténébrait le cerveau.

— Le vieux Carlo a choisi son heure, dit Giovanni

distraitement en serrant son manteau, c'est un vrai temps de la Toussaint.

Il jeta un regard d'ennui sur la côte vide.

— ... Les Syrtes ne sont pas le paradis terrestre, en cette saison.

Nous cheminions tous les quatre sur la route grise, l'esprit inoccupé. Le ciel sans regard faisait de toutes ces terres des limbes silencieuses ; le cimetière devant nous était comme une flaque plus grise et plus morne d'ennui, d'absence noire, de lugubre incuriosité.

— C'était quelqu'un, le vieux Carlo, reprit Fabrizio d'une voix pénétrée, et je devinai en souriant malgré moi qu'il pensait au somptueux festin de battue qu'Ortello nous avait offert au dernier automne.

— Oui, approuva Roberto d'un hochement de tête. Marino sera fâché de n'avoir pas été là. Il s'est annoncé pour bientôt pourtant, continua-t-il d'une voix changée. Je me demande...

Nous savions tous à quoi il songeait. J'avais trouvé en rentrant l'Amirauté toute penaude. Les patrouilles avaient cessé, et les guets de nuit — tout dans la forteresse, comme par enchantement, rentrait dans l'ordre, s'encapuchonnait de ses housses à la hâte pour un nouvel hivernage ; chacun rentrait dans sa coquille — il n'avait jamais été question de rien : le capitaine allait revenir.

— Il vaudra mieux retenir la famille à dîner, conclut Roberto avec une hésitation dans la voix. Ortello est loin. Le capitaine l'aurait sûrement fait — et nous sentîmes tous, au silence qui suivit, combien notre petit groupe était resté orphelin.

Nous attendîmes quelques instants tête nue à l'entrée du cimetière. Bientôt parut, au tournant de la route, une de ces charrettes longues aux roues bizarrement surélevées qu'on emploie pour cheminer dans les étendues de sable. Le cercueil était posé dessus à plat, tout ouvert selon la coutume des Syrtes, et lorsqu'on le reposa à terre je vis qu'il était rempli jusqu'au bord des grappes tardives et odorantes de ces glycines qui s'entrelacent partout

aux treillis des vérandas du Sud ; le grand corps parche-
miné de bûcheron émergeait comme porté par un remous
de cette écume de fleurs fragiles. La famille et la domesti-
cité suivaient à cheval la charrette mortuaire ; un de ces
moines itinérants qui desservent à de longs intervalles
les chapelles perdues des Syrtes était monté dans sa robe
blanche en croupe du fils aîné, et soudain il me sembla
que j'avais sous les yeux un spectacle très ancien : à
voir cette longue file chevaucher indifférente sur la terre
plate avec les gestes alourdis des errants, et ces visages
tannés que le désert faisait sans âge et sans expression,
on eût dit un de ces cortèges de nomades barbares qui
portaient le corps de leur chef jusqu'aux lointains pâturages d'eaux vives. Nous effleurâmes l'un après l'autre le
front du vieillard du bout des doigts de la main droite en
signe d'adieu. Comme je passais près de lui, le fils aîné,
un géant aux boucles têtues, m'adressa de la main un
signe gauche, et je compris qu'il voulait me dire quelques
mots.

— Mon père reposera en terre d'Orsenna. C'est une
grande grâce que vous nous faites.

Il tournait la boucle de sa ceinture de chasse entre
ses doigts d'un air embarrassé. Je comprenais maintenant la phrase d'abord obscure : à la terre de chaque
cimetière militaire d'Orsenna, on avait mélangé autrefois
un peu de glaise apportée de la Ville. Tout à coup sa main
se posa sur la mienne, dans un geste de brusquerie
timide.

— Je voulais vous dire... nous sommes bien peu dans
le Sud. Il en sera ce que Dieu voudra. Mais tous ici nous
sommes fidèles. Comptez sur nous tous — quand les
temps seront venus.

On descendit le cercueil dans son trou de sable. Le
vent léger du désert en écrêtait déjà l'arête friable ; elle
s'écroulait dans la fosse en ruisselets intarissables et
silencieux. Il y avait quelque chose de dérisoire dans le
geste compassé des mains qui, à présent, égrenaient sur
le cercueil, chacune à son tour, des poignées de sable ;

259

cette terre tant de fois mélangée au vent était poussière plus qu'en aucun lieu qui fût au monde, et je sentais que le vieillard eût aimé sa demeure menacée. Ce sol qui bougeait comme les dunes sous ses plis de sable ne tenait pas sa proie pour jamais. Il y avait pour moi un symbole infiniment troublant dans cette vie patiente et sourde, agrippée au sol par tant de racines et reprise à son extrême fin — si détachée, si légère — par un souffle mystérieux, un symbole qui s'alliait à ce cortège nomade, à cette terre imperceptiblement remise en mouvement. Il n'y avait rien ici qui parlât du *repos dernier*, mais au contraire l'assurance allègre que toutes choses sont éternellement remises dans le jeu et destinées ailleurs qu'où bon nous semble ; je me rappelai le sourire distrait du vieillard, qui n'encourageait pas l'attendrissement, et je me sentis compris et excusé ; il faisait bon, cette après-midi, dans le cimetière, comme par une première matinée d'hiver, dans le vent sec qui pourchasse les feuilles sur les routes.

Le prêtre acheva les dernières prières latines, et il se fit autour de la fosse un silence gauche et ennuyé. Les chevaux hennissaient derrière le mur du cimetière, au loin sur la route parvenait encore le grincement de la charrette délestée ; les bruits insignifiants, ouatés par la tiède brume grise, faisaient soudain de ce minuscule coin de terre un lieu extraordinairement inoccupé. J'entendis derrière moi s'ouvrir la grille, et je me retournai nerveusement. Marino entrait dans le cimetière.

J'avais attendu, j'avais craint ce retour comme l'heure de la plus grande épreuve, et pourtant, à entendre ce pas lourd et lent cheminer derrière moi dans l'allée de sable, ce que j'éprouvais était bien loin de la crainte : c'était une détente nerveuse profonde, comme lorsqu'on se baigne à une source, un inexplicable allègement.

Je le regardais à la dérobée pendant que, de sa voix lente et paysanne, il adressait quelques paroles de consolation à la famille du mort. A nouveau le léger vent de la mer agitait les mèches grises au-dessus du masque extraordinairement lourd. Dans sa longue capote jaunie d'uniforme aux plis raides, il paraissait faire corps avec le sol comme un bloc terreux. Jamais peut-être autant qu'après cette longue absence je n'avais senti que ce coin de terre s'achevait et s'accomplissait en lui avec une sorte de génie tâtonnant d'aveugle, qu'il lui appartenait non plus même comme un serf à sa glèbe, mais, plus purement et plus intimement, comme un élément du paysage. Il était plus vivant au milieu de ce cimetière morne qu'aucun des jeunes hommes qui se trouvaient réunis là, vivant d'une espèce d'immortalité végétative et hivernale, comme s'il eût drainé vers lui seul les dernières sèves de ce sol exténué, rusé comme lui avec les saisons et avec le temps, avec la sécheresse et la grêle, fait corps avec lui comme ces ilves aux tiges couleur de grève qui s'agrippent au sable croulant. Il était, plus que la stèle d'Orsenna au long du mur, le symbole de cette existence lentement empêtrée aux choses, et qui revêtait à la fin dans l'écoulement ininterrompu de ses générations la terre indistincte comme le vernis que l'évaporation laisse aux pierres du désert. Comme si l'on eût touché en lui à la laisse la plus basse de l'éveil, on croyait voir affleurer sur ce visage des étendues désertiques de vie sans mémoire et sans rides, de vacance naïve, de nocturne incuriosité. Et pourtant ce visage avait changé. Je le regardais, presque étranger à ce qui allait suivre, avec une espèce d'impartialité détachée ; et tout à coup je remarquai — comme s'il se fût agi de moi, comme une femme à qui son miroir renvoie la première révélation atterrante — combien soudain il avait *vieilli*. Je savais que Marino n'était plus jeune, mais ce n'était pas l'approche tranquille de l'âge que décelait, devant ce visage terreux et ce masque lourdement immobile, l'avertissement qui montait de ma chair. On eût dit plutôt un de ces rois de légende endormis depuis des siècles dans une grotte, qui ne se réveillent d'un sommeil magique que pour crouler en poussière en une minute et s'évanouir, comme si le temps à travers lui eût changé de rythme et de vitesse, se fût tout à coup sous

mes yeux de toute sa masse *ébranlé*. Ce visage marqué
absorbait le regard, non pas comme le lointain enveloppé
de brumes où se perdra un jour notre chemin, mais comme
la lézarde que laisse au milieu d'une route un tremblement
de terre.

Pendant que la maigre assistance s'écoulait du cimetière, je vis devant moi le capitaine s'attarder entre les
tombes, comme s'il m'attendait ; il me rejoignit devant
la porte ; nous étions seuls — derrière nous, déjà, dans
l'enclos vide, le vent indifférent recommençait à froisser
le sable.

— Revenons par la grève, Aldo, veux-tu ? me dit-il
en passant son bras sous le mien d'un geste familier. Les
jambes faiblissent un peu, vois-tu, — il me fit un clin
d'œil dont je ne fus pas dupe, — ce doit être l'habitude
de ce satané cheval ; une marine montée ne donne rien
de bon.

Nous cheminâmes un moment en silence. On eût dit
que ces solitudes absorbaient les bruits comme leurs
sables la pluie ; déjà, autour de nous, le cortège avait
fondu dans les herbes maigres. Bientôt l'arc désolé de la
plage s'étendit devant nous, presque au ras des vagues.
Des bandes d'oiseaux de mer se posaient et s'enlevaient
en ondulant au loin, sur le glacis mouillé des sables,
pareilles à une buée légère ; la terre engourdie n'avait
jamais bougé ici que de cette palpitation faible. Marino
savait combien me plaisaient ces grèves lavées et désertes,
mais cette après-midi leur dénûment même ne me dis-
trayait pas. Je n'étais plus attentif qu'à une chose : la
pesée d'un bras qui, sur le mien, s'appuyait maintenant
plus lourd. Je me sentais la bouche sèche et la gorge
serrée jusqu'à la douleur. Marino souffrait — de cette
souffrance stupéfiante des bêtes muettes qui semble
avoir troué, pour venir jusqu'à nous, les espaces d'un
autre monde. Une impression d'angoisse me venait de ce
bras, tantôt abandonné et soudain subtilement raidi
par une gêne, qui vivait contre le mien avec une animalité
oppressante.

— Tu as fait bon voyage, Aldo ? me dit-il enfin d'une voix presque timide.

— Un peu plus long qu'il n'était prévu, je le crains... J'ai à vous annoncer une nouvelle qui ne vous fera pas plaisir, ajoutai-je d'une voix dure. Le parcours n'a pas été respecté. Nous sommes allés jusqu'à la côte d'en face.

Marino se tourna vers moi brusquement. A l'instant même je compris qu'il savait, et pourtant, malgré lui, ses yeux se plantèrent dans les miens, dans une espèce de détente sèche.

— Là-bas, oui, je sais, fit-il avec effort d'une voix pesante. On a tiré.

— Dois-je m'expliquer ? dis-je en serrant nerveusement les lèvres, et je sentis que ma nuque se raidissait malgré moi, comme à quelqu'un qu'on met au *garde à vous*. Je comprenais avec désespoir combien par ma faute la conversation s'engageait mal. Marino le sentit, et jeta bas les formalités d'une secousse d'épaules.

— D'autres pourraient trouver que ce n'est pas inutile. A quoi bon ? reprit-il avec un étrange visage d'aveugle qui m'effaçait de son regard. J'ai toujours su que tu irais là-bas.

C'est un grand malheur... reprit-il après un silence, d'une voix sans accent et presque embarrassée. J'étais frappé de nouveau tout à coup de son comportement sénile : on eût dit que la bouche, chez ce vieillard sans détours, maintenant ne répondait plus des paroles dites.

— Pourquoi m'avez-vous laissé prendre cette patrouille ?

Marino parut réfléchir un moment avec effort.

— Je t'avais demandé de partir, dit-il d'une voix qui s'excusait presque. Ne t'en souviens-tu pas ?

— Si vous avez su que j'irais là-bas, vous l'avez su avant moi. Quand nous avons été au courant de ces bruits, c'est vous qui m'avez conseillé... permis — oui, je l'ai cru, j'en suis sûr — d'écrire à Orsenna.

De nouveau, Marino parut chercher avec effort dans ses souvenirs.

263

— Oui, peut-être, dit-il enfin d'une voix pensive. J'ai eu de grands torts dans cette affaire. J'espérais...

Il fit de la main un geste dérisoire, un geste de découragement enfantin.

— ... Je pensais qu'on allait te calmer de la bonne manière. J'espérais de l'aide. Je ne pensais pas que le mal avait gagné si loin.

— Que voulez-vous dire ? fis-je d'une voix rapide, et je m'arrêtai brusquement, frappé de l'accent de douleur sourde qui passait dans ses derniers mots.

— On me chasse, dit-il en détournant la tête. Après-demain, j'aurai quitté l'Amirauté pour la dernière fois.

Les mots résonnèrent d'abord dans ma tête, insignifiants comme des cailloux qu'on agite dans une boîte creuse. Puis un vide se forma sous mon estomac, et je me sentis envahir par cette sensation nauséeuse du rêve où l'on sent au bord du gouffre un garde-fou céder pouce par pouce sous les doigts.

— Ce n'est pas possible, dis-je, et je sentis que mon visage blêmissait.

— Asseyons-nous un moment, veux-tu ? Le vent se calme, dit le capitaine. Il semblait un peu ragaillardi.

L'après-midi s'avançait, mais il faisait bon encore sur le sable tiède. Sitôt assis, le paysage autour de nous disparut comme si nous avions rentré la tête dans une tranchée. Au-dessus de nous, les bandes d'oiseaux de mer remontant avec la marée passaient à chaque instant dans un seul cri assourdissant. Sur cette chaussée claquemurée par les vagues, il était vraiment impossible d'être plus seuls, et pour la première fois je songeai combien cette promenade excentrique ressemblait peu aux habitudes de Marino. Il me semblait de plus en plus qu'il y avait dans ses gestes trop surveillés une gaucherie inhabituelle et quelque chose d'imperceptiblement *emprunté*. On eût dit que le capitaine jouait un rôle. La visière rabattue sur les sourcils, il regardait le large d'un œil vague ; sa main, machinalement, faisait couler entre ses doigts une poignée de sable.

— Tu étais au courant des règles de navigation dans les Syrtes, je pense ? dit enfin le capitaine en toussant pour s'éclaircir la voix. C'est une formalité que je remplis là, se hâta-t-il d'ajouter, mais les choses ont maintenant besoin d'une mise au point : j'ai moi aussi à fournir un rapport.

— Je suis prêt à vous décharger par écrit pour toute cette affaire, dis-je d'un ton déférent. Ce que j'ai fait l'a été en connaissance de cause.

Marino tourna la tête vers moi comme s'il avait été mû par un ressort.

— En connaissance de cause ?... reprit-il pensivement... Je remarquai qu'il respirait avec difficulté... Tu ne sais ce que tu dis, ajouta-t-il, et il secoua la tête avec une expression amère.

— Vous avez dit cela autrefois à Fabrizio, et vous le pensiez, dis-je avec douceur, car la tristesse douloureuse de sa voix en cet instant m'emplissait de pitié. Fabrizio était un enfant. A moi, vous ne croyez pas ce que vous dites.

Le vieillard leva vers moi des yeux d'eau claire.

— Je t'aime beaucoup, Aldo, dit-il avec une espèce de confusion, ne le comprends-tu pas ? Je t'aime parce que je te connais mieux que tu ne penses. A ton âge, on n'aime pas se trouver d'excuses, parce qu'on n'est jamais sûr de se compromettre autant qu'on voudrait dans ce qu'on fait. Je voudrais que tu parles sans orgueil, dans un instant où tu es en grand danger d'être jugé.

— Qui sera juge ? dis-je en haussant les épaules sans conviction, car le ton de Marino était devenu tout à coup singulièrement ferme. J'ai à rendre compte de mes actes à d'autres, ajoutai-je en détournant la tête. Cela m'ennuie d'avoir à en faire état pour la première fois au moment où nous allons nous quitter.

Marino pâlit légèrement, et son regard se planta droit dans mes yeux avec une lueur de sévérité hautaine.

— Je ne parle pas de la Seigneurie. Elle a ses affaires dont elle t'éclaircit, je pense, mieux que moi ; j'aurai

265

d'ailleurs à t'en parler : de cela tout à l'heure. Je parle d'Orsenna.

— Voulez-vous dire que vous parlez pour elle ?

Le vieillard sembla se recueillir un moment si intensément que sa main, le long de lui, traîna comme une rame qu'on abandonne, traçant machinalement dans le sable un petit sillon.

— Le sang n'est pas tout, Aldo, dit-il d'une voix lente et sérieuse. Le tien est prompt, et personne n'ignore ici que tu es né. J'ai vieilli ici, reprit-il avec dans les yeux une expression lointaine et comme embrumée. C'est ma terre ; je peux m'y diriger les yeux fermés et nommer chacune de ses mottes. C'est pour cela que j'ai aujourd'hui quelque chose à te dire : elle n'est pas une carte entre les mains d'un joueur.

— Je n'étais pas seul sur le *Redoutable*, dis-je après un moment de silence. Au point où on en est venu ici, vous le savez comme moi, la chose serait arrivée de toutes manières. Vous vous en prenez à moi d'une fatalité, ajoutai-je avec un soupçon de grandiloquence, et je sentis aussitôt que je rougissais malgré moi.

— Il y a des fatalités qui sont bonnes à pendre, coupa le vieillard d'un ton singulièrement vif, quand il en est encore temps. Je ne parle pas pour toi, Aldo, ajouta-t-il d'une voix confuse, tu le sais bien.

Il me calma de la main d'un geste d'excuse.

— Tu ne pouvais pas vivre ici ? dit-il en me dévisageant avec une expression de curiosité à la fois intense et timide. On eût dit que maladroitement, désespérément, pour la première fois il se résolvait à frapper à la porte close, essayait d'ajuster son œil myope à une fente qui donnât sur l'autre jour.

— Non, dis-je, je ne le pouvais pas. Maremma ne le pouvait pas non plus, ni le vieux Carlo.

Je vis le front du vieillard se rembrunir.

— Le vieux Carlo... Oui, dit-il tout à coup pensivement ; c'est de ce jour-là que j'ai eu peur. Ce jour-là, quelque chose a craqué, comme une débâcle. Mais pourquoi ?

Il leva vers moi un regard vide, le regard docile et éperdu d'un chien fidèle à un geste de son maître qu'il ne comprend pas.

— C'est difficile à dire...

Je détournai les yeux et me mis à regarder distraitement vers le large, gêné plus que je ne pouvais le dire de cette confiance et de cette humilité.

— ... Est-il possible que vous ayez vécu ici des années, sachant qu'il y avait... cela, en face — comme si de rien n'était.

— Je n'ai pas de goût aux choses lointaines et douteuses, dit Marino d'un ton plus ferme. Le fil était cassé : tant mieux qu'il fût cassé. Cela avait été avant moi, et cela pouvait durer après. C'était ainsi. Il y avait Orsenna, et puis l'Amirauté, et puis la mer. La mer vide... dit le vieillard comme pour lui-même en plissant les paupières dans le vent salé.

— Et puis... rien ?

— Et puis rien, dit-il en se tournant vers moi, et il me regarda droit dans les yeux. Pourquoi vouloir encore penser à ce qui ne demande plus rien de vous ?

— L'Amirauté, et puis la mer, et puis rien... repris-je, et je lui jetai un coup d'œil perplexe. Hier, et puis aujourd'hui, et puis ce soir... et puis rien ?

— Tu trouves cela absurde, parce que tu es très jeune, reprit Marino avec une étrange intensité dans la voix. Moi, je suis vieux, et la Ville aussi est très vieille. Il vient un moment où le bonheur — la tranquillité — c'est d'avoir usé autour de soi beaucoup de choses, jusqu'à la corde, à force de s'y être trop frotté — à force d'y avoir trop pensé. C'est cela qu'on nomme l'égoïsme des vieillards, ajouta-t-il avec une espèce de sourire trouble : ils sont seulement devenus plus épais de ce que tant de choses autour d'eux se sont amincies. Ils ne s'usent pas, — le capitaine hocha la tête d'un air buté, — ce sont les choses autour d'eux qu'ils usent.

— Orsenna ne pouvait pas vivre éternellement la tête dans le sable, lui jetai-je d'un ton passionné. Il n'y a que vous qui ayez pu vivre ici sans étouffer, repris-je avec une espèce de haine. Même Fabrizio est parti, quand il en a eu l'occasion. Il ne savait pas pourquoi, mais il est parti. Même le vieux Carlo l'aurait fait, vous le savez. Ce n'était plus possible.

— Si, Aldo, reprit la voix avec un ton de tranquillité sagace, c'était possible. Tu ne peux pas le comprendre parce que tu n'es pas d'ici, parce que tu n'es plus d'ici. Mais pour ceux qui ont pris d'Orsenna le sang de leurs veines — à ce qui est ailleurs, à ce qui sera plus tard — c'est une grande objection de seulement être. Ici. Maintenant. Orsenna est là où ont abouti les choses, reprit Marino, en hochant la tête, dans un geste de certitude empêtrée et alourdie. Elle avait cessé de donner à penser. Elle subsistait, les yeux ouverts.

— A peine, répliquai-je avec amertume. Vous lui faites encore trop crédit. Les morts aussi, si on ne les touche, gardent les yeux ouverts. Orsenna dormait les yeux ouverts.

— Mais pour toujours, dit le vieillard sur un ton d'invocation ou de prière, en laissant glisser sur le large son œil pensif. Tu ne sais pas la délivrance que c'est : un état au delà duquel il n'y a rien.

Il fit de la main un geste vers la grève. La mer montait, lissait près de nous déjà en crissant sur le sable des bourrelets plats d'écume baveuse.

— Une terre où il est bon de se coucher pour dormir, ajouta-t-il perdu dans cette rêverie lourde et presque organique qui paraissait signifier chez lui le point extrême de l'attention. Et il dit encore dans une espèce d'égarement :

— ... Quand on m'y descendra, il me semble que je la ramènerai des deux mains sur mon visage sans qu'elle me pèse, légère qu'elle est de tout le poids que je lui ai pris.

D'un geste de la tête, je désignai à Marino le cimetière. Sur l'horizon bas, il n'était plus que la mince ligne noire au-dessus des sables de son enclos de pierre.

— Orsenna est là ! dis-je en lui prenant le bras. Partout où elle a semé sa terre de cimetière. Est-ce là ce que vous protégez ?

— Elle a duré, reprit le vieillard avec un tremblement religieux dans la voix.

Il tourna vers moi un œil angoissant d'aveugle.

— ... Ici, quand un corps tombe dans la fosse, il y a cent millions d'ossements qui tressaillent et qui se raniment jusqu'au fond du sable, comme quand la mère sent descendre et peser au-dessus d'elle dans la terre son enfant mort. Il n'y a pas d'autre vie éternelle.

— Si, lui dis-je en pâlissant ; il y en a une autre. Mais il y a une malédiction sur les derniers-nés d'une ville trop vieille.

— Elle n'est pas vieille, coupa le vieillard d'une voix sans timbre. Elle est sans âge. Comme moi.

Il murmura entre ses dents, comme pour lui-même, la devise de la ville. Et j'eus une seconde d'éblouissement, mes yeux cillèrent ; une seconde il me sembla qu'il disait vrai, et que la lourde silhouette, dans son immobilité formidable, s'engourdissait, se pétrifiait sous mon regard.

— Je crois que nous n'avons plus guère à nous dire, fis-je en me relevant et en me secouant nerveusement.

Nous nous remîmes en route en silence. Le soleil était déjà très bas dans le ciel éclairci ; du côté des terres, l'horizon rouge se voilait de brume ; c'était l'annonce d'une de ces journées de vent sèches et claires comme une vitre qui soufflaient parfois pendant des semaines entières l'haleine du désert. Dans l'étroite bande de sable sec que laissait au pied des dunes la marée montante, nous hâtions le pas sans mot dire, pressés maintenant d'en avoir fini.

— Nous allons passer à la forteresse, me dit Marino d'un ton bref. J'ai à t'indiquer quelques aménagements à faire ; tu commanderas ici, je pense, après mon départ, en attendant l'arrivée de mon successeur. On nous envoie des renforts, ajouta-t-il d'un ton parfaitement neutre :

deux canonnières, qu'on m'a annoncées sous huit jours, et on va remettre en état une partie de l'artillerie côtière. Cela nécessite quelques aménagements à terre : des approvisionnements à caser, et les logements provisoires du personnel pour la durée des réparations.

— Des renforts... dis-je en levant sur Marino un œil incrédule. Est-ce qu'on prévoit ?...

— Je ne sais pas, coupa-t-il d'une voix sombrée. On ne m'a rien dit. Il est arrivé à Orsenna quelque chose... J'ai cru parler à des inconnus.

— Que voulez-vous dire ?

Je m'arrêtai brusquement. Une détresse dans le ton de la voix pitoyable me faisait signe, m'avertissait que Marino, obscurément, m'appelait à l'aide du fond de son désarroi.

— Quelque chose a changé à Orsenna, reprit le vieillard.

Il secouait lentement les épaules, d'un geste misérable et frileux.

— A la tête ?

— Non, ce n'est pas la tête, Aldo, que je sache...

Il baissa la tête et laissa retomber lourdement son menton sur la poitrine.

— ... c'est le cœur. Le cœur défaille comme avant l'orage, quand il se lève un mauvais vent. Tu ne connais pas le désert, quand il y monte une tempête de sable... Les yeux cuisent, le sang vous aveugle, on n'y voit plus clair. Les nerfs se nouent, la gorge se sèche, on perce l'horizon, on voudrait que la tempête soit déjà sur vous.

Machinalement, le vieillard plissait les yeux contre le vent, comme pour scruter l'horizon de brume.

— ... C'est une mauvaise heure, reprit-il. Nos équipages, quand on les louait aux fermes des Syrtes, l'appelaient le *branle-bas des sables*.

Marino soupira et se tut un moment.

— ... Mais toi, peut-être, tu sauras, dit-il enfin avec une nuance de timidité déférente. On veut t'entendre à la Seigneurie. J'ai apporté avec le courrier une convocation qui te concerne.

— Au sujet de quoi ?

— De ce que tu sais. C'est le Conseil de Surveillance qui te fait mander.

Le mot tomba des lèvres de Marino avec la nuance d'ombre qui s'attachait presque rituellement à Orsenna à l'évocation d'un pouvoir redouté et inconnu.

— C'est grave, alors ? dis-je d'une voix angoissée, en le questionnant du regard.

— Oui, dit Marino en s'arrêtant et en levant les yeux lentement sur moi, comme s'il reconnaissait un à un mes traits à la lueur d'une lampe. Et, même sachant qui tu es, je suis surpris qu'on te convoque. Le Conseil d'habitude ne délibère que sur pièces. Tout sera décidé ce jour-là.

Dans les yeux de Marino je vis passer une lueur plus grave, où tenait tout un monde de sentiments troubles : un sentiment de peur, de peur panique, devant la puissance inconnue, et en même temps une espèce de vénération angoissée en présence de celui qui allait la voir face à face — comme si, à travers moi, il eût touché presque, avec une adoration aveugle, aux suprêmes instances de la Ville, à son cœur noir.

— ... N'auras-tu rien de plus à dire à eux non plus ? ajouta-t-il d'une voix qui s'étranglait malgré lui. Tout n'est pas dit encore... Je t'en prie... dit-il enfin en baissant les yeux.

— Que dire ?

Je haussai les épaules malgré moi.

— ... Il y a un temps pour se mêler des choses, et un temps pour laisser les choses aller. Ce qui est venu s'est servi de moi, et maintenant me quitte — tout ceci maintenant mûrira sans moi.

Nous nous remîmes en marche. Le capitaine était retombé dans son mutisme, comme s'il se le fût désormais tenu pour dit.

A cette heure tardive de la journée d'hiver, il faisait déjà sombre dans les couloirs de la forteresse. Marino, toujours silencieux, alluma la lanterne accrochée dans la chambre de garde, et, à la lueur qui perçait à peine la buée jaunâtre, il me sembla lire, sur son visage et dans le geste fébrile de la main qui battait le briquet, les signes d'une nervosité inhabituelle. Comme toujours en hiver, malgré les réparations de Fabrizio, les murs ruisselaient d'une humidité froide, et, une fois ou deux, je vis distinctement les épaules de Marino frissonner sous la capote lourde.

— Revenons demain, lui dis-je. Rien ne nous presse. La soirée est glaciale.

— Non, dit le capitaine entre ses dents sans même tourner la tête. Ce sera très vite fini.

La lueur de la lanterne perçait à peine l'obscurité laiteuse, mais tout à coup la hauteur des voûtes reflua sur nous à travers le noir dans la vibration creuse des voix qui résonnaient comme un fracas de vitres.

— ... Ce n'est pas que ce soit un lieu particulièrement hospitalier, ce soir... ajouta-t-il d'une voix qui sonnait avec complaisance, comme s'il eût fait visiter les salles à un touriste... Il semblait revenu à une bonne humeur expansive et presque inquiétante... Mais c'est ma dernière ronde. Et puis, ajouta-t-il en me jetant un regard de côté tout en balançant sa lanterne, il me semble que tu t'y plaisais.

Il s'arrêta tout à coup, et sa lanterne levée éclaira faiblement un cartouche sculpté dans la voûte.

— ... « *In sanguine vivo...* » épela-t-il comme s'il eût déchiffré les syllabes à mesure. Le reste se perdit dans un bredouillement confus et prolongé. Il y avait cette fois quelque chose de si distinctement anormal dans sa mimique que je me sentis au bord de l'irritation.

— Eh bien ? dis-je en le fixant avec une impatience à peine polie.

— Le sens n'est pas clair, Aldo, fit-il en me touchant le bras, d'une voix gutturale — ne l'as-tu jamais remarqué ? Le sens est indifféremment, ou bien que la ville survit dans son peuple, ou bien qu'elle demande au besoin le sacrifice du sang.

— Ce n'est guère une heure pour une pareille exégèse,

ne trouvez-vous pas ? coupai-je de plus en plus impatienté. De minute en minute, je me sentais moins à l'aise. Il y avait dans l'œil de Marino — était-ce un reflet de cet éclairage fantomatique ? — quelque chose de fixe et de lugubre qui démentait cette conversation burlesque. La lanterne posée entre nous à terre tirait à peine les visages du halo de vapeur ; nos ombres allongées s'arquaient en se perdant très haut sur les voûtes — des gouttes froides coulaient de leurs pierres, une à une, entre le col de ma capote et mon cou.

— A ton aise, dit le vieillard sans insister. Il reprit sa lanterne et se remit en marche, de son long pas déhanché — dans les journées humides, le capitaine se souvenait d'une ancienne blessure ; de nouveau nos ombres se balancèrent. Marino ouvrait les portes une à une sans mot dire, fourrageant les serrures rouillées dans un grand cliquetis froid de métal : une odeur compacte de mousses moisies et de ferraille pourrie sautait au visage comme un jet de ces casemates débouchées après des siècles ; une odeur froide et sans levain qui soulevait le cœur, corsée par des siècles de pourriture vénéneuse. Je suivais Marino de casemate en casemate sans mot dire, nos lourdes bottes pressant comme une éponge une litière pestilentielle. Le silence se faisait pesant. La flamme de la lanterne pétillait et charbonnait dans l'air nauséeux, des ombres douteuses grouillaient sur les voûtes souillées. Il y avait comme un présage funèbre à ce que le géant, remué sur sa lourde couche, exhalât aussi agressivement aux narines cette odeur intime de cercueil.

— L'odeur d'Orsenna, jetai-je à Marino d'un ton hostile.

Marino balança sa lanterne sans mot dire, et tout à coup reparut sur ses lèvres un sourire étrange — celui qu'il avait eu dans la chambre des cartes.

— Il nous reste à voir la batterie de la plateforme, dit-il d'une voix ensommeillée. Ce sont les pièces qu'on veut remplacer.

Il était très difficile dans le dédale des rampes et des escaliers de la forteresse de savoir jamais à quel étage on se

trouvait au juste, une fois pris dans l'intérieur du bloc ;
mais tout à coup, à ma surprise, nos manteaux battirent
au vent de mer : ce que je prenais à ma gauche pour des
entrées de casemates, trompé par ces enfoncements
d'obscurité opaque, était une file d'embrasures désaffec-
tées. Marino posa sa lanterne sur un bloc d'ombre qui
barrait le passage ; le vent du large agita brusquement
la flamme, un rai de lumière glissa en flèche le long d'un
ventre de métal : avant même de reconnaître le canon et
la plate-forme, je compris où, après bien des détours, le
capitaine m'avait ramené.

— La nuit sera tranquille, mais le vent va s'établir
demain, dit Marino machinalement — de son ton sans
réplique — en penchant la tête dans l'embrasure et en
humant l'air malgré lui ; mais le lieu et le moment gla-
cèrent en moi l'envie de sourire.

La nuit tout à fait tombée maintenant était très
sombre, mais au-dessous de nous, à travers le brouillard
bleuâtre, montait un souffle d'humidité pénétrante et
un léger froissement d'eaux calmes, pareil au bruissement
des feuilles de peupliers. En me penchant dans l'embrasure, je pouvais voir à droite la lumière immobile du môle :
de temps à autre un éclat luisant, s'accrochant au tas de
charbon, perçait la nuit inoccupée. On eût dit qu'elle ne
devait pas finir : toutes choses reposaient dans l'intimité
noire d'une cloche de ténèbres ; les feux endormis navi-
guaient dans le brouillard avec un calme et une fixité
d'étoile. Rien ne s'était passé : l'Amirauté reprenait la
tranquillité inexprimable des choses qui jettent l'ancre
— du mur que la main touche pour se réveiller d'un
cauchemar.

— Te souviens-tu du soir où je t'ai trouvé dans la
chambre des cartes ? dit Marino d'une voix basse et claire.

— Comme du jour où vous m'avez amené ici...

Je me tournai vers Marino. Dans la pénombre, je le
distinguais à peine.

— ... Il y a une chose que je me suis toujours demandée :
qu'est-ce qui vous a tellement frappé, ce soir-là ?

— Ton regard, dit Marino d'une voix précise. Un regard qui réveillait trop de choses. Je n'aimais pas ta manière de regarder.

» Pourtant, je t'aimais bien, Aldo, dit-il tout à coup avec une gravité insolite, comme s'il eût témoigné.

Je détournai les yeux, bizarrement remué, et regardai du côté de la mer.

— Vous avez raison, dis-je. Il n'y avait pas de place pour nous deux, ici.

— Non, dit-il d'une voix étouffée. Il n'y avait pas de place.

Il y eut quelques secondes de silence. Tout à coup, j'éprouvai une impression de raideur dans la nuque, qui gagnait les épaules, comme si on y eût braqué le canon d'une arme, en même temps qu'une sensation brutale et imminente de *danger* me bloquait la poitrine. D'une détente je me jetai à terre, m'agrippant à la murette basse au bord même du vide. Quelque chose au même instant trébucha contre ma jambe avec un souffle lourd, puis bascula au-dessus de moi en raclant la margelle. Tapi contre la pierre, la tête dans les épaules, mon cœur se suspendit à un instant de silence surnaturel, puis, avec un bruit flasque, un corps gifla lourdement les eaux calmes.

Je demeurai quelques instants immobile. Penché au-dessus du gouffre, le silence absolu de ce vide refermé comme une trappe et la torpeur qui m'engourdissait le cerveau firent que je portai d'un geste machinal la main vers ma tête, comme si elle eût été encapuchonnée d'étoffes. Puis je me relevai sans hâte, et, d'un geste d'incrédulité absurde, j'élevai doucement la lanterne au-dessus de ma tête. La lueur jaune glissa sur les dalles mouillées, découpa brutalement sur la nuit l'embrasure vide, d'un vide si intriguant que je tâtai de la main, d'un geste aveugle, le rebord de la pierre, comme devant un cadre derrière lequel on eût troué le mur. Il n'y avait plus personne.

Les recherches se poursuivirent tard dans la nuit.

On avait mis à flot les pinasses de l'embarcadère, et toutes les barques disponibles de l'Amirauté, jusqu'aux canots du *Redoutable* que l'équipe de sécurité, alertée par les appels du rivage, avait mis d'elle-même à la mer. Dressé tout debout à l'extrême avant de la barque, avec sa torche qui pétillait dans l'humidité lourde, parfois un homme surgissait du brouillard comme un fantôme glissant sur les eaux tranquilles et huileuses ; longtemps les appels gutturaux, où l'angoisse peu à peu cédait à une résignation encore incrédule, s'entrecroisèrent dans la nuit calme. Le cadavre ne reparut pas ; pour Giovanni, et, au fur et à mesure que les recherches se révélèrent plus vaines, pour presque tous, les vêtements et les bottes pesantes du capitaine avaient dû l'entraîner, aussitôt après qu'il eut perdu connaissance, jusqu'aux fonds de vase gluante de la lagune, d'où aucun corps, de mémoire d'homme, n'était remonté jamais — et personne ne parut mettre en doute l'explication de l'*accident* que j'avais aussitôt donnée, à savoir que le capitaine, en voulant contourner la volée de la pièce, avait glissé sur les dalles humides. Un sens plus caché s'attachait pour moi à cette disparition sans traces ; il me semblait que le capitaine, qui pour moi n'avait jamais tout à fait vécu à l'Amirauté, mais plus profondément l'avait hantée à la manière d'un génie engourdi de la terre, avait *passé* au sein de cette nuit noire et de cette lagune dormante d'une manière trop suspecte pour que ne s'y attachât pas la valeur d'un de ces signes auxquels la vie à l'Amirauté m'avait tenu les sens entr'ouverts — comme si l'esprit même de ces eaux lourdes et de ces pierres moisies, un esprit en qui le temps même avait semblé engourdir ses battements, eût regagné à l'heure dite et à la place fixée le refuge des profondeurs noires pour en sceller sur lui le consentement et le sommeil.

LES INSTANCES SECRÈTES
DE LA VILLE

J'ARRIVAI à Orsenna par une fin de soirée maussade. Les cahots des routes détrempées m'avaient mis de mauvaise humeur ; le délabrement et la solitude de ces étendues vides, que la voiture avait traversées, de jour cette fois, pendant des heures, m'emplissait de mauvais pressentiments : au moment où Orsenna peut-être approchait de son heure, dans la grisaille pluvieuse de ses routes désertes, dans l'aspect des bergeries chétives et croulantes qui s'abritaient dans les creux de terrain, il me semblait que je pouvais lire combien elle était démunie et faible — comme si j'avais senti passer sur elle, avec le vent qui balayait ses steppes grelottantes, l'aile même de la Destruction. On eût dit que mon regard même avait changé : ce qui le frappait maintenant à travers ces paysages, ce n'était plus partout les griffes immobiles de la Ville lourdement agrippées dans la terre molle, et partout un effacement si patient de l'accidentel et de l'illusoire qu'il semblait que la face usée de la terre laissait transparaître ici comme une pensée d'éternité. Cette terre aujourd'hui s'amenuisait peureusement sous le ciel chargé de mauvais nuages ; on eût dit que soudain il avait pris toute la place, et que la vie prostrée de ces solitudes, ensevelie dans sa trop longue mémoire, tournait enfin la curiosité endormie de son regard vide vers ces formes échevelées, ces présages qui couraient sur elle avec le vent. De petits groupes stationnaient parfois auprès des misérables maisons de poste où nous nous arrêtions pour charger le courrier ; perdus dans la rumination inerte des bergers des steppes, peut-être avaient-ils passé la nuit là, drapés dans les lourdes couvertures qui leur servaient de manteau, immobiles comme des statues sous l'averse ruisselante. Ils ne parlaient pas, ne regardaient pas — un mince filet d'eau coulait de leur chapeau sur leur nez comme sur le marbre d'une fontaine ; seulement, lorsque la voiture lentement s'ébranlait, ils tournaient sans hâte dans notre direction leurs prunelles inoccupées. A la boue qui les couvrait jusqu'au visage, on devinait que certains étaient venus de très loin jusqu'à la route, et leur faction muette, pendant qu'on s'affairait autour de la voiture, me mettait mal à l'aise ; on sentait que la contrée entière était sourdement aux aguets derrière ces prunelles fixes.

— Que font-ils là ? demandai-je une fois à l'un des chefs de poste — presque aussi crotté qu'eux — pendant qu'on chargeait les sacs.

Le chef de poste haussa les épaules d'un air excédé.

— Oh ! des bruits ! des bruits !... Des sottises ! ajouta-t-il en élevant la voix, les mains sur les hanches, et en toisant le groupe d'un air courroucé.

» C'est quelquefois bien difficile d'imaginer ce qui se passe dans ces pauvres têtes, me glissa-t-il dans l'oreille, d'un ton de confidence ; ils vivent si isolés, par ici... Tels que vous les voyez, les gaillards attendent la fin du monde, s'il vous plaît, ou c'est tout comme. Ah ! l'ouvrage ne leur démange pas les mains, on peut le dire. Ils ont vu des signes dans la lune, croiriez-vous ? N'est-ce pas, Fausto ?

Il tapotait à petits coups l'épaule d'un des bergers, en clignant de mon côté un œil compatissant. Le berger secoua la tête avec gravité.

— Oui, des signes... fit-il d'une voix de serrure rouillée. Des mauvais signes... La mort — reprit-il en hochant la tête, avec un chantonnement sénile dans la voix plus haute — *la mort dans la flamme qui viendra sur l'eau.* Ils ont assigné Orsenna dans sept fois sept jours.

— Allez, décampez-moi d'ici, vauriens ! hurla le chef de poste hors de lui. Il commença à leur jeter des pierres. D'un pied traînant, comme si seulement il s'était mis à pleuvoir un peu plus fort, le groupe s'éloigna de quelques pas, s'immobilisa de nouveau dans son attente abrutie.

— On ne peut pas les chasser de la route !

Le chef de poste s'essuyait le front, tout rouge.

— Vieux corbeaux ! leur cria-t-il, très en colère. « La mort dans la flamme qui viendra sur l'eau. » Ils me donnent la chair de poule, pour finir, reprit-il, soudain mal à l'aise. Je sais qu'ici il ne se passe rien, il ne passe personne. Mais moi-même, il y a des moments où je me mets à fixer le tournant de la route malgré moi.

La voiture démarra. Derrière moi, je vis le chef de poste lancer encore sur eux deux ou trois pierres d'une main molle et comme par habitude. Les houppelandes bougèrent à peine, et je compris que le manège ne datait pas d'hier. Celui-là aussi avait trouvé sa drogue.

J'arrivai à Orsenna tard dans la soirée. Les avenues sous leurs voûtes d'arbres paraissaient désertes et frileuses ; il me sembla que la ville se claque-murait plus tôt que de coutume. Dans les quartiers bas, la brume qui se lève de bonne heure des marécages noyait déjà les rues : l'odeur pourrie et familière passa sur mon visage comme le toucher d'une main aveugle et me pinça le cœur ; j'étais revenu. A peine la voiture eut-elle stoppé devant la maison que mon père et Orlando apparurent derrière la grille, pendant que s'entr'ouvraient dans le voisinage quelques volets. A leurs regards aigus et à la fébrilité des mains de mon père, qui tâtonnait contre la serrure, je compris combien on m'avait attendu avec alarme : jamais mon père, de mémoire d'homme, n'était venu en personne ouvrir sa porte à un visiteur.

— Te voilà ! enfin, me dit-il en me serrant les mains avec une émotion dont il n'était pas maître, et il m'entraîna vers la maison à grandes enjambées. D'instinct, Orlando s'était placé derrière nous, intimidé, comme s'il eût cédé le pas à un *premier rôle* ; je sentais derrière moi son regard peser sur ma nuque, plein de gêne, de respect et de gravité.

À mesure que j'approchais de la ville, j'avais appréhendé davantage cette entrevue avec mon père ; connaissant son sang vif et son attachement à la politique d'inertie officielle de la ville, j'avais craint que le vieillard, qui ne pouvait plus rien ignorer de mes écarts de conduite, n'éclatât en reproches furieux ; mes dents s'agaçaient d'avance au pathétique légèrement théâtral qu'il savait mettre dans ses remontrances ; il avait toujours aimé, dans ses rapports avec moi (et rien n'avait fait davantage pour effaroucher de ma part toute familiarité), à se *mettre en scène*, et je sentais trop bien d'avance tout ce que ce rôle de père accueillant l'enfant prodigue pouvait comporter pour lui d'alléchant. J'attendais, les nerfs un peu crispés, un orage qui ne creva pas. Après qu'on m'eut servi un dîner rapide, nous nous assîmes tous trois près du feu ; il se fit un silence un peu grave ; mon père alluma un cigare, signe chez lui auquel je ne m'attendais pas, celui d'une excitation alléchée et à peine contenue, et je remarquai que la vivacité presque gênante de ses yeux bleus le rajeunissait. On eût dit qu'il retenait à chaque instant à grand'peine des gestes brusques et un peu fous, et je sentis que je m'étais trompé sur son impatience ; il était content de me voir : dans l'œil possessif qu'il promenait sur moi de temps à autre, il y avait une satisfaction savourée, comme si une pièce précieuse de ses collections venait de réintégrer sa vitrine.

— Il me semble qu'on parle beaucoup de toi, Aldo, en ce moment, dit-il enfin, et ses yeux se plissèrent, réprimèrent à grand'peine une jubilation enfantine. Tu as échauffé ici toutes les têtes un peu romanesques, n'est-ce pas, Orlando ? dit-il en ôtant son cigare de sa bouche. Ses yeux riaient. Orlando acquiesça avec componction. De la part de mon père, qui pensait pour ainsi dire dans la rue, et dont la belle voix de basse semblait n'avoir été mise au monde que pour donner à la *note du jour* la sonorité d'un jeu d'orgues, pareil accueil donnait à penser. Je songeai à ce que m'avait dit Vanessa du vent qui soufflait sur la ville.

— Que pense-t-on au juste ici de cette affaire ? dis-je d'un ton moins incertain, et, décidé à entrer dans le jeu, je fis un soupir destiné à en dire long sur mes nuits blanches. Mon père n'adorait rien tant que d'expliquer aux gens les situations qu'ils devaient par nature connaître mieux que lui... A l'Amirauté, personne n'y voit guère clair.

Le vieillard toussa pour s'éclaircir la voix et prit sa pose *augurale*, c'est-à-dire que son regard pudiquement dérobé se fixa sur une corniche du plafond avec une expression de pondération et de finesse diplomatique.

— L'Amirauté est un organe d'exécution — laissa-t-il tomber avec un grain d'ironie indulgente qui remettait les choses à leur place — dont personne ne songe à exiger qu'il pense. Par ailleurs, depuis qu'ont pris fin de manière officielle mes très modestes fonctions, je ne suis plus dans les secrets de la Surveillance (le ton et l'abréviation exagérément familière, laissaient entendre, bien à tort, qu'il n'en était rien). Je ne peux te donner que la réaction indépendante et libre — absolument libre, tu m'entends bien, et qui n'engage personne (dans sa voix passa la vibration énergique et amère d'un Cincinnatus revenu à sa charrue) — d'un esprit un peu rompu aux affaires et qui a navigué à travers bien des remous.

Pas très sûr encore de son nouvel auditoire, il se tourna vers Orlando, dont je compris à son air résigné que depuis huit jours il avait dû jouer plus qu'à son goût, pour cette éloquence, le rôle de banc d'essai.

— ... Ton ami Orlando, qui sera un jour une des lumières de notre Seigneurie, mais qui veut bien puiser encore quelquefois dans l'expérience d'un vieil homme, sait ce que je pense là-dessus. Il y a un juste milieu à prendre entre des écueils où je ne vois pas la Seigneurie naviguer sans inquiétude. Oui, Aldo, laissa-t-il échapper dans un mouvement de franchise soucieuse, ce n'est pas d'aujourd'hui que je me suis laissé aller à déplorer que des traditions, certes respectables, n'autorisassent un peu trop souvent la Seigneurie à confondre la prudence avec l'inertie. Des temps nouveaux approchent pour Orsenna, reprit-il d'un ton ferme qui lisait l'avenir à livre ouvert ; elle se doit d'y faire face sans fièvre inutile, mais avec toute l'initiative — nuancée de réserve, je ne m'y oppose pas — qui convient. Un sang jeune, mais expérimenté. Ne nous leurrons pas : la situation est sérieuse, sans être grave. Et j'ai peur qu'un personnel formé à des routines d'un autre âge ne soit plus à la hauteur de la tâche que l'heure impose avec une évidence incontestable : *re-con-si-dé-rer la situation à la lueur d'un fait nouveau.* Du reste, comme je l'ai dit plus d'une fois à ton ami Orlando, il était enfantin de s'endormir la tête sous l'aile et de croire que ce fait nouveau consentirait à se faire indéfiniment attendre. On n'a pas voulu entendre à temps, continua-t-il avec un rictus sarcastique, le *Jam proximus ardet Ucalegon.* J'avais toujours pensé pour ma part qu'on en viendrait là. Il fallait une décision : elle est là, et que voit-on ?

Il prit un temps avantageux.

— ... Une pierre est tombée dans notre jardin, et voilà nos grenouilles coassant comme dans un marécage. Où est « le savoir afin de prévoir, et prévoir afin de pourvoir », règle de toute bonne diplomatie. L'inertie n'aurait-elle pas confiné à la légèreté ?

Pressentant que le flot pouvait s'épancher longtemps encore, je prétextai ma fatigue et me levai sans excès de politesse. Orlando m'imita précipitamment. Le vieillard, après un instant d'hésitation, me retint par le bras d'un geste timide. Orlando comprit que sa présence le gênait et me précéda dans le couloir.

— ... Une convocation est arrivée pour toi ici. Le Conseil de Surveillance remet ton audition à après-demain, me dit mon père d'une voix rapide.

Il toussa d'un air embarrassé. Son regard fuyait le mien ; sa voix redevint tout à coup pressée et bafouillante.

— ... Je voulais te dire, Aldo, puisque tu auras sans doute l'occasion de voir là-bas mon vieil ami Danielo... Un ami de trente ans... mais nous nous sommes peu vus, ces temps-ci... que je t'autorise de bon cœur — euh !... en y apportant les atténuations... la discrétion nécessaire — à lui faire part de notre conversation de ce soir. Et informe-le, je veux dire... rappelle-lui que tous les gens de cœur se serrent autour de la Seigneurie... enfin, je veux dire.... que je suis à la disposition de la Ville dans ces circonstances sérieuses... sans être graves. Préoccupantes, sans être graves, rappelle-toi. La situation requiert courage, sang-froid, pondération... et expérience. Et audace ! lança-t-il après un temps.

Je rejoignis Orlando dans le couloir.

— Il commence à baisser beaucoup, me glissa-t-il d'un ton neutre, mais tu peux constater que la girouette tourne encore debout au vent.

— En est-on là ?... dis-je en lui prenant le bras d'un geste de vieille habitude qui me réconforta, car cet affaissement sénile et foudroyant m'avait causé une gêne horrible.

— Oui, dit Orlando. « Des temps nouveaux approchent pour Orsenna. » Ton père entend par là, pour lui, une seconde carrière, mais moi je pense qu'il y a ici quelque chose qui est en train de sortir de ses rails.

— Veux-tu dire qu'on envisage des développements sérieux pour cette affaire ?

Je sentis que mon cœur commençait à battre plus vite. Orlando s'arrêta une seconde et me regarda pensivement. La nuit était tout à fait tombée, un vent paresseux froissait les arbres du jardin, des branches pleuvaient partout sur nous des gouttelettes lourdes. Sa voix courtoise et amicale gardait un accent de froideur, et je sentis qu'il hésitait à parler.

— Qu'on t'ait soufflé ou non ta conduite dans cette

affaire, ce que je ne sais, reprit-il d'un ton posé, cette escarmouche est une vétille qui en soi, considérée froidement, ne peut mener loin. Je n'ai d'ailleurs aucune idée précise des intentions de la Seigneurie, quoique, Dieu sait, personne ici ne se fasse faute de lui en prêter. Mais le climat est mauvais... Ce qui est curieux, et assez inquiétant, reprit-il en baissant les yeux et en jouant avec la chaîne de sa montre, c'est justement combien il s'est trouvé peu de gens ici, aux premières nouvelles, pour considérer cette affaire froidement.

— Orsenna s'ennuie beaucoup, je sais, dis-je en haussant les épaules sans conviction.

— Oui, c'est étrange à dire, les nouvelles ont été pour eux de bonnes nouvelles, dit Orlando d'un ton pensif. Sais-tu, me dit-il en s'efforçant de sourire, que du fond de ton Amirauté tu es devenu le personnage à la mode. Ton père ne s'est pas mépris en se faisant recommander à son tour par toi à la Seigneurie.

— Il me semble, dis-je avec ironie, qu'autrefois tu n'accordais pas tant d'importance aux opinions de la rue. Je crois me souvenir de tes théories. Les cloisons étanches... La conscience plus subtile réfugiée dans les sommets...

— Ce sont eux justement qui m'inquiètent, reprit Orlando préoccupé. D'ordinaire, il filtre bien des bruits sur ce qui se passe à la Seigneurie, et je me trouve mieux placé que d'autres pour les recueillir. Avouons-le, les secrets d'Etat avaient pris, chez nous, un caractère passablement anodin — tu sais comme nous nous en moquions à l'Académie. Tout cela a bien changé. Il s'est fait depuis quelque temps une espèce d'isolement, de retrait... Ton père est profondément blessé, tu l'as remarqué, de ne plus pouvoir approcher le vieux Danielo.

— Je le verrai après-demain.

Orlando me dévisagea pensivement.

— Dieu sait que je pense ne pas concéder plus qu'il ne faut à l'importance. Et pourtant je t'envie de le faire. Et plus d'un ici t'envierait aussi.

— Orlando retourné à la vénération pour les idoles ?

— Ce n'est pas cela exactement, dit Orlando en fronçant le sourcil. Les plaisanteries vont leur train, mais le sens n'est plus le même. Il y a des jours où on plaisante dans la conscience de sa force et des jours où on plaisante pour se rassurer dans le noir. Je parlais de l'importance. Peut-être est-on en train de rapprendre ici ce que c'est au juste que le pouvoir.

Orlando s'arrêta et me posa la main sur l'épaule. Je compris que nous allions nous quitter là.

— Regarde bien autour de toi, puisque tu es pour quelques jours dans la ville. Rien n'a changé, et pourtant on dirait que l'éclairage n'est plus le même. Il y a une lumière jamais vue qui se pose à certains sommets, comme à la pointe des paratonnerres quand l'orage approche : on dirait que la terre tout entière concentre ce qu'il y a de plus volatil dans ses énergies pour que l'éclair puisse jaillir. Les hommes et les choses sont restés les mêmes, et pourtant tout est changé. Regarde bien.

Je passai en ville presque toutes les journées du lendemain et du surlendemain. La nouvelle de mon retour s'était répandue très vite ; mes amis me réclamaient, je me trouvai même — à ma surprise — invité dans les clans traditionnellement fermés à ma famille, mais on eût dit qu'à Orsenna certains *interdits* sociaux étaient en train de perdre une partie de leur rigueur. La curiosité de tous était braquée sur mon expédition lointaine ; je parlais peu, me réfugiant derrière le prétexte du rapport que je devais d'abord à la Seigneurie. Il se faisait d'ordinaire, à mon entrée dans les salons, un brusque silence, et à l'air d'excitation que je pouvais lire sur les visages il me semblait que cette onde de petite mort y passait bienvenue comme un vent frais, et que je quittais mes hôtes inexplicablement calmés ; parfois, à m'écouter, je surprenais sur les visages une expression jamais vue : on eût dit ces prunelles tendues par l'effort d'une *accommodation* inusitée, braquées sur un point si éloigné de leur champ d'observation normal que, comme dans l'extrême fatigue, il leur prêtait une expression désarmée et inhabituelle d'absence. Les femmes surtout s'y abandonnaient sans retenue ; à suivre l'étincellement de leurs yeux magnétisés au fil de mon récit, et le ressentiment contre moi qui se lisait dans ceux des hommes, je comprenais qu'il y a dans la femme une réserve plus grande d'émotion et d'effervescence disponible, à laquelle la vie banale n'ouvre pas d'issue et que libèrent les seules révolutions profondes qui changent les cœurs, celles qui pour venir vraiment au monde semblent avoir besoin de baigner longuement dans la chaleur aveugle d'une accouchée : ainsi l'*aura* qui cerne les hautes naissances historiques se lit-elle pour nous d'abord dans les prunelles prédestinées des femmes. Je comprenais pourquoi maintenant Vanessa m'avait été donnée comme un guide, et pourquoi, une fois entré dans son ombre, la partie claire de mon esprit m'avait été de si peu de prix : elle était du sexe qui pèse de tout son poids sur les portes d'angoisse, du sexe mystérieusement docile et consentant d'avance à ce qui s'annonce au delà de la catastrophe et de la nuit.

J'étais frappé de constater, au hasard des conversations surprises çà et là, quelle très faible part de réflexion critique s'appliquait à ce qu'on connaissait — très inexactement et très imparfaitement (la version répandue par les soins de Vanessa avait fait son œuvre) — des incidents de la mer des Syrtes, et combien peu — à mon soulagement plus encore qu'à ma surprise — on se préoccupait d'en répartir impartialement les responsabilités. La rumination minutieuse et tatillonne des préséances et des mérites passés avait fait jusque-là chez nous le fonds commun des méditations politiques : chacun, écrasé par la pesée presque matériellement sentie d'une série de siècles consacrés à l'accumulation d'une masse inégalée de richesses et d'expérience, s'y considérait et s'y conduisait plus ou moins instinctivement comme un légataire. La familiarité — ressentie de façon plus vivante qu'ailleurs — et presque la connivence avec une longue lignée d'ancêtres, en pétrifiant le regard à toute variation spontanée, frappait de caducité tout raisonnement que n'engrossait pas la considération de cette durée immuable et fertile dont l'accroissement semblait seul donner à chacun son véritable poids : tous les partis à Orsenna, sans exception, étaient des partis des *droits historiques*. D'être resté absent si longtemps, j'étais frappé davantage de ce que la perspective actuelle présentait d'insidieusement différent. Le moment était au crédit ouvert plutôt qu'aux minutieux réglements de comptes. Des figures nouvelles et parfois inquiétantes de hardis parleurs se montraient dans les cercles les plus fermés de la ville, auxquels personne ne semblait plus se soucier de réclamer un passeport mondain, et il était presque alarmant de voir quelle créance ils rencontraient en divulgant et en discutant sans gêne les résolutions — grossièrement inexactes — qu'ils prêtaient à la Seigneurie, pourvu qu'elles fussent de nature à frapper l'imagination. Un besoin d'inouï s'était soudain emparé des cervelles, qui donnait dans cette capitale sceptique et vieillie comme une résonance plus sèche et plus dépouillée à la haute marée émotive qui submergeait Maremma; il semblait que chacun jouissait, comme quand on pénètre dans l'air de la haute montagne, de se sentir les coudes plus libres et l'imagination plus alertée qu'il ne l'avait cru, et la dernière chose dont on se fût avisé de s'enquérir à propos des nouvelles fantastiques qui parcouraient la ville presque d'heure en heure était leur origine : la rapidité instantanée de leur transmission par des centaines de bouches leur donnait à elle seule comme une consistance solide qu'on ne s'avisait pas d'éprouver ; on eût dit qu'elles *prenaient* de minute en minute comme la glace d'un étang sur laquelle on peut marcher, et il était de fait qu'elles témoignaient d'un changement insolite de température. L'esprit intoxiqué réclamait à Orsenna, comme l'air qu'on respire, sa dose habituelle de *changement journalier* : l'absence de ce changement l'eût laissé dans un état de besoin qui ne risquait guère d'aller jusqu'à l'angoisse, car les pourvoyeurs de drogue ne manquaient pas. On les trouvait tout particulièrement — ce qui ne pouvait me surprendre — dans l'entourage du vieil Aldobrandi, dont la situation mondaine était alors parvenue à un sommet. Personne ne se souvenait plus de son exil et de son encombrant passé d'intrigues : dans cette société qui se réaménageait, ses amarres coupées, comme sur un paquebot qui lève l'ancre, une attente et un crédit sans mesure se concentraient sur ceux-là seuls dont on espérait qu'ils animeraient la traversée, et le passé trouble et taré de cet écumeur de mers suspectes lui prêtait soudain plus de prestige qu'aux notabilités assises, à l'instant où chacun pressentait qu'il s'agissait enfin de plonger dans son élément. Je l'avais entrevu quelques minutes dans le salon de la mère d'Orlando, où je faisais une courte visite, et son aspect m'avait frappé comme celui d'un homme qui porte non pas la bouffée de vent imbécile du succès, mais la conscience fébrile et urgente que son heure — au cadran où elle est d'avance marquée — tout à coup arrive. Il paraissait extraordinairement rajeuni ; sa main passait par saccades sur sa courte barbe noire ; l'œil étincelant de loup sombre avait, dans la discussion, la vivacité d'actions et la mobilité sèche d'un escrimeur. Il parlait par courtes phrases décochées à la volée, abruptement et négligemment, en homme maintenant habitué à ce qu'on ramasse ses miettes ; autour de lui, sans cesse, des gens entraient et sortaient, pour lesquels parfois il crayonnait sans s'interrompre quelques mots sur un billet. Entouré d'une ébauche de petite cour obséquieuse, une silhouette se levait et semblait fleurir comme par magie au bout de chacun de ses gestes d'appel, comme si son envergure se fût brusquement allongée, et on eût dit que la ville autour de lui se serrait et se rapetissait, comme si, par delà les murs, avec chacun de ses points vivants il fût resté immédiatement et directement en contact. Sa mimique et ses propos paraissaient singuliers en ceci qu'ils semblaient se référer à un ordre de considération et de mépris, d'espérances et de craintes entièrement étranger à celui qu'Orsenna admettait communément ; son regard seul et l'inflexion de sa voix *faisaient du neuf* : ainsi, dans l'œil d'un barbare des armées du Bas-Empire, devait se trier à partir de la glèbe immuable et vieillie un paysage plus jeune et encore insoupçonné de tous : les villes qu'on raserait, les cultures retournées au pacage et les terres où camperait sa tribu. Un nouveau clivage social prenait vie sous son regard ; il ressemblait à la fois à un mystagogue, au chef d'une troupe en opérations et à un *coulissier*. C'était là la faune qui, maison par maison, colonisait maintenant dans la ville les quartiers les plus sourcilleux.

Plus proche qu'on se trouvait être à Orsenna du centre apparent de la puissance, on s'y préoccupait moins qu'à Maremma du Farghestan. Le point qu'on discutait passionnément, c'était de savoir si la Seigneurie entreprendrait une démonstration militaire ou si la politique traditionnelle prévaudrait, et si on se saisirait de l'incident comme d'un moyen de reprendre le contact et de fermer une vieille querelle : dans cette espèce d'*Empire du Milieu* qui était la forme sous laquelle la Ville en était venue à se représenter à elle-même derrière l'isolement de sa muraille de déserts, la pensée semblait ne pouvoir venir à quiconque que l'adversaire jugeât et décidât de façon autonome, indépendamment des desseins que pouvait former la ville — qui depuis bien longtemps n'en avait plus aucun. Ainsi, au sortir de l'atmosphère de crainte panique qu'on respirait à Maremma, les esprits semblaient ici par contraste se mouvoir dans une sécurité irréelle et presque délirante — le *pli* que leur imprimait la familiarité de la ville intacte et vermoulue faisait que pour tous le signe gardait autorité, survivait à la chose signifiée. Les raisonnements que je surprenais autour de moi me semblaient tirer leur vertu apparemment convaincante d'une espèce particulière d'algèbre dont j'avais perdu la clé : derrière des mots familiers à mon oreille, je poursuivais sans cesse la trace d'une *inconnue* dont l'assentiment commun m'imposait malgré moi l'idée, tellement énorme était par exemple l'écart entre « la flotte des Syrtes », dont je sentais le poids intact gonfler d'importance des bouches trop assurées, et les pinasses envasées qui pourrissaient dans notre port — entre l'épithète négligemment lancée de « sauvages », qu'il s'agissait de ramener à la raison, et la silhouette inquiétante, ironique et trop sûre d'elle, qui m'avait rendu visite au milieu de la nuit. Pour *lever*, la fièvre d'agitation qui s'était emparée de la ville ne trouvait pas de point d'appui extérieur — les imaginations atrophiées n'en concevaient pas — et ce qui transparaissait d'enfantin dans cette excitation de salons venait de ce qu'Orsenna avait l'air de se faire peur à elle-même, ne concevant pas d'autre moyen de se désennuyer. L'éventualité d'une expédition ou d'une guerre était agitée d'autant plus complaisamment qu'elle n'entraînait dans presque tous les esprits qu'une représentation abstraite et sans couleur, et même vaguement fantastique : l'image du poing d'Orsenna, longtemps si vigoureusement asséné, crevant les brouillards cotonneux qui n'avaient cessé de s'épaissir à ses frontières, ne trouvait plus d'œil pour la recueillir et la faire vivre ; au contraire, les incidences de l'affaire sur le plan intérieur étaient partout supputées et grossies de la manière la plus passionnée : la possibilité agitée d'une crise extérieure grave, en réalité on la pensait presque exclusivement comme la promesse d'une mutation de personnel : ainsi on voit un centenaire fléchissant, oubliant qu'il a maille à partir avec le rythme même de la planète, concentrer soudain une attention burlesque sur le prospectus d'une nouvelle cure hépatique — ainsi un empire croulant, déjà aux trois quarts envahi, réagit (les états croyant toujours qu'ils meurent debout) à sa foncière impuissance d'être par une pétulante crise ministérielle. Bref, je retrouvais à Orsenna un peuple que rien n'avait jamais disposé à penser tragiquement. Placé devant un problème si éloigné de son optique habituelle, et où l'inconnu l'emportait sur les données, Orsenna réagissait avec la myopie entêtée de l'extrême décrépitude : comme un vieillard, à mesure qu'il avance en âge, réussit de mieux en mieux à mettre *entre parenthèses* des préoccupations aussi imminentes et aussi considérables que celles de la mort ou de l'éternité, et place son point d'honneur à se mouvoir encore comme une « personne naturelle », la ville, ne soupçonnant pas qu'elle s'était mise d'elle-même « entre parenthèses », et depuis longtemps, ne songeait même pas à se demander quel mauvais vent venu d'au delà des déserts s'était levé, et pourquoi ses doigts tremblaient en reprenant ces cartes trop connues, toujours les mêmes, qu'elle avait brassées jusqu'à l'écœurement, dans la certitude béate qui était la sienne que tout ce qui la concernerait jamais y était commodément figuré et pouvait s'y lire. Comme la longue et savante pratique d'un jeu, en brisant de plus en plus l'esprit à ses règles, le persuade inconsciemment que leur rigidité ne sera plus jamais remise en question, pour cela seul qu'il leur a trop sacrifié, et qu'elles *existent* réellement, puisqu'elles ont pu le gauchir, à la manière d'un arbre ou d'une pierre, les combinaisons à Orsenna pouvaient changer, l'idée de changer les règles qui y présidaient n'était depuis longtemps plus concevable : il eût fallu qu'on comprît encore que c'était seulement de règles qu'il s'agissait.

Mais si, quittant les salons et leurs conversations de parade, tout empêtrées dans le déguisement mondain, et flânant au hasard des rues, je cherchais à m'emplir les poumons, à m'imprégner de l'air nouveau qu'on y respirait, je sentais qu'à Orsenna la partie claire des idées, la seule encore reçue, avait cessé d'être la plus significative, et que la vie de tous les jours y balbutiait déjà une langue dont ne rendait compte aucun lexique. Dans cette cité des terres chaudes, la vie du dehors, peut-être par un reflet de l'antique discipline militaire qui l'avait grandie, avait toujours conservé un caractère marqué d'austérité et de froideur : la couleur généralement sombre et la sobriété des vêtements, la réserve hautaine des femmes, la répugnance à lier conversation au dehors ou à se mêler à un attroupement de rue, faisaient depuis longtemps passer Orsenna, aux yeux des populations exubérantes du Sud frappées de cette dignité distante, pour le « cœur glacé » de la Seigneurie : plus qu'en aucune capitale, on y percevait presque des yeux la proximité invétérée d'un grand pouvoir, dont chacun, citoyen plus encore qu'habitant, eût tenu à faire respecter en lui une parcelle. Or, à ma surprise, la rue maintenant à Orsenna s'animait. Il semblait qu'elle attirât plus que d'habitude ; des gens maintenant s'y interpellaient sans se connaître, et, pour peu qu'une voix haussât le ton d'une manière insolite, une aimantation semblait se faire dans le désordre indifférent des allées et venues : les silhouettes noires s'agglutinaient, tendant l'oreille, comme si par cette bouche ils eussent espéré surprendre une voix venue de plus loin, un murmure d'oracle, ou peut-être une issue ouverte à cela en eux qu'ils ne savaient dire et qui les eût obscurément délivrés : le groupe se défaisait aussitôt, et les visages qui s'éloignaient prenaient une expression fermée et déçue. Pour un regard plongeant directement dans les rues du soir, le mouvement des petits points noirs qui y fourmillaient eût évoqué maintenant non plus le bombillement éparpillé et incohérent des insectes dans le crépuscule, mais plutôt une limaille fine peignée et renouée sans cesse par le passage d'invisibles aimants ; à l'heure plus lourdement chargée de destin qui approchait, on eût dit parfois que de grandes lignes de force inscrites dans le sol d'Orsenna par son histoire se rechargeaient d'une électricité active, retrouvaient le pouvoir d'ordonner ces ombres longtemps si détachées, et maintenant attentives malgré elles à un murmure venu de plus loin que la zone des idées reçues. C'est ainsi que la haute ville, qui avait été le noyau primitif d'Orsenna, serrée sur une colline abrupte au milieu des marécages, autour de la cathédrale Saint-Jude et du sévère palais féodal du Conseil de Surveillance, voyait maintenant à nouveau sourdre le soir dans ses ruelles tortueuses la foule qui, depuis longtemps, l'avait abandonnée pour les quartiers plus spacieux et plus actifs des marais où s'était trans-

porté le haut négoce : mystérieusement innervé encore
après des siècles de léthargie, il semblait qu'après les
heures de travail le cœur réactivé de la ville se remettait
à battre. De ces sombres ruelles aux façades aveugles
et sonores, le menu peuple des faubourgs qui venait y
battre jusque tard dans la soirée faisait une bourse aux
nouvelles, une place d'armes et un théâtre ouvert aux
orateurs de plein vent ; les cris de guerre et les provocations chauvines partaient des carrefours et des porches
mêmes où les bannières levées des corporations avaient
donné autrefois le signal des émeutes, et les bouches
ouvertes dans le cri paraissaient soudain pleines d'ombre,
tant on eût dit parfois qu'à travers elles tout le noir passé
enfoui dans les tombes de la ville se dégorgeait. Comme
à l'ombre des sanctuaires se blottissent les mauvais lieux,
le vieil Aldobrandi avait là son repaire, sa maison de ville
pour laquelle il avait quitté le palais ombrageux du
Borgo, et une qualité particulière dans la fermentation
de cette foule imprégnée en trahissait l'approche au
hasard des ruelles : là les propos se faisaient plus brutaux,
les bouches plus péremptoires, de là partait la plupart
des mots d'ordre que commentaient les orateurs des
carrefours, les rixes n'y étaient pas rares ; on disait aussi
qu'à la nuit tombée des arguments moins relevés étaient
mis en ligne, et que l'argent et le vin se distribuaient
à flots ; mais c'était pour moi un signe troublant que la
police négligeât obstinément dans ses rondes de s'aventurer aux abords du palais : là se créait déjà — comme
chaque fois que l'autorité se relâche — par un jeu com-
plexe de l'appréhension, du calcul et de l'inertie, une
espèce de *concession*, de zone franche, où la pègre affluait
d'instinct et dilatait d'elle-même les bords qui faisaient
tache d'huile : comme dans une toile usée qui par places,
dès qu'on la distend, révèle les endroits où elle se déchirera
à une trame plus claire, apparaissaient, à Orsenna sans
que personne voulût en convenir, des îlots déjà presque
insoumis. Le jour, on y tonnait contre la faiblesse avérée
de la Seigneurie devant les provocations ; la nuit, on la

démontrait en fracturant les échoppes vides et en volant les montres : ni l'une ni l'autre des preuves administrées ne manquait tout à fait d'efficacité.

Personne pourtant ne songeait guère à s'en inquiéter, et, même parmi les fonctionnaires responsables de la sécurité de la ville, il était remarquable que ces symptômes fussent accueillis avec une pareille bonne humeur, et que les agitateurs pussent compter, même là, au moins sur une demi-complicité. Une espèce d'accélération s'emparait de la ville ; une envie secrète, une admiration qui ne s'avouait pas toujours s'attachait maintenant à tout ce qui semblait marcher en avant, à tout ce qui semblait avancer plus vite. Dans les salons les plus fermés, où Aldobrandi avait maintenant ses coudées franches, régnait un préjugé nouveau, dont il couvrait d'ailleurs ses agissements avec un cynisme consommé : le moindre blâme porté contre le comportement de ses bandes eût passé pour la marque du plus mauvais goût, d'un esprit incurablement *retardataire*, condamnation sans appel à un moment où l'opinion à la mode était que maintenant « les temps avaient changé ». Pourquoi ils avaient changé, c'est ce que personne n'eût pu dire au juste, et peut-être fallait-il voir là, plutôt qu'une phrase en l'air, plutôt que le constat précis d'une altération dans l'ordre des choses, la revendication de ce toucher infiniment subtil qui nous lie à l'établissement du vent, à la pesanteur insensiblement accrue de l'air, et en l'absence de toute preuve matérielle nous avertit en effet sans hésitation possible d'un « changement de temps ». Et ce n'était pas seulement cette couleur imperceptiblement plus orageuse — venue assombrir pour chacun son paysage mental comme s'il eût lu l'avenir à travers des verres fumés qui l'enfiévraient — qui paraissait nouvelle : apparemment le rythme même du temps à Orsenna avait changé. Entre les hautes murailles tantôt fermées sur leur nudité médiévale, tantôt drapées dans les guipures démentes que les siècles d'opulence et de joyeuse curée avaient jetées au travers des façades comme la parure d'une nuit de folie, quand le coup de vent malsain qui se lève à Orsenna avec le soir avait balayé de la chaussée les dernières feuilles mortes, et que les derniers passants des quartiers bas se hâtaient dans le claquement espacé des portes lourdes, l'impression jamais ressentie me venait parfois — à suivre ces avenues élargies par le soir qui semblaient balayées et disponibles pour le piétinement de foules neuves et pour le soleil d'un nouveau jour — que le *temps* même coulait, coulait comme un sang, coulait maintenant en torrent à travers les rues. Et on eût dit que chacun y buvait son espoir et sa force comme dans le premier coup de vent de la haute mer : par delà les différences de classe et de richesse, cette espèce de fraternité spontanée de la rue ressemblait à celle de gens embarqués dans le même bateau, liés par la solidarité des réflexes d'un équipage de navire au moment où il appareille et où les mots de « mort » ou de « maladie » s'éteignent dans l'imagination au profit de ceux de « typhon » ou de « naufrage ». Un grand privilège partagé détendait les ressorts de la jalousie et de l'envie, égalisait les rangs et brassait les remous d'une masse devenue plus fusible : celui d'un peuple entier, collé au sol et maintenant averti par son oreille profonde, que les temps venus poussaient sur la scène, et qui pêle-mêle, abandonnant ses venelles et ses caves, se bousculait d'instinct dans le désordre vers le seul jour qui vaille qu'on s'y brûle : *le grand jour.*

C'était là les réflexions dont j'étais occupé, cependant qu'au crépuscule déjà assombri de la courte soirée d'hiver je me dirigeais à travers les ruelles de la haute ville vers le vieux palais du Conseil. Une soudaine envie de marcher m'avait fait renvoyer la voiture fermée rituelle que le Conseil de Surveillance, qui n'aimait guère qu'on détaillât les rares silhouettes admises à franchir ses portes, expédiait par prudence à qui il avait jugé bon de convoquer. Le temps était clair et froid ; un vent sec du nord balayait les brouillards des marais, et parfois le dédale tournant des ruelles s'ouvrait sur une perspective étroite comme une tranchée qui dévalait en torrent vers la basse ville bleuâtre et aplatie, ses premières étoiles de lumière qui frangeaient comme dans un ciel de nuages les taches noires des forêts toutes proches, et les notes longuement tenues des trompettes, limpides et comme épurées par la distance, qui montaient de ses casernes dans l'air clair : ainsi déjà pour les podestats des âges anciens sur leur nid d'aigle, embusquée à l'horizon de chaque regard s'était appesantie la Ville, coulée sur la terre dans sa pesée lourde, toujours profilée sur les lointains de chaque pensée. Des maisonnettes éloignées, perdues déjà dans la lisière des forêts, montaient une à une des fumées, et ces fumées qui confluaient venaient noyer dans une buée douce le centre de la ville hérissé de ses tours et de ses clochers. Vers le nord, l'horizon déjà indistinct se fermait sur les hautes forêts où sinuait la frontière, — dans la perspective des ruelles qui plongeaient au midi pâlissaient encore dans les lointains des traces plus claires : les steppes pelées du Sud qui commençaient au delà de Mercanza, — les vieilles routes marchandes luisant encore faiblement de leurs pavés mouillés couturaient çà et là profondément la perspective fuyante des campagnes endormies : les marchés, les forteresses, les entrepôts, les lieux de bataille s'ordonnaient aux cicatrices de cette lune morte dans l'évidence tranquille d'un ciel d'étoiles : à qui savait la lire, on eût dit qu'Orsenna à cette heure tournait vers le ciel une paume ouverte. De marcher à cette heure par les ruelles venteuses aux arêtes coupantes, les petites places cuirassées de pierres dures, et pareilles entre les façades à des puits dallés, et tout cet agencement de blocs sévères aux coupures nettes qu'était la haute ville, toute proche encore du cloître et de la forteresse, j'éprouvais un sentiment de puissance austère et de rigueur chagrine. De cet observatoire au ciel dur et comme vitrifié, aux lignes sèches et sobres, comme de la passerelle d'un navire de guerre on dominait les ombres molles qui couraient à l'entour sur les terres ridées : ici devaient habiter, nourris de l'air sans goût et sans saveur qui baigne les hauts entassements de pierres nues, un esprit d'altitude

296

et de sécheresse, des paupières sans moiteur et sans cillement, longuement plissées sur de secrets et précis instruments de mesure, des prunelles durcies faites pour
déchiffrer le spectre de points et de lignes, l'épure déchar-
née que la terre d'Orsenna devenait ici sous le regard.

En vain je me rappelais que je ne devais être convoqué
à la Surveillance que pour fournir des précisions supplé-
mentaires sur le rapport que j'avais envoyé, et qu'il ne
pouvait être question pour moi, dans ma position subalterne, de toucher en quoi que ce fût au secret des affaires,
j'étais envahi, à mesure que j'approchais du palais, par
une fébrilité et une curiosité intenses. J'avais eu la veille
avec Orlando, informé comme d'ordinaire autant qu'on
pouvait l'être des luttes d'influence et des changements
d'équilibre qui se produisaient dans les assises supérieures du pouvoir, une conversation plus précise que
d'habitude. Si je faisais la part du halo de mystère et de
romantisme dont Orlando colorait et passionnait toujours
les affaires politiques, comme les gens qui se tiennent aux
franges seulement du pouvoir et cherchent d'instinct à
en exagérer le lustre afin que quelque reflet vienne s'en
poser jusque sur eux, il ressortait cependant assez nettement de ses propos que, dans ces derniers temps, sans que
presque personne dans la ville y eût pris garde, une
nouvelle silhouette avait pris au Conseil de Surveillance
presque toute la place : celle justement du vieux Danielo,
qui « avait été » si intimement l'ami de mon père. D'après
la démonstration qu'Orlando avait faite devant moi, l'intérêt qu'apportait à le pousser en avant la faction dominante apparaissait clairement si l'on rapprochait l'un de
l'autre, comme les morceaux d'un puzzle, certains tirages
au sort « corrigés » qui s'étaient produits ces derniers mois
pour le renouvellement du Conseil, et qui tous avaient
tendu à y renforcer directement sa position, sans que
jamais l'attention fût attirée par un changement specta-
culaire. Je connaissais de longue date par mon père cette
pratique du « dosage », plus subtil que l'art d'un cuisinier,
par lequel un parti vainqueur — les moyens à la Sei-

gneurie étaient pour cela infinis — incorporait par fractions infinitésimales au corps politique des éléments qui pouvaient lui paraître d'abord totalement inassimilables, et je n'étais pas loin de croire avec Orlando que l'opération avait d'autant plus de conséquence qu'elle avait été plus précautionneusement menée. Selon lui, l'agitation provocante qui se centrait autour d'Aldobrandi avait servi très consciemment à masquer ce travail de sape, et fixé les résistances escomptées ailleurs qu'où elles eussent pu s'appliquer pertinemment ; il faisait allusion à cette opération de mise en place comme à une chose déjà achevée aux trois quarts, et, à ne tenir compte que des indications dont il disposait, « absolument réussie » : selon lui l'opinion du vieux Danielo ralliait déjà à elle automatiquement dans les scrutins décisifs le chiffre de sept voix qui au Conseil de Surveillance constitue la « majorité d'urgence » et retire tout effet pratique aux réserves de la minorité. La figure du vieux Danielo m'avait donc singulièrement occupé depuis la veille ; quelque chose m'inclinait à voir maintenant sa main dans l'instruction que j'avais reçue à l'Amirauté, et qui tranchait si remarquablement sur la paperasserie neutre de la Seigneurie, et je me sentais l'envie de prendre moins légèrement tout le bavardage sénile de mon père, pour m'avoir présenté comme naturelle l'idée, qui me flattait, que j'allais peut-être le voir. Je rassemblais dans mon esprit ce que j'avais pu apprendre de lui, à travers mes conversations avec mon père, fâché maintenant de leur avoir prêté une oreille si neutre ; le peu qui m'en restait prenait un vif relief dans sa discontinuité, mais c'était plutôt des détails pittoresques qui ne s'ordonnaient pas, comme il en revient à l'esprit pas delà les brumes de l'enfance. Le trait le plus remarquable de sa carrière était qu'orienté dés sa jeunesse vers des recherches purement désintéressées et spéculatives (il était l'auteur d'une *Histoire des Origines* qui faisait autorité à Orsenna pour tout ce qui concernait la période de fondation), la soixantaine passée il avait commencé à se mêler aux intrigues politiques de la ville, à l'âge où les hommes d'Etat sur le retour cherchent plutôt une justification de leur action passée à travers une biographie d'Agathocle ou de Marc-Antoine ; et le préjugé de temporisation et d'inertie porté contre un homme d'étude avait longtemps prévalu, jusqu'à freiner un peu même à Orsenna cette seconde carrière, contre les preuves d'opiniâtreté et de volonté incisive qu'il n'avait pas tardé à y fournir. Son caractère ombrageux lui valait peu d'amis ; en dehors des heures où le service d'Etat l'appelait à la ville, il passait pour vivre presque seul dans sa campagne de Bordegha, au milieu de sa bibliothèque. De certaines anecdotes que m'avait contées mon père ou qui couraient la ville se dégageait, dans la puissance de misanthropie et le mépris des hommes qui y transparaissaient, quelque chose d'abrupt et de presque fou ; cependant, dans les voix qui s'accordaient après les rires trop convenus de salon pour lui reconnaître « un caractère », il passait invariablement quelque chose d'intimidé et de circonspect, comme si l'ombre d'un rapace aux serres puissantes avait tout à coup plané sur l'assemblée moutonnière. Il était d'ailleurs singulier qu'à Orsenna — où le moins qu'on exigeait des aspirants au pouvoir était que par leurs alliances de famille, leurs tares plus ou moins secrètes, et les engagements qu'ils avaient souscrits aux clans, ils donnassent de toutes parts des gages — on eût laissé gravir les derniers échelons du pouvoir à quelqu'un qui laissait sur lui si peu de prise. Sans femme, sans maîtresse, sans amis, sans vices connus, sans passé trouble, il semblait n'avoir rien sur lui de cette écorce couturée où le toucher un peu veule des politiciens aime à se rassurer et à affermir sa prise familière et canaille ; cette force nue et lisse, mais longtemps protégée, soigneusement enveloppée, évoquait plutôt, me disait Orlando, une épée dans sa gaine. Pourtant Danielo était vieux — il portait sur lui la malédiction de la ville ; il avait vieilli dans Orsenna ; j'imaginais sa silhouette chétive, ses mains friables et sèches, ses pas frileux sous la longue robe noire du Conseil : Orsenna en avait usé d'autres, et je savais ce qui pouvait rester d'un homme quand il avait laissé aux trous de la *filière*, pour devenir cette ombre auguste et émaciée, tout ce qui n'y avait jamais pu trouver place d'indépendance, de volonté et d'espoirs.

Il n'y avait, aux abords mêmes du Conseil, nulle trace de l'agitation et des allées et venues qui désignent les centres nerveux d'une ville à un moment de crise. A cette heure où l'avaient quitté déjà tout le menu personnel et les fonctionnaires subalternes, le palais paraissait presque désert, et les quelques silhouettes que je croisais au détour des couloirs s'y mouvaient, après les heures régulières du travail, avec la désinvolture intimidante et l'abandon d'une franc-maçonnerie scellée par un long usage, qui se retrouve entre soi et maîtresse de la place ; ces ombres, sur qui plus d'une fois je pouvais poser un nom illustre, qui s'interpellaient par leur prénom avec des interjections familières, des mots de passe et de brèves expressions de routine qui ne m'étaient pas compréhensibles, contribuaient à me mettre peu à l'aise ; je sentais vivement que j'entrais dans un monde fermé : l'air même qu'on respirait dans ces salles béantes et roides — extrêmement assombries par les croisillons losangés et opaques de leurs fenêtres, et qui semblaient si vite anuitées que le pas s'étouffait malgré lui à s'aventurer dans leurs espaces endormis — semblait imprégné faiblement d'une essence plus volatile, de celles dont on dit expressivement qu'elles existent à l'état de *traces*, qui fuyait l'attention après l'avoir alertée, et dont on sentait que dans sa distillation subtile le *temps* — un temps qui au lieu de se dévorer semblait ici se décanter et s'épaissir comme la lie d'un vin vieux, avec cette succulence presque spirituelle par où certains flacons très nobles font pour ainsi dire exploser les années sur la langue — avait compté pour presque tout: on eût dit, plutôt qu'il n'était confiné par eux, que cet air *conservait* les vieux murs comme ces marécages pourris qui donnent aux pilotis l'éternité de la pierre, et que de ce suc immatériel et vieilli les ors des plafonds éteints, les cuirs lourds qui s'écaillaient aux murailles, la matière épaisse des tables équarries, les cathèdres barbares de chêne cru continuaient à nourrir et à lustrer imperceptiblement leur poli usé, une vie qui désertait le va-et-vient des ombres falotes y battant encore faiblement du pouls ralenti de l'hivernage : comme dans certains monuments plus taraudés que des polypiers et plus organiquement encroûtés de siècles que les autres, auxquels le peuple sent d'instinct que tient concrètement la survie même de certaines très vieilles villes, on touchait là les *grands fonds* d'Orsenna et presque matériellement la série ininterrompue de ses strates — un banc nourricier, un récif vaguement vivant de siècles s'y engraissait seul qui hissait encore l'énorme masse jusqu'à sa flottaison.

L'huissier qui m'avait pris en charge à mon entrée dans le palais (on ne marchait jamais seul dans les couloirs de la Surveillance) m'introduisit au dernier étage dans une salle sombre et assez basse. Une longue table d'une forme ancienne et lourde occupait l'un des angles ; étrangement massive et en même temps rehaussée de plaques précieuses et ouvragées, elle évoquait curieusement dans ce palais de décrépitude les siècles barbares d'Orsenna, les couronnes de fer cloutées de pierreries brutes, la sauvagerie fastueuse et verdissante des époques lombardes. Les murs, comme partout dans le palais, étaient matelassés et revêtus de haut en bas de cuir sombre ; des fenêtres aux croisillons étroits et aux verres opaques n'arrivait plus qu'une lueur diffuse et ennuyée, comme si le palais avait pris jour au fond d'une cour recluse ; l'une d'elles pourtant entr'ouvrait un rectangle étroit où le ciel très pur déjà tournait à la nuit, et l'œil aspiré comme celui d'un prisonnier plongeait soudain pardessus le dévalement de la ville vers l'horizon des forêts lointaines ; peu à peu la lueur faible d'une lampe posée sur une console près de la table éteignait les restes de jour et donnait à la pièce un air d'intimité anonyme et d'éveil tranquille, comme on peut en respirer dans un oratoire, me pénétrant, avec une sécurité dont j'avais peine à me rendre compte, du sentiment soudain infiniment confiant que j'étais attendu. J'entendis près de moi un pas glissant et étouffé, un pas austère et pourtant plein d'un allègement indéfinissable, comme celui d'un prêtre qui traverse son église après la fin des offices ; une main se posa sur mon épaule, ou plutôt l'effleura, mais avec une nuance — aussi subtilement exprimée qu'eût pu le faire un clavier — d'aisance retenue et bienveillante, et avant même de me retourner je compris de quelle manière le visage qui était derrière moi souriait.

— Ainsi, c'est vous... prononça une voix dont le charme était fait d'une inexprimable *aisance*, comme si les syllabes eussent affleuré à l'oreille distinctes et neuves, décapées, baignées une à une dans un liquide transparent.

Le vieux Danielo fit glisser sa main de mon épaule, et, contournant ma chaise sans hâte, me fit face un instant sans parler. Une acuité brusque sembla traverser un instant le sourire de bienveillance ; comme je me levais, de nouveau la main se posa sur mon épaule avec une douceur et une rémission dans le geste seulement permise à quelqu'un qu'on obéit *au doigt et à l'œil*.

Il ne paraissait nullement pressé de s'asseoir, et, planté devant moi très immobile dans le contre-jour des fenêtres maintenant tout à fait pâlies, semblait jouer avec quelque complaisance, en homme qui ne néglige rien de ses avantages, de la silhouette étrange et haute qui me surplombait. Les traits du visage se perdaient dans une ombre presque opaque, mais la tension dans l'immobilité de la figure qui m'observait, flexible pourtant et presque élégante sous la longue robe du Conseil, avait quelque chose d'oppressant. Je sentis, à l'imperceptible touche de *mise en scène* de cette entrée en matière, que dans ces lieux, où les subtiles traditions de la police secrète se mêlaient à la familiarité des hautes affaires (les interrogatoires de la Surveillance avaient autrefois à Orsenna fait pâlir plus d'un visage à leur seul souvenir), le jeu se jouait plus près de l'homme, sans guère de prises défendues, dans un *tête-à-tête* qui n'avait pris là que trop souvent un sens redoutablement concret.

— J'ai beaucoup aimé votre père, Aldo. Voici long-temps que je désire vous connaître...

La lumière de la lampe effleura obliquement le visage de l'homme qui s'asseyait, y accrocha d'une arête luisante le nez célèbre et impérieux des Danieli, si insolemment reconnaissable que j'en ressentis un choc, comme si j'avais identifié un roi en promenade dans la rue au profil gravé sur les pièces de monnaie. Une sorte de buée flottait autour des yeux gris, des yeux voilés et pourtant aux aguets dans leur repos lourd, à la fois de chasseur de fauves et de rêveur éveillé. C'était le visage d'un homme au sang lourd, plein de passions brutales et de pesants appétits terrestres. Et cependant une ardeur semblait ronger par le dedans ces stigmates accablants de toute une race : on eût presque dit par instants cet affinement, — plus surnaturel d'avoir été visiblement si peu le bien-venu, — cette douceur gauche et presque disgracieuse que met, après des années de guerre sauvage, la porte longue-ment refermée d'un cloître sur le visage d'un reître con-verti.

— ... Je regrette que ce soit en de si pénibles circon-stances.

Les yeux gris se levèrent sur moi d'un vif mouvement de tête, et je sentis que je me tendais sur mon siège, mais ce qui suivit me déconcerta passablement.

— ... On n'a pu retrouver, me dit-on, le corps du capi-taine Marino. Notre peine à tous a été grande. C'était un officier distingué et un serviteur fidèle.

La voix sembla s'ajuster et s'amincir, comme on glisse l'ongle dans une fissure.

— ... Je sais que vous vous en étiez fait un ami.

— Le capitaine était un homme sans détours et sans reproches. Je l'aimais en effet, et je lui savais gré que ma tâche à l'Amirauté s'en trouvât si allégée.

— Je sais que le capitaine eût aimé reposer en terre d'Orsenna, reprit la voix avec une gravité soudaine. Plus que quiconque, il y avait droit. Je vous prie, à votre retour à l'Amirauté, de veiller à ce qu'on ne ralentisse pas les recherches.

Les doigts pianotèrent sur la table, irrésolus et ennuyés, et je crus un instant que l'audience allait tourner court. Dans les yeux gris passa une expression somnolente et fatiguée. Je me sentis soudain très mal à l'aise.

— Dormez-vous sans rêves, monsieur l'Observateur ?

La question était posée sur un ton de courtoisie neutre. Un instant, je demeurai stupide, puis je sentis que le sang me quittait le visage, et mes doigts se serrèrent sur l'accoudoir.

— J'avais cru... commençai-je d'une voix entrecoupée... Je sentais ma bouche se sécher... Dieu m'est témoin que j'ai cru...

Je me levai à demi de mon siège, en proie à une panique brusque.

— ... Les instructions que j'ai reçues m'avaient paru... enfin, m'avaient fait croire... J'ai pensé qu'on désirait sans oser le dire que j'aille voir là-bas, lui jetai-je dans une contraction de la gorge.

Les yeux gris ne cillèrent pas, mais une ébauche de sourire passa sur le visage à demi éclairé.

— Calmez-vous, asseyez-vous... Votre sang est vif, c'est celui d'un très jeune homme. Là ! là ! ajouta-t-il avec une ironie et une douceur presque gracieuse, en se penchant vers moi légèrement. Je n'ai pas dit que je dormais bien.

Un poids énorme tout à coup me glissa de la poitrine, et je compris que depuis de longs jours je n'avais pas vraiment respiré. Celui qui était devant moi avait le pouvoir de lier et de délier. Une envie folle me traversa : celle de baiser la main sèche et longue qui pendait devant moi dans l'ombre au bord du fauteuil.

— Quel est le chiffre des hommes d'équipage actuellement à terre dans le ressort de l'Amirauté ? me demanda tout à coup le vieux Danielo d'un ton bref et précis, en relevant la tête.

304

Il tenait un crayon à la main et tapotait le bureau de la pointe à coups légers.

— Deux cents, déduction faite des effectifs prélevés pour la remise en service des batteries côtières.

— Marino a dû vous avertir de l'arrivée prochaine de deux canonnières. Deux avisos qu'on vient de remettre en service vous parviendront avec des équipages réduits, vous les ferez compléter sur place.

— Mais...

— Je sais, coupa la silhouette noire d'une voix détendue et assez basse, soudain secrètement fatiguée. Ce ne sont pas là apparemment vos attributions. Mais les circonstances commandent. Le capitaine Marino n'a pas pour le moment de successeur désigné. D'ailleurs, vous disposez de l'aide sur place d'officiers expérimentés. Quelque chose dans la voix complaisante me signifiait qu'une nomination n'interviendrait pas de longtemps. Je m'inclinai d'un geste de déférence un peu roide.

— Je ferai de mon mieux, si j'ai pu mériter la confiance de la Seigneurie.

— Vous n'avez pas « notre » confiance, reprit la voix, où jouait cette fois une note d'ironie meurtrière. Vous ne la méritez et ne l'avez jamais eue. Vous avez notre... aveu. C'est tout ce que peut faire un Etat jeté dans des circonstances troubles, et remises au hasard.

Il eut une crispation de fatigue, et me sembla tout à coup très vieux.

— ... Je vais vous confier un secret de gouvernement, un secret dont il n'est pas bon de s'ouvrir trop à des exécutants, reprit-il en relevant la tête et en souriant dans le vague — un secret de faiblesse. On maintient toujours *d'abord* sur place, lorsqu'il survient un incident imprévu qui prend mauvaise tournure, l'homme par qui toutes choses ont commencé. Cela ne vous paraît-il pas étrange ? dit-il en cherchant tout à coup mon regard.

— Il y a peut-être à cela des raisons que j'ignore, fis-je gêné et circonspect.

— J'en vois plusieurs, dit-il d'une voix nette et lente.

305

La paresse d'esprit naturelle aux bons gouvernements. L'instinct de se couvrir vis-à-vis de l'opinion, toujours prête à penser, quand on redresse les rênes trop tôt, que « si l'on avait laissé faire », mais à laquelle, si les choses tournent décidément mal, on aura alors à jeter un bouc émissaire bien noir. Non, je ne songe pas à vous..., sourit-il en voyant que je plissais le front sans agrément.

Il parut réfléchir un instant avec cet air vague et presque absent qui me frappait tellement par instants sur ce visage aux puissantes mâchoires.

— ... Peut-être aussi y a-t-il une raison plus trouble, plus difficile à éclaircir. Quand un homme s'est trouvé une fois vraiment *mêlé* à certains actes trop grands pour lui et qui le dépassent, la conviction qu'une part de lui est demeurée méconnue, puisque de telles choses en sont nées — qu'il peut y avoir sacrilège à séparer ce que l'événement a uni. Ne pensez-vous pas, monsieur l'Observateur, qu'il y a des hommes qui appartiennent à certains actes, d'un accès particulièrement difficile et incompréhensible, parce qu'on a retiré *l'échelle*, parce qu'il n'y a plus d'échelle pour passer d'eux à lui.

— Si j'appartiens à cet acte, je ne puis en tout cas lui appartenir seul, dis-je d'une voix blanche. Un mot clair de la Seigneurie eût tout empêché. Je ne crois pas avoir eu jamais l'occasion de le lire.

Dans un mouvement brusque dont il semblait tout à coup ne pas être maître, le vieux Danielo se leva de son fauteuil et se mit à marcher à pas lents à travers la pièce. Il marchait très silencieux. Quand il se retournait, un léger bruissement de soie parcourait sa robe noire, et la flamme de la lampe oscillait faiblement. Il ressemblait à un homme qui se lève au milieu de la nuit et marche à travers sa chambre sous le poids d'une pensée trop lourde ; on eût dit qu'il avait oublié que j'étais là.

— Non, vous ne vous êtes pas trompé, dit-il enfin d'une voix sourde, je le nierais vainement. La cause vous a été remise, la permission vous a été donnée. Je ne savais

306

pas si vous iriez là-bas. Mais je savais que c'était possible. Je savais que je laissais une porte ouverte.

— Pourquoi l'avez-vous permis ? dis-je doucement en penchant la tête vers lui.

Il me lança un coup d'œil méfiant et plein de hauteur — celui de l'homme de pouvoir surpris soudain hors de sa garde ; je l'interrogeais, et je sentis qu'une seconde il hésitait à me répondre *en majesté*, mais il laissa imperceptiblement retomber sa tête.

— Il y a des questions ici qu'on ne pose guère. Mais je vous ai fait venir sans témoins...

Il sourit de nouveau d'un sourire qui paraissait *ailleurs*, comme un homme qui feint de poursuivre une discussion polie et qui cache une arme dans sa manche. Le souvenir des prisons de la Surveillance et des exécutions discrètes me traversa l'esprit un instant, mais j'avais affaire maintenant à tout autre chose qu'à la peur — une curiosité aiguë, presque douloureuse, recouvrait toute appréhension.

— A qui d'autre l'explication irait-elle, sinon à qui peut la comprendre ? dit-il soudain avec un sourire d'extrême intimité. Ce que je vais te dire maintenant, personne ici ne l'entendrait. Et personne ne l'entendra de toi, ajouta-t-il d'un ton dur et rapide : je suis le maître ici, souviens-t'en, Aldo, et ce que tu répéterais de tout ceci, il t'en coûterait. J'ai eu envie ce soir de te parler d'homme à homme parce que tu m'es proche, parce que je t'ai suivi de loin d'heure en heure, parce que j'étais la force qui te soutient et qui te pousse — parce que j'étais avec toi sur le bateau...

Il se remit à marcher de long en large, à pas lents.

— ... J'ai aimé le pouvoir, reprit-il d'un ton assez haut, qui faisait dresser l'oreille en ce qu'il était mal accordé à la résonance et aux dimensions de la pièce, comme chez quelqu'un qui parle au milieu de son sommeil. Je ne bouderai pas contre mon plaisir... Il m'a distrait pendant des années. Le pouvoir est beaucoup, Aldo ; puisque tu peux prétendre ici à ton tour à l'importance, ne crois pas ceux qui voudront t'en dégoûter. Il y a une certaine espèce de philosophes qui pousse comme le lichen, sur les ruines ; ils célèbrent les sucs de l'air et jettent l'anathème sur ce qui croît dans la terre grasse : ils te mettront en garde contre la vanité de l'expérience et te préviendront contre tout ce qui n'est pas né dans le dessèchement ; mais, crois-moi, il vaut la peine d'enfoncer ses racines — il vaut la peine de gouverner même un état croulant. On avance entre deux haies d'homme ployés, et, si l'on est un amateur d'hommes, il vaut la peine d'observer l'homme ployé : cela gagne du temps — et ils ne livrent que là un parfum qui n'est qu'à eux, comme il est plus court de connaître une essence à son odeur intime en cassant une branche en deux. J'ai connu ainsi ton père, il y a de cela bien peu, Aldo — je ne savais rien de lui : il n'avait qu'été vingt ans mon ami ; il fallut qu'il vînt me demander une place. Il y a là un vif amusement, et puis autre chose encore me requérait : j'ai été pendant trente ans l'homme des livres, eh bien ! je comprenais tout par le menu de la marche de l'histoire : l'enchaînement, la nécessité, le mécanisme des affaires, tout, sauf une chose qui est le grand secret — le secret puéril — pour quoi il faut avoir mis la main à la pâte : la facilité — la facilité déconcertante avec laquelle les choses se font. Il y avait aussi pour moi cet amusement presque inépuisable : constater que la machine marche, que mille rouages jouent et fonctionnent quand on appuie sur le bouton. C'était, au début, à n'y pas croire : se trouver devant des boutons qui n'avaient pas fini de tourner — cela donne un peu de vertige ; et puis vient ensuite un autre plaisir : le plaisir d'arriver à un même but par plusieurs circuits. On ne se lasse pas — on ne se lasse pas de longtemps de voir que ces engrenages *mordent* : l'exhalaison de la matière humaine malaxée, je t'assure que c'est un fumet qui colle aux narines, c'est tout autre chose que de *comprendre* le fonctionnement du moulin. Enfin, j'ai eu plaisir à cette mécanique qui ne faisait pas crier que des rouages vides, j'ai eu mon bon temps, je ne le regrette pas. Seulement il est venu autre chose...

Il s'arrêta un instant et sembla pourchasser dans les rides de son front une pensée agaçante.

— ... Cela ne vient pas vite, Aldo, Cela s'annonce de très loin, mais seulement *dans les intervalles* — car c'était tout de même si l'on veut une vie remplie — par des espèces de clignements rapides, encore à peine plus clairs, comme dans une fin de journée d'été les premiers éclairs de chaleur. Une chose qui a le temps. Une chose qui n'est pas pressée, qui s'engraisse toute seule, qui peut attendre, qui sait qu'elle profitera de tout. Une préoccupation qui n'en est pas une, ou pas encore, qui vous laisse de grands répits, plus de répits que les autres, mais qui refuse obstinément de se mêler aux autres, qui dédaigne et se retranche, s'éclipse plutôt que de composer, mais dont on devine qu'il n'est qu'une heure pour elle qui compte, et au prix de laquelle rien ne compte : celle où elle vous sautera dessus, celle où elle vous tiendra *tout*. La femme qui va dévaster une vie s'annonce souvent à travers ces éclipses nonchalantes : un petit coup frappé à la vitre, de temps en temps, presque imperceptible mais net, sec, avec cet accent de *percussion* qui fait tressauter légèrement et ne se mêle à aucun bruit : elle est repassée devant vous, au fond de soi-même on le sait, c'est tout ; il faudra peut-être attendre, attendre longtemps encore, mais il y a en nous un nerf alerté, tapi, qui pour jamais est à l'écoute de ce seul bruit, rien d'autre ne peut l'atteindre. Moi, c'était le Farghestan dont je guettais le coup du doigt replié sur la vitre. Dans les accalmies de la rumeur que tissait autour de moi le remue-ménage des affaires, il glissait tout à coup un curieux silence, un silence presque impoli — un de ces trous dans une conversation animée qui vous déconcertent, et si on se laisse aller au vide qu'ils creusent, ils vous mènent sans même qu'on y pense à deux yeux ouverts — deux yeux qui vous regardent sans rien dire — deux yeux qui ont su faire le silence autour d'eux. J'avais affaire à ce silence-là. La chose qui s'avançait derrière lui avec mille détours me faisait signe, semblait s'éloigner parfois, mais ne me perdait jamais de vue ;

j'avais rendez-vous avec elle pour un *tête-à-tête* intimidant. Et une singulière exaltation du sentiment de ma puissance se faisait jour à mon approche : entre tous les actes, celui que je commençais d'entrevoir, celui auquel personne ne pensait plus, était l'acte que je *pouvais* faire. Il baptisait le monde. Au lieu qu'il fût un aboutissement, tout partait de lui à neuf. Il était redoutable, il était imprudent : la sagesse des hommes, la sûreté de la ville le déconseillait... Le monde, Aldo, attend de certains êtres et à de certaines heures que sa jeunesse lui soit rendue ; un bouillonnement trouble se bouscule contre la porte qui n'attend pour s'ouvrir qu'une *permission* où toute l'âme se baigne : ai-je pu penser une seconde à la sécurité d'une ville vieille et pourrie ? Elle est raidie dans son sépulcre et murée dans ses pierres inertes, — et de quoi peut encore se réjouir une pierre inerte, si ce n'est de redevenir le lit d'un torrent ?

Le vieux Danielo s'accouda d'un geste las, et, le front dans les mains, garda un instant le silence. Il me sembla tout à coup que ce silence s'était approfondi ; la rumeur lointaine du palais maintenant désert avait cessé depuis longtemps : le battement d'une pendule devenu perceptible griffait à coups légers ce silence lisse comme des pattes d'insecte. Je regardais le carré de ciel que découpait la fenêtre, maintenant toute noire : le feu de quelques étoiles y brillant faiblement glissait comme au fond d'un puits dans la pièce étouffée. Il me sembla soudain que rien jamais n'avait dû reposer comme ce soir : la lueur faible et égale de la pièce tiède charmait d'un silence magique la ville endormie.

— ... Pourquoi ai-je besoin tout à coup de te dire ces choses ? A toi ?... reprit Danielo d'un ton pensif et égal. Une heure vient où l'idée que la signification d'un acte singulier — de l'acte le plus singulier de notre vie — puisse se perdre avec nous à jamais nous devient insupportable. Je pense que le temps est venu pour moi de témoigner, dit-il après un instant avec un sourire bizarre.

Je gardai le silence. Il n'y avait rien à répondre — le

310

vieillard ne l'attendait pas — depuis quelques minutes je sentais que ma présence lui devenait plus vague, et qu'il parlait *devant lui*, avec une inattention singulière à mon attitude et à mes gestes, un peu comme on parle d'un lit de mort.

— ... La Ville..., reprit-il pendant qu'une espèce de lueur froide passait sur son visage, comme le reflet lointain d'un grand feu.... Il me semble que je peux parler de la Ville. Elle était pour eux l'héritage qu'on remet intact aux ayants-droit, le coin de terre qu'on gère et dont on se sépare ; pour moi elle était le bûcher fait pour ma torche — une chose qui attendait de moi son sens et sa consommation. J'avais affaire à elle, il me semble, d'un peu plus près.

» Je t'ai suivi de loin, Aldo. Je savais ce que tu avais en tête, et que seulement lâcher la bride était suffisant. Il y avait devant moi cet acte — pas même un acte, à peine une permission, un acquiescement — et tout le possible à travers lui s'écoulant en avalanche, tout ce qui fait que le monde sera moins plein, si je ne le fais pas. A jamais moins plein, si je ne le fais pas. Et derrière, il n'y avait rien : le repos de momie de ce vague fantôme ; le vide qu'aiguisent sur la terre ce bâillement obscène et ces oreilles seulement faites aux petits craquements intimes du cercueil. Il est terrible pour un homme d'être une digue, de cuirasser le manque, de faire de sa volonté une pierre jetée au travers du courant. J'avais eu le temps de devenir sérieux, j'avais cessé de vouloir gagner — il était temps de seulement *hâter la venue*... Le monde, Aldo, fleurit par ceux qui cèdent à la tentation. Le monde n'est justifié qu'aux dépens éternels de sa sûreté. Je voulais seulement te dire comment sont allées les choses, reprit-il sur une note à peine plus aisée que le reste de son discours qui n'était jamais sorti du ton de la conversation courtoise, et ce qui fait que ce soir il est arrivé que nous nous rencontrions ici.

— Et maintenant ? dis-je avec incertitude, à la vérité plutôt pour rompre le silence lourd, embarrassé que j'étais de l'accueil à faire à cette confession aisée et polie comme si de bout en bout le vieillard m'avait pris pour quelqu'un d'autre.

— Maintenant ? dit Danielo en levant les sourcils avec une nuance d'étonnement... Quand tu es parti pour cette... croisière, tu ne t'es pas demandé, n'est-ce pas, Aldo, ce qu'il y avait derrière toi. Personne ici ne se le demande. Il y a plus urgent.

— Plus urgent ?

Les yeux de Danielo se plissèrent, et son visage prit une expression aiguë, presque douloureuse.

— Il y a plus urgent que la conservation d'une vie, n'est-ce pas, Aldo, si tant est qu'Orsenna vive encore. Il y a son salut. Toutes choses ne finissent pas à ce *seuil* que tu envisages uniquement.

Les yeux du vieillard s'attardèrent un instant sur le sceau rouge du laisser-passer qui tachait la table. Il n'y avait dans son regard ni haine ni peur, plutôt une lueur contemplative et épurée. Tout à coup un rapprochement bizarre se fit jour dans mon esprit : je songeai à cette « société » qui, pour tout Maremma, disposait maintenant de Rhages ; les propos d'Orlando sur le « dosage » par où s'était infiltré dans Orsenna l'esprit nouveau revinrent à ma mémoire ; et on eût dit tout à coup qu'entre ces forces à la croissance pleine d'ombre le visage de l'envoyé faisait un inattendu trait d'union. Le dialogue qui m'avait égaré, que je n'avais pu poursuivre cette nuit-là faute de repères, c'était comme si le vieux Danielo, derrière ses prunelles voilées, en eût retendu le fil et gardé pour lui la secrète signification.

— Est-ce là ce Pacte dont vous vous réclamiez ? lui jetai-je, frappé brusquement d'un souvenir. Ce pacte qui lierait la ville ?... Dois-je plutôt comprendre que vous avez décidé de son lot, et choisi le pire ?

Le vieillard haussa les épaules.

— Choisir... Décider... Et le pouvais-je ? Ce qu'elle a maintenant, la ville se l'est donné à elle-même. Ce pacte, elle seule pouvait lui rendre vigueur. Il fallait qu'elle se mît à y croire — et cela ne dépendait de personne au monde.

— Ce qu'elle a ?

— Un destin, dit Danielo en détournant la tête, comme un médecin laisse échapper le diagnostic qui condamne. N'as-tu pas remarqué les Signes ? N'as-tu pas vu, reprit-il avec une ironie rêveuse, comme tout ici a miraculeusement rajeuni ?

— C'est impossible, lui jetai-je d'une voix passionnée. Il n'y a pas de destin qui vous refuse de survivre.

— Tu te méprends, Aldo, il ne s'agit pas de subsister, dit le vieillard froidement. Je ne suis pas un politique. Il y a un temps pour les politiques. Un temps pour louvoyer entre les brisants et un temps pour serrer dans ses doigts le fil au cœur de l'obscurité. Ce fil que tu as tenu, qui t'a mené où tu es allé.

— J'exécutais, dis-je d'un ton dur, ou je croyais le faire. Je n'avais pas la responsabilité de la Ville. Vous la portiez.

Danielo haussa les épaules avec lassitude et agacement.

— Le crois-tu vraiment ?

Il parut un moment réfléchir profondément, et de nouveau les rides de son front pourchassèrent une pensée obsédante.

— ... Quand on gouverne, vois-tu, rien n'est pire que de *lâcher prise*, et une fois que la chose m'est venue, cela a été une découverte étrange de m'apercevoir qu'Orsenna ne donnait plus prise que par là. Tout ce qui ramenait l'attention sur les Syrtes, tout ce qui poussait au développement de l'affaire faisait jouer les vieux rouages avec une facilité presque irréelle, tout ce qui ne la touchait pas se heurtait subtilement à un mur d'inertie et de désintérêt. Elle profitait de tout — des gestes pour l'accélérer et des gestes pour la freiner — comme un homme qui glisse sur la pente d'un toit. Dès qu'il en était question — comment te dire ? — toutes choses se *mobilisaient* d'elles-mêmes. Dans les délibérations du Conseil, tout à coup, sans raison, au détour d'une phrase, dans le coq-à-l'âne d'un jeu de mots, par un biais saugrenu elle revenait se poser sur ces bouches mortes, comme une mouche qu'on chasse vainement de la main — et ces visages éteints soudain comme un tison qui se ranime ! Quand on gouverne, il faut toujours aller au plus pressé, et le *plus pressé* — à n'y pas croire — c'était toujours cette chose inexistante qui poussait son cri muet, — plus énergique que tous les bruits, parce que c'était comme une *voix* pure, — qui se taillait d'avance sa place, qui gauchissait tout, cette chose endormie dont la Ville était enceinte, et qui faisait dans le ventre un terrible creux de futur. Nous la portions tous...

» Oui, reprit Danielo, et de nouveau il parut regarder devant lui dans le vague, tout le monde a été complice dans cette affaire — tout le monde a aidé. Même quand il a pensé faire le contraire.

— Le vieil Aldobrandi, m'a-t-il paru, et sans doute quelques autres, ne le pensaient pas.

Danielo haussa de nouveau les épaules.

— Il y a des jours où Aldobrandi et sa clique me font croire à la génération spontanée. S'il n'existait pas, Orsenna l'inventerait... Toi aussi, reprit-il en tournant vers moi son œil sans regard, si tu n'avais été là, la ville t'aurait inventé.

— Peut-être, dis-je après un instant de silence songeur. Mais ici ! N'a-t-on vraiment rien pesé ? rien calculé avant ce... risque ?

— Rien, Aldo. On s'en est donné l'air. Ou bien on a calculé avec des données truquées, de faux chiffres. Qui ne trompaient personne, mais qui sauvaient la face. Parce que calculer vraiment aurait empêché de prendre le risque, et c'était le risque qui aspirait. Pas même le risque... ajouta-t-il d'une voix sans timbre... Peut-être y a-t-il des moments où on court à l'avenir comme à un incendie, en débandade. Des moments où il intoxique comme une drogue, où ne lui résiste plus un corps débilité.

— Je sais, dis-je avec effort. J'ai vu Maremma gagner cette maladie. Peut-être l'ai-je gagnée moi-même...

Heureusement il est temps encore. Vous savez que le moyen vous est donné de tout rendormir.

Le vieillard se redressa avec lenteur et planta ses yeux droit dans les miens avec une détermination glacée, presque inhumaine.

— Tu te trompes, Aldo. Il est trop tard.

— Trop tard ?...

Je m'étais levé, malgré moi, très pâle.

— Trop tard, Aldo, ce n'est plus moi qui décide. Orsenna est *entrée en scène* maintenant. Orsenna ne reculera pas.

— Ainsi vous voulez...

— Tout ce qui va venir, oui, et que Dieu nous soit en aide, car il en sera grand besoin.

— Vous êtes fou !

Danielo releva lentement les yeux vers moi, sans surprise et sans ressentiment, des yeux qui semblaient s'être trempés d'un seul battement de paupières à je ne sais quelle eau profonde et glacée, des yeux soudain extraordinairement *distants*.

— Tu sembles te tromper étrangement, Aldo, sur ce que signifie ma présence à cette place, reprit-il d'une voix froide et calme. Je ne m'y trouve pas par hasard. Penses-tu qu'Orsenna en soit encore à jouer le *petit jeu* ?

— Je pense que je vois maintenant clairement où le vôtre mène, et pour ce jeu-là, dans tout pays du monde il y a un nom.

— Prononce-le donc... dit le vieillard sur le même ton de singulier calme... Tu n'oses pas ?

Il repoussa loin de lui quelques papiers sur la table d'un geste sec.

— Comprends-moi bien, Aldo. Ce que je te dis ici, personne ne l'entendra. Il est terrible à certains moments de se sentir seul — et à qui parlerai-je, sinon à qui m'est plus proche que quiconque, à celui qui est allé là-bas. Tout sera présenté, tout sera mis en forme parfaitement — irréfutablement — et les vieilles perruques nobles qu'on croirait peintes sur la boiserie acquiesceront au

315

Sénat l'une après l'autre à la lecture de mon rapport, comme si de leur vie il n'avait été question de faire autre chose : se dérobe-t-on à la *voix même de la patrie* ? La voix de la patrie ?...... Elle ne parle jamais si haut que quand il s'agit de se mettre en danger sans que la nécessité presse — et le genre de langage qu'elle leur tiendra, je n'ai guère de peine à t'en donner une idée : faire parler les morts avec discernement et pertinence, c'est l'A B C de l'art du gouvernement, et c'est le péché mignon d'Orsenna — qui trouve toujours un peu incongru qu'on lui parle à l'*indicatif présent* — d'y prêter l'oreille. « L'honneur d'Orsenna... L'insolent défi de l'infidèle... Une cause tranchée par Dieu depuis des siècles, et qu'il n'a pas tenu à nous de réveiller... L'insécurité grandissante des pionniers des Syrtes... Nos forces, que la calme assurance de leur bon droit multiplie (elles en ont besoin). Le danger de sécession des provinces du Sud, si lointaines, qui devrait, si dix autres raisons ne se faisaient plus pressantes, à lui seul nous inciter à la fermeté... »

De nouveau il eut son étrange rire de gorge, et de nouveau ce rire coupant et triste s'étrangla net.

— ... Non, ne crois pas que je sois si cynique. Tout cela, qui sera dit, sera presque à moitié vrai. Comme toujours. Une guerre n'est jamais tout à fait perdue d'avance, et il est plus grave assurément qu'un Etat cède quand il s'est mis dans un mauvais cas. Ce sont de ces raisons à demi raisonnables dont font commerce les chancelleries : on ne leur demande guère plus que d'être décoratives — de boucher le trou. Fausses si tu veux, mais fausses ici surtout en ce qu'elles sont *à la place*.

— De celles qui ne sont pas recevables ?

— De celles qui ne sont pas reçues. Il n'y a pas de langue connue, Aldo, où un Etat trébuchant puisse confesser ses troubles intimes, comme un malade à son médecin. Pas de langue, et c'est dommage. Les dirigeants des Etats âgés, on les tient pour congénitalement fourbes et hypocrites. Comme si on ne le murait pas dans l'hypocrisie, le vieillard en qui tout se fait débâcle, et dont on

316

exige encore qu'il soit *bien tenu* ! Comme si tout le monde ne se liguait pas — et les siens plus durement que les autres — pour l'empêcher de parler de ses *petits malaises* dont il va mourir bientôt. Il en a pourtant envie. Il en a pourtant besoin quelquefois. Et ce ne sont pas des malaises imaginaires. On parle autour de lui, on lui parle comme si de rien n'était : héritages, soucis de famille, dividendes, mariages, procès en cours, affaires courantes. Comme si les affaires pour lui pouvaient continuer à courir, pouvaient espérer le rattraper où il va ! Parfois — de plus en plus souvent — il se fait une accalmie dans le remue-ménage, et un bruit monte pour lequel seul il a maintenant des oreilles : celui des berges battues par les vagues, qui s'enfuient à toute vitesse, derrière le navire débouchant dans la haute mer. Ce sont des choses que je te dis parce que je suis vieux, et que je te dis en connaissance de cause parce que je n'ai pas vieilli seul.

— La pensée de la fin ? fis-je en haussant involontairement les épaules. Quelle sottise !

— Ce n'est pas une pensée, Aldo. Tu as compris bien des choses, mais pour celle-ci tu es trop jeune. Ce n'est même pas une idée fixe. C'est une *dernière volonté*.

— Il vous plaît à dire...

J'étais remué plus que je ne voulais me l'avouer par son ton de certitude.

— ... Personne à Orsenna n'a le goût du suicide, je vous assure. Personne que je sache. Tout cela est extravagant.

— Tu ne penses pas tout à fait ce que tu dis, Aldo. « Suicide » est vite dit. Un Etat ne meurt pas, ce n'est qu'une forme qui se défait. Un faisceau qui se dénoue. Et il vient un moment où ce qui a été lié aspire à se délier, et la forme trop précise à rentrer dans l'indistinction. Et quand l'heure est venue, j'appelle cela une chose désirable et bonne. Cela s'appelle mourir de sa *bonne mort*.

— Orsenna se défaire ? Qui pourrait l'y pousser.

— La solitude, reprit Danielo pensif. L'ennui de soi,

317

qui vient à ce qui s'est senti trop longtemps, trop exclusivement rassemblé. Le vide qui se fait à ses frontières — une espèce d'insensibilité qui naît à sa surface engourdie comme si elle avait perdu le toucher — perdu le contact : Orsenna a fait des déserts autour d'elle. Le monde est une glace où elle cherche son image et ne l'aperçoit plus. Voici des années, Aldo, que je vis l'oreille collée contre son cœur : il ne guette plus rien que le galop funèbre, la vague noire qui le recouvrira. Il y a trop longtemps qu'Orsenna n'a été remise dans les hasards. Il y a trop longtemps qu'Orsenna n'a été remise dans le jeu. Autour d'un corps vivant, il y a la peau qui est tact et respiration ; mais quand un Etat a connu trop de siècles, la peau épaissie devient un mur, une *grande muraille* : alors les temps sont venus, alors il est temps que les trompettes sonnent, que les murs s'écroulent, que les siècles se consomment et que les cavaliers entrent par la brèche, les beaux cavaliers qui sentent l'herbe sauvage et la nuit fraîche, avec leurs yeux d'ailleurs et leurs manteaux soulevés par le vent.

— Sans doute, fis-je avec nervosité. Et, un moment après, les têtes fleurissent au bout des piques. Ce sont des choses pour lesquelles on aimerait prendre un peu de recul.

Danielo garda un instant le silence et me regarda d'un air hautain.

— Mon sang appartient à la Ville, prononça-t-il avec un accent de fermeté froide et pourtant un tremblement dans la voix. Je n'ai fait que la servir — inavouablement. Crois-tu donc que je puisse lui survivre, si les choses en viennent jusque-là ?

— Jusque-là !... Mais qui vous y force ? lui lançai-je avec une espèce de fureur désespérée. Un geste — un geste seulement, qui ne coûte même pas à votre fierté, et tout s'apaise. Un geste que vous pouvez faire. Que vous pouvez *aussi* faire, car tout ici vous obéit.

Le vieillard sembla hésiter un instant, ouvrit un tiroir et me tendit un rouleau de papier.

318

— Lis ceci, me dit-il d'une voix brève.

La pièce était un rapport de police en provenance d'Engaddi, une misérable bourgade de l'intérieur des Syrtes qui ravitaillait les caravaniers de l'extrême Sud. Le rapport était bref et précis. Il signalait qu'une caravane venant d'arriver à Engaddi avait eu contact au point d'eau de Sarepta avec un rezzou démonté de nomades ghazanides, qui ne s'aventurent qu'exceptionnellement dans ces parages — où sinue une frontière toute théorique — avant le retour de la belle saison. Des détachements farghiens armés venaient de chasser leur bétail de ses pâturages d'hiver situés loin dans l'est, en réquisitionnant les chevaux pour la remonte de la cavalerie, et des recoupements, des renseignements nombreux fournis par des témoins oculaires indiquaient qu'une armée farghienne d'un effectif mal déterminé, mais « nombreuse », les suivait à quelques étapes, contournant la mer des Syrtes par l'est en direction de la frontière. Questionné sur la date à laquelle les Ghazanides pourraient réoccuper leurs pâturages, le chef du détachement précurseur avait répondu en souriant que le bétail sur pied et les chevaux des charrois n'y séjourneraient que très peu, et que « chacun savait que les bons pâturages d'hiver se trouvaient de l'autre côté de la frontière ». A la diffusion de ces nouvelles, la panique s'était emparée de la population d'Engaddi ; la police, pour calmer l'effervescence, avait dû évacuer en hâte les femmes et les enfants vers Maremma et distribuer des armes aux hommes valides. Le chef de la police réclamait l'envoi en toute hâte d'instructions sur la conduite à tenir « en face de cette situation nouvelle ».

— Ainsi, ils viennent ! dis-je, et toute ma colère tomba d'un coup pour faire place à un sentiment de certitude et de tranquillité merveilleuse : c'était comme si la torpeur des sables avait été transpercée tout à coup du bruit de milliers de fontaines — comme si, sous le choc des millions de pas de l'armée mystérieuse, à l'infini autour de moi le désert fleurissait.

— Oui, dit le vieux Danielo, et il me sembla que tout

à coup son visage s'emplissait de lumière. Il se leva d'un air absorbé et marcha vers la fenêtre. Le même morceau de ciel noir se projetait sur le rectangle sombre, les mêmes étoiles y brillaient tranquillement. Le suspens de cette nuit paisible était si profond et si intime qu'il semblait qu'on y entendît quelqu'un marcher.

Je quittai le palais du Conseil très tard. Le vieux Danielo avait fait appeler dans son cabinet l'officier de liaison attaché aux services de la Surveillance, et nous discutâmes assez longuement des mesures militaires qu'il devenait urgent de prendre à l'Amirauté. Il fut décidé de rendre les patrouilles quotidiennes et de ne plus tenir compte désormais en aucun cas de la « ligne » réglementaire qui bornait leur parcours du côté du large ; dans la situation qui semblait se tendre d'heure en heure, il devenait évidemment risible d'observer une règle de prudence qui pouvait coûter à l'Amirauté une dure surprise. Les parages de Vezzano devaient en particulier être surveillés de près. L'état de siège serait proclamé sans délai à Maremma où, dans la surexcitation qui gagnait la ville, l'arrivée des réfugiés d'Engaddi risquait de créer des remous dangereux ; un détachement y serait acheminé de l'Amirauté pour maintenir l'ordre. Aucun navire, en dehors des unités de guerre, ne serait plus autorisé à quitter les ports. Toutes les batteries encore en service à l'Amirauté verraient compléter d'urgence leurs effectifs. Les navires disponibles pour le combat — en tenant compte des renforts le nombre s'élevait à quatre — devaient se tenir prêts à appareiller dans les deux heures. L'ordonnance qui proclamait l'état de siège rédigée et scellée, Danielo congédia l'officier et me retint un instant seul.

— Ainsi donc, Aldo, nous nous quittons. Demain, à la première heure, tu repartiras pour les Syrtes. Dieu sait quand et comment nous nous reverrons jamais.

— Dieu le sait, dis-je en serrant la main sèche. Elle tremblait légèrement : on eût dit que le froid de la nuit tombait tout à coup dans la pièce par la fenêtre ouverte...

Rien n'est dit encore, ajoutai-je d'une voix sans conviction, — l'armée n'a pas franchi les frontières, — peut-être s'arrêteront-ils...

— Non, Aldo.

Le vieillard secoua la tête d'un geste lourd.

— ... Pas davantage maintenant que ne s'arrêteront de rouler ces étoiles. Pas davantage que deux corps qui commencent à faire les gestes de l'amour. Ni la peur, ni la colère, ni la complaisance, ni la fuite ne sauveraient maintenant Orsenna de la chose livrée et promise qu'elle est devenue pour les yeux ouverts qui la regardent. Ni elle ne voudrait s'en sauver. Ma mémoire sera peut-être maudite, s'il y a pour moi une mémoire...

Danielo haussa durement les épaules.

— ... Une barque qui pourrit sur la grève, celui qui la rejette aux vagues... il peut être dit insoucieux de sa perte, mais non pas du moins de sa *destination*.

— ... Ne regrette rien, dit-il en me serrant la main de nouveau avec une émotion brusque, je ne regrette rien moi-même. Il ne s'agit pas d'être jugé. Il ne s'agissait pas de bonne ou de mauvaise politique. Il s'agissait de répondre à une question — à une question intimidante — à une question que personne encore au monde n'a pu jamais laisser sans réponse, jusqu'à son dernier souffle.

— Laquelle ?

— « Qui vive ? » dit le vieillard en plongeant soudain dans les miens ses yeux fixes.

La nuit était claire et sonore quand je sortis du palais désert. Une lueur froide et minérale décapait les contours des arêtes de pierre dure, projetait sur le sol en treillis d'encre les ferronneries compliquées des vieux puits qui s'ouvrent encore au ras du sol sur les placettes de la ville haute. Dans le silence de la nuit, au delà des murs nus, des bruits légers montaient par intervalles de la ville basse, bruit de l'eau qui coule, roulement attardé d'une voiture lointaine — distincts et pourtant intriguants comme les soupirs et les mouvements d'un sommeil agité, ou les craquements inégaux des déserts de rochers

321

que le froid de la nuit contracte ; mais dans ces hauts quartiers nourris d'altitude et de sécheresse, les pans durement coupés de la lumière bleuâtre et laiteuse collaient à la pierre comme une peinture et n'avaient pas un cillement. Je marchais le cœur battant, la gorge sèche, et si parfait autour de moi était le silence de pierre, si compact le gel insipide et sonore de cette nuit bleue, si intriguants mes pas qui semblaient poser imperceptiblement au-dessus du sol de la rue, je croyais marcher au milieu de l'agencement bizarre et des flaques de lumière égarantes d'un théâtre vide — mais un écho dur éclairait longuement mon chemin et rebondissait contre les façades, un pas à la fin comblait l'attente de cette nuit vide, et je savais pour quoi désormais le décor était planté.

TABLE